# a escada dos anos

**Obras da autora publicadas pela Editora Record**

*Em busca da América*
*A escada dos anos*

# anne tyler

# a escada dos anos

Tradução de
VERA WHATELY

EDITORA RECORD
RIO DE JANEIRO • SÃO PAULO
2008

CIP-Brasil. Catalogação-na-fonte
Sindicato Nacional dos Editores de Livros, RJ.

T972e
Tyller, Anne
    A escada dos anos / Anne Tyler; tradução Vera Whately.
– Rio de Janeiro: Record, 2008.

    Tradução de: Ladder of years
    ISBN 978-85-01-07808-7

    1. Romance americano. I. Whately, Vera. II. Título.

08-2894
    CDD – 813
    CDU – 821.111(73)-3


Título original norte-americano:
LADDER OF YEARS


Copyright © Anne Tyler, 1995


Todos os direitos reservados. Proibida a reprodução, no todo ou em parte,
através de quaisquer meios.


Capa: Rafael Saraiva
Imagem de capa © PBNJ Productions/CORBIS/LatinStock


Direitos exclusivos de publicação em língua portuguesa somente para o
Brasil adquiridos pela
EDITORA RECORD LTDA.
Rua Argentina 171 – Rio de Janeiro, RJ – 20921-380 – Tel.: 2585-2000
que se reserva a propriedade literária desta tradução

Impresso no Brasil

ISBN 978-85-01-07808-7

PEDIDOS PELO REEMBOLSO POSTAL
Caixa Postal 23.052
Rio de Janeiro, RJ – 20922-970

EDITORA AFILIADA

# MULHER DE BALTIMORE DESAPARECE DURANTE FÉRIAS DA FAMÍLIA

O departamento de polícia de Delaware anunciou nesta manhã que Cordelia F. Grinstead, 40 anos, esposa de um médico de Roland Park, desapareceu quando passava férias com a família em Bethany Beach.

A Sra. Grinstead foi vista pela última vez por volta do meio-dia da segunda-feira passada, caminhando pela praia em direção ao sul, entre Bethany e Sea Colony.

As últimas pessoas a vê-la — o marido, Dr. Samuel Grinstead, 55 anos, e seus três filhos, Susan, 21, Ramsay, 19, e Carroll, 15 — não se lembravam de ninguém suspeito na área. Declararam que ela simplesmente saiu para caminhar. Sua ausência só foi notada no final da tarde.

A Sra. Grinstead é uma mulher esguia, de compleição pequena, cabelo cacheado louro ou castanho bem claro, mede cerca de 1,58 ou 1,68 m e pesa cerca de 40 ou 48 quilos. Seus olhos são azuis ou acinzentados ou talvez verdes, e o nariz é sardento e ligeiramente bronzeado.

Devia estar carregando uma bolsa de palha grande com um laço rosa, mas seus familiares não sabem ao certo que roupa ela usava. Talvez algo rosa ou azul, de babados ou de renda ou "parecendo um baby-doll", sugeriu o marido.

As autoridades não suspeitam de afogamento, pois a Sra. Grinstead não gostava de nadar e tinha verdadeira aversão a água. Sua irmã, Eliza Felson, 52 anos, declarou aos repórteres que a desaparecida "deve ter sido um gato na outra encarnação".

Quem souber do paradeiro da Sra. Grinstead deve contatar imediatamente a delegacia de polícia de Delaware.

# 1

Tudo começou em maio, em uma manhã de sábado, num desses dias quentes de primavera que cheiram a roupa de cama lavada. Delia tinha ido ao supermercado fazer as compras semanais da casa. Estava no balcão de verduras, escolhendo com calma um molho de aipo. As seções de verduras sempre a deixavam pensativa. Esse aipo deveria chamar-se "planta cotelê", pensou, seria muito mais pitoresco. E as cabeças de alho deveriam chamar-se "porta-moedas", pois seu formato lembrava os sacos de moedas de ouro dos contos de fadas.

Um cliente à sua direita passava pelo balcão de cebolinhas. Era cedo e o mercado estava quase vazio, mas o rapaz parecia querer aproximar-se dela. Duas ou três vezes a manga da camisa dele roçou na manga do seu vestido. Na verdade, ele estava apenas mexendo nas cebolinhas. Levantava um molho preso com elástico, deixava cair e pegava outro. Seus dedos eram longos e ágeis, semelhantes a uma aranha.

— Sabe se isso se chama cebolinha? — perguntou.

— Às vezes — disse Delia, escolhendo o molho de aipo mais próximo e pegando um saco plástico.

— Ou será que é cebola-de-cheiro?

— É cebolinha mesmo — ela respondeu.

Sem necessidade, o rapaz segurou o rolo de sacos plásticos acima do balcão para ela puxar um. (Ele era bem mais alto que ela.) Ela jogou o aipo no saco e foi pegar um fitilho, mas ele já tinha pegado por ela.

— Por falar nisso, o que é uma cebolinha? — perguntou.

Delia pensou que o sujeito estivesse lhe dando uma cantada, mas ao virar-se percebeu que ele era uns dez anos mais moço que ela e, aliás, muito bonito. Cabelo castanho-escuro liso e olhos azuis, que lhe davam um ar sonhador e calmo. Sorria para ela, um pouco mais perto do que normalmente fica uma pessoa estranha.

— Hum.... — ela disse, confusa.

— Cebolinhas — ele repetiu.

— As cebolinhas são mais grossas — ela disse, colocando o aipo no carrinho. — Devem ser parentes da salsa. — Falou por cima do ombro, mas notou que ele estava logo atrás, empurrando o carrinho para o balcão de frutas cítricas. Usava um jeans muito desbotado e mocassim, e seus passos eram abafados pela música vinda do alto-falante: "King of the Road".

— Eu também preciso de limões — disse.

Ela olhou-o mais uma vez.

— Um momento — disse o rapaz de repente, baixando a voz. — Posso lhe pedir um grande favor?

— Hum....

— Aquela é minha ex-mulher, ali no balcão de batatas. Não é bem ex mas... estamos separados, digamos, e aquele sujeito é seu namorado. Você pode fingir que estamos juntos? Só até eu sair daqui?

— É claro — disse Delia.

Sem pensar, viu-se de volta aos tempos de colégio, numa atmosfera de intriga e mentiras românticas. Apertou os olhos, levantou o queixo e disse:

— *Ela* vai ver só! — Passou pelas frutas e fez uma curva fechada no balcão de verduras. — Quem é ela? — murmurou, com os lábios semicerrados.

— A de blusa amarela, — respondeu baixinho. E de repente ele deu uma gargalhada que a assustou. — Há, há! — falou, bem alto. — Gostei de você dizer isso!

Mas aquilo não era bem uma "blusa amarela". A mulher que se virou ao ouvir a voz dele usava uma túnica bege de seda pura e calças pretas de seda, estreitas que nem dois lápis. Seu cabelo era muito preto, curto de um lado, e o rosto formava um oval perfeito.

— Oi, Adrian — ela disse. O namorado virou-se também, ainda segurando uma batata. Um homem forte e moreno, de pele áspera como estuque e sobrancelhas juntas no meio. Não estava à altura dela de forma alguma, mas muito poucos estariam.

O companheiro de Delia falou:

— Rosemary, não tinha visto você. — Depois virou-se para Delia, sem mudar o passo, pondo a mão no carrinho dela para virar no outro corredor. — Você prometeu fazer sua bavaroise maravilhosa hoje à noite.

— Ah, é, a minha... bavaroise — ela repetiu baixinho. Não sabia o que era isso, mas devia ser como ela se sentia agora: pálida, de rosto lavado, magrela, sardenta, cabelo castanho crespo e vestido rosa rodado de gola redonda.

Eles tinham passado pela seção de laticínios e pelo corredor dos sucos, onde Delia planejava pegar umas coisas, mas não disse nada porque Adrian continuou a falar.

— Sua bavaroise, depois carne com legumes e ...

Ele ia baixando o tom de voz e ela lembrou-se das canções populares que acabavam com a voz dos cantores sumindo aos poucos.

— Ela está olhando para nós? — ele perguntou baixinho.

— Procure saber, sem dar na vista.

Delia olhou em volta, fingindo estar interessada num saco de arroz transgênico. A esposa do rapaz e o namorado estavam de costas, mas havia algo de artificial na postura deles. Ninguém ficava tão imóvel escolhendo batatas vermelhas.

— Bom, ela está olhando *mentalmente* — Delia murmurou. E ao virar-se viu seu carrinho encher-se rapidamente de vários tipos de massa. Espaguete, pene, fusili — apanhados a esmo por Adrian. — Com licença... — ela disse.

— Ah, desculpe — Adrian falou, enfiando as mãos nos bolsos e dando umas passadas largas. Delia seguiu-o, empurrando o carrinho bem devagar para lhe dar chance de ir embora. Mas no final do corredor ele parou e ficou examinando umas latas de ravióli até ela aparecer. — O nome do namorado é Skipper. Ele é contador.

— Contador! — disse Delia. Ele parecia tudo menos contador.

— Ele foi à nossa casa pelo menos umas seis vezes. Sentava-se na nossa sala de visita e ficava calculando os impostos. Rosemary tem uma firma de bufê chamada Comer sem Culpa. "Comidas Pecaminosamente Deliciosas para Todas as Ocasiões." Logo depois mudou-se para a casa dele. Falou que precisava dar um tempo, mas quando me telefonou eu ouvi no fundo a voz de um homem.

— Que horror! — disse Delia.

Uma mulher com um bebê no carrinho passou entre eles para pegar uma lata de macarrão com queijo. Delia recuou para lhe dar espaço.

— Se não for pedir muito — disse Adrian quando a mulher foi embora — gostaria de ficar ao seu lado até você terminar suas compras. Rosemary suspeitaria se eu saísse agora sozinho. Espero que não se importe.

Importar? Aquilo era a coisa mais interessante que lhe acontecia em anos.

— Nem um pouco — falou, virando o carrinho no corredor seguida de Adrian.

— A propósito, meu nome é Adrian Bly-Brice. Gostaria de saber o *seu* nome também.

— Eu sou Delia Grinstead — disse, pegando um vidro de flocos de hortelã da prateleira de temperos.

— Acho que nunca conheci uma pessoa chamada Delia.

— Na verdade, o nome é Cordelia. Foi escolhido pelo meu pai.

— E você é uma?
— Uma o quê?
— Você é a Cordelia do seu pai?
— Não sei. Ele já morreu.
— Ah, sinto muito.
— Ele morreu no inverno passado.

Por mais ridículo que fosse, seus olhos encheram-se de lágrimas. Aquela conversa estava tomando um rumo errado. Ela levantou os ombros e empurrou o carrinho pelo corredor, desviando-se de um casal de idosos que examinava substitutos para o sal.

— Seja como for, eu ganhei logo esse apelido. Como na música.

— Que música?

— Ah... você sabe, aquela música que diz que Delia vai embora... Meu pai costumava cantar para eu dormir.

— Nunca ouvi.

Pelo alto-falante ela ouvia agora "By the Time I Get to Phoenix" por cima da voz rouca do seu pai cantando na sua cabeça "Delia's Gone".

— Deixa pra lá! — disse ela de novo, mais animada.

Encaminharam-se para o corredor seguinte, com cereais à esquerda e pipoca e balas à direita. Delia precisava de sucrilhos, mas era uma compra "família" demais e ela resolveu não pegar. (De que ingredientes precisaria para fazer a bavaroise?) Adrian passou os olhos pelos sacos de balas de caramelo e de rum. A pele dele era quase dourada e muito fina, como a de certos homens louros. Decerto não precisava barbear-se mais que duas a três vezes por semana.

— O meu nome foi escolhido por causa de um tio rico, Adrian Brice. Mas não adiantou nada. Ele ficou com raiva de mim porque mudei o nome quando me casei.

— Mudou o nome quando se casou?

— Eu era Adrian Brice II, mas quando me casei Rosemary Bly e eu nos tornamos Bly-Brice.

— Então seu nome leva um hífen — disse Delia.

— Foi idéia dela, pode crer.

Como se tivesse sido chamada por aquelas palavras, Rosemary apareceu na outra extremidade do corredor e jogou alguma coisa na sacola de plástico vermelho pendurada no pulso de Skipper. Mulheres como ela nunca enchiam o carrinho com compras.

— Se formos ao cinema perderemos o concerto — disse Adrian de repente. — E você sabe que estou contando com esse concerto.

— Eu me esqueci — disse Delia. — O concerto! Vão tocar...

Mas não conseguiu lembrar-se do nome de um único compositor. (E talvez ele estivesse se referindo a outro tipo de concerto — um show de rock, por exemplo. Ele era bem jovem.)

Rosemary encarou-os quando Delia e Adrian se aproximaram, e Delia foi a primeira a baixar os olhos.

— Melhor deixar o cinema para amanhã — disse Adrian, virando o carrinho um pouco para a esquerda. De repente Delia sentiu-se incrivelmente pequena — não engraçadinha e *mignon*, mas acachapada, simples e insignificante. Sua cabeça ficava abaixo do ombro de Adrian. Aumentou a velocidade, ansiosa para deixar para trás essa imagem de si mesma. — Eles passam o filme no domingo à tarde, não é? — Adrian dizia.

— É claro que sim — disse Delia, com muita ênfase. — Podemos ir à sessão das 2 horas, logo depois do *brunch* de champanhe.

Àquela altura ela já estava entrando no próximo corredor. Adrian teve de apertar o passo para acompanhá-la e quase bateram em um homem com o carrinho lotado diante de umas caixas gigantescas de fraldas.

No corredor 7 dirigiram-se para a seção de delicatessen — pasta de anchova, ostras defumadas — e chegaram aos alimentos para bebês, onde Delia lembrou que precisava de espinafre ralado. Abaixou-se para olhar as fileiras de potes.

— Isso não! — sussurrou Adrian. Saíram depressa dali deixando para trás o corredor 7 e entrando no 8. — Desculpe, achei que se Rosemary visse você comprando comida de bebê...

Se visse Delia comprando comida de bebê pensaria que ela tinha um bebê esperando em casa, mas Delia não tinha filhos pequenos há muito tempo. Achar que ela pudesse ter um bebê era um verdadeiro elogio. Queria apenas comprar espinafre ralado para sua sopa de ervilha com hortelã. Mas não se deu ao trabalho de explicar e resolveu pegar uma lata de caldo de galinha.

— Oh — disse Adrian passando por ela. — Consommé! Estava mesmo pensando em comprar isso.

Jogou uma lata no carrinho dela — uma marca sofisticada, de rótulo branco brilhante, e ficou andando por ali com as mãos enfiadas nos bolsos de trás. Pensando bem, Adrian lhe lembrava seu primeiro namorado — na verdade, seu único namorado, afora seu marido. Will Britt tinha aquele mesmo tipo anguloso, que ora lhe dava um ar gracioso ora um ar deselegante; e também virava os cotovelos para trás como Adrian, como se fossem asas, e as orelhas eram um tanto de abano. Foi um alívio descobrir que as orelhas de Adrian eram de abano. Delia desconfiava de homens bonitos demais.

No final do corredor olharam para as duas direções. Não dava para saber onde Rosemary poderia aparecer a qualquer momento com sua sacola quase vazia. Mas a área estava desimpedida e Delia levou o carrinho para a seção de papelaria.

— Ainda quer comprar *mais*? — Adrian perguntou.

Ela ainda tinha muitas coisas a comprar, mas entendeu a aflição dele. Quanto mais ficassem ali, maiores as chances de outro confronto.

— Vamos embora — decidiu. Dirigiu-se ao caixa mais próximo, porém Adrian puxou o carrinho pela grade e levou-o para o caixa rápido. — Um, dois, três... — ela contou os volumes em voz alta. — Não podemos passar por ali, eu tenho 16, 17 volumes...

Adrian puxou o carrinho para a caixa de 15 volumes, postou-se atrás de uma senhora que comprara apenas um saco de ração de cachorro e começou a empilhar as caixas de massa no balcão. Delia abriu a bolsa, procurando o talão de cheques. Nesse meio-tempo, a senhora que estava na frente depositou várias trocados na palma da mão da moça da caixa — um centavo e depois outro; um terceiro centavo estava grudado num fiapo de pano e ela jogou o fiapo fora com cuidado. Adrian deu um suspiro irritado.

— Esqueci a ração do gato — disse Delia, sem nenhuma esperança de que ele se oferecesse para buscá-la, só queria falar alguma coisa para melhorar seu humor. — Quando vi essa ração de cachorro lembrei que a ração do meu gato está quase no fim. Não faz mal, posso pedir para Ramsay comprar mais tarde.

A senhora tentava pescar mais um centavo na bolsa, dizendo que tinha certeza de que havia mais uma moeda lá dentro.

— Ramsay! — Adrian repetiu para si mesmo, suspirando de novo mas agora rindo. — Aposto como você mora em Roland Park — disse.

— Moro sim.

— Eu sabia! Todo o mundo de Roland Park tem um o sobrenome como primeiro nome.

— E daí? — ela perguntou, meio ofendida. — Qual é o mal disso?

— Nenhum.

— Isso nem é verdade. Conheço muita gente que...

— Não leve a mal! Eu também moro em Roland Park. Não sei por que não me deram o nome de... Bennington, ou McKinney. McKinney era o nome de solteira da minha mãe. Aposto como a mãe do seu *marido*... e se resolvermos não comer a bavaroise hoje à noite podemos comer amanhã à noite, não é mesmo?

Delia não entendeu nada daquele papo, até perceber que Rosemary devia estar por perto de novo. É claro: uma sacola cheia foi colocada no balcão logo depois das compras dela. Àquela altura a senhora tinha ido embora, andando com dificuldade devido ao peso da ração de cachorro. A moça da caixa perguntou:

— Saco de plástico ou de papel?

— De plástico, por favor — disse Adrian.

Delia abriu a boca para reclamar (em geral ela usava saco de papel), mas não quis contradizê-lo na frente da esposa dele.

— Delia, acho que você não conhece minha... — Adrian falou.

Delia virou-se, já com um sorriso surpreso e agradável preparado nos lábios.

— Minha... hum... Rosemary — ele continuou. — E seu... Skipper. Essa é Delia Grinstead.

Rosemary não sorriu, o que fez com que Delia se sentisse uma idiota, mas Skipper cumprimentou-a gentilmente com a cabeça. Seus braços estavam dobrados sobre o peito — braços curtos, musculosos e muito peludos saindo das mangas da sua camisa pólo.

— Alguma ligação com o *Dr.* Grinstead? — ele perguntou.

— Ele é meu... ele foi meu... ele é meu marido. — Como explicar a existência de um marido na presente situação?

Mas Skipper não perdeu o bom humor, e disse a Rosemary:

— O dr. Grinstead é o médico da minha mãe. Trata dela há anos. Não é mesmo? — perguntou a Delia.

— É, sim — ela concordou, sem ter a menor idéia de quem fosse. Rosemary, nesse meio tempo, a examinava friamente. Inclinou a cabeça para o lado, acentuando o corte de cabelo assimétrico que descia até o queixo. Delia não tinha nada com isso, mas achou que Adrian merecia uma pessoa mais simpática. Até Skipper merecia uma pessoa mais simpática. Gostaria de estar de salto alto e com um vestido melhor.

— O Dr. Grinstead é um dos últimos médicos de Baltimore que atende em casa — informou Skipper a Rosemary.

— Só se for absolutamente necessário — Delia disse. Uma atitude reflexa: ela nunca deixava de proteger o marido dos seus pacientes.

Por trás dela a mocinha registrava todas as suas compras na máquina registradora. Delia percebeu que a música tinha parado há uns minutos e os clientes do supermercado falavam com um tom abafado.

— São 33 dólares — disse a moça do caixa.

Quando Delia ia preencher o cheque, Adrian pagou.

— Oh — ela falou, preparando-se para reagir. Mas então percebeu que Rosemary estava ouvindo.

Adrian deu um sorriso gentil e aceitou o troco.

— Prazer em ver vocês — disse para o casal, e foi saindo, empurrando o carrinho, seguido de Delia.

Tinha chovido durante dias, mas naquela manhã o céu estava claro e o estacionamento tinha um cheiro de lavado, fresco e gostoso, banhado de sol. Adrian parou o carrinho no meio-fio, pegou dois sacos de compras e deixou o terceiro para Delia. Depois ficou pensando onde deveria colocar as compras. Estava encaminhando-se para seu carro, estacionado perto da tinturaria, quando ela o parou.

— Ei. Meu carro está aqui.

— E se eles nos virem? Não podemos sair em dois carros!

— Bom, eu tenho uma *vida própria* — Delia falou irritada. Aquela brincadeira tinha ido longe demais, pensou. Não tinha comprado espinafre, sucrilhos e outros artigos por causa de um estranho total. Então abriu a mala do seu Plymouth.

— Tudo bem — Adrian disse. — Vamos colocar as compras bem devagar na sua mala e quando terminarmos eles terão ido embora. Eles não compraram grande coisa, só dois bifes, duas batatas, uma alface e uma caixa de balas de hortelã. Não vão levar muito tempo para pagar.

Delia estava pasma com o poder de observação dele. Ficou vendo-o colocar os sacos de compras na mala do seu carro, levando um bom tempo para guardar uma caixinha de orzo, uma massa estranha, mínima, que ela muitas vezes via na prateleira mas nunca tinha comprado. Parecia arroz, então por que não servir logo arroz de verdade que devia ser mais nutritivo? Passou o saco que estava segurando e ele colocou-o com cuidado entre os outros dois.

— Eles já apareceram? — perguntou.

— Não — respondeu, olhando na direção do mercado. — Eu estou te devendo.

— Nada disso, foi um prazer.

— Não, quero pagar. Mas só tenho cheque, você aceita? Posso mostrar minha carteira de motorista.

Adrian riu.

— Estou falando sério. Se não se importar de receber...

Naquele instante viu Skipper e Rosemary saindo do supermercado. Skipper trazia uma única sacola de papel, e Rosemary vinha só com uma bolsa do tamanho de um sanduíche, pendurada por uma corrente dourada.

— São eles?

— São.

Adrian enfiou a cabeça na mala e começou a reorganizar as compras.

— Avise quando forem embora.

O casal dirigiu-se para um carro vermelho esporte. Rosemary era da altura de Skipper, se não mais alta, e andava como uma modelo. Se ficasse contra uma parede o osso do seu quadril encostaria primeiro.

— Estão olhando para cá? — Adrian perguntou.

— Acho que não nos viram.

Skipper abriu a porta do carona e Rosemary dobrou o corpo para entrar. Ele passou a sacola de compras e fechou a porta, foi para o outro lado do carro, sentou-se e ligou o motor. Só então é que fechou a porta. O carro deu uma pequena guinada e partiu.

— Foram embora — disse Delia.

Adrian fechou a tampa da mala. Parecia mais velho agora. Pela primeira vez Delia notou uns sulcos finos no canto da sua boca.

— Ainda bem.

Parecia grosseiro mencionar o dinheiro de novo, mas assim mesmo ela falou.

— Sobre o cheque...

— Por favor. Eu é que estou devendo a *você*. Estou devendo mais que isso. Obrigado por entrar nessa comigo.

— Não há de quê. Só gostaria de ser uma mulher mais apropriada.

— Mais apropriada?

— Mais... *você* sabe. Glamourosa como sua mulher.

— Por quê? Você é muito bonita! Tem um rostinho lindo que nem uma flor.

Delia corou. Parecia estar pedindo elogio.

— De qualquer forma, tive prazer em ajudar — disse, afastando-se para abrir a porta do seu carro. — Até logo!

— Até logo. E mais uma vez, obrigado.

Como se fosse um anfitrião, ficou esperando que ela manobrasse o carro no estacionamento. É claro que ela se atrapalhou ao ver que estava sendo observada. Virou demais o volante e a roda rangeu, mas finalmente conseguiu sair. Pelo espelho retrovisor viu Adrian lhe dar adeus até ela virar a esquina.

Quase chegando em casa é que lembrou que devia ter dado as compras dele. Meu Deus, pensou, tinha ficado com toda aquela massa, os grãozinhos de orzo e também o consommé. Consommé madrilenho, nem sabia como pronunciar aquilo. Tinha ficado com coisas que não lhe pertenciam, e era uma vergonha sentir-se tão contente, tão feliz e tão rica.

# 2

O problema das sacolas de plástico era que aquelas alças fortes faziam com que Delia tentasse carregar várias de uma vez. Só foi se lembrar disso quando estava no jardim e seus dedos começaram a doer. Não conseguiu entrar com o carro na garagem porque uma perua estava obstruindo a passagem. Presa no tronco de um enorme carvalho havia uma placa de metal orientando os pacientes a estacionar na rua, mas ninguém obedecia.

Deu a volta na varanda e foi andando por um caminho cercado de arbustos floridos. A casa era grande mas estava em mau estado, as vigas escuras mofadas e as persianas rasgadas em alguns pontos. Delia nunca morara em outro lugar. Nem seu pai, aliás. Sua mãe, vinda da Costa Leste, morrera de falência renal quando ela era muito pequena, deixando-a aos cuidados do pai e das duas irmãs mais velhas. Ficava pulando amarelinha nos quadrados do piso de madeira do corredor enquanto o pai atendia os pacientes na varanda envidraçada junto da cozinha. E se casara com o assistente dele sob o enorme lustre de metal que até agora lhe fazia lembrar uma aranha gigante. Mesmo depois do casamento não se mudou, instalou-se com o marido no seu quarto de garota, e depois que seus filhos nasceram não era raro um paciente entrar na sala perguntando, "Delia? Onde você está, querida? Só queria saber como vão passando esses seus lindos bebezinhos".

O gato estava encarapitado na varanda de trás, miando para ela num tom reprovador. Seu pêlo cinzento e curto estava molhado em alguns pontos.

— Eu não falei? — disse Delia, fazendo-o entrar em casa.
— Eu avisei que a grama ainda estava molhada. — Seus sapatos ficaram encharcados só de pisar no gramado, e a sola fina estava fria. Tirou-os assim que entrou na cozinha. — Oi! — disse para o filho, sentado à mesa de pijama, passando manteiga em uma torrada. Delia colocou as sacolas no balcão e falou: — Que milagre ver você acordado tão cedo!

— Não tive outra escolha — ele disse, emburrado.

Era o filho caçula, o que a seu ver mais se parecia com ela (cabelo castanho-claro bem crespo, pele branca e sardenta, e um azulado debaixo dos olhos), mas no mês anterior tinha feito 15 anos e começou a parecer-se mais com Sam. Já tinha passado de 1,80m, o queixo pontudo ficara de repente quadrado, e as mãos se tornaram musculosas e fortes. Até mesmo sua forma de segurar a faca sugeria uma nova determinação.

Sua voz era de Sam também: grossa mas bem modulada, sem altos e baixos que nem a do seu irmão nessa idade.

— Espero que você tenha comprado sucrilhos — disse.
— Não, eu...
— Ah, mãe!
— Vou contar por que não comprei. Aconteceu uma coisa muito engraçada, Carroll. Uma verdadeira aventura. Eu estava na seção de verduras, pensando no que ia comprar...
— Não temos nada decente para comer nesta casa.

— Você em geral não toma café-da-manhã aos sábados.
Ele franziu a sobrancelha.
— É melhor dizer isso para o Ramsay.
— Ramsay?
— Foi ele que me acordou. Entrou cambaleando no quarto em plena luz do dia, depois de passar a noite toda com a namorada, e eu não consegui de jeito nenhum dormir de novo.

Delia olhou para as sacolas de compras. (Sabia onde ia terminar aquela conversa.) Começou a mexer nas coisas como se pudesse encontrar os sucrilhos.

— Vou contar minha aventura — disse por cima do ombro. — Sem mais nem menos um rapaz chegou perto de mim... muito bonitão. Parecia o meu primeiro namorado, Will Britt. Acho que nunca falei de Will para você, não é?

— Mãe — disse Carroll. — Quando vai me deixar mudar de quarto?

— Oh, Carroll!

— Nenhum amigo meu divide o quarto com o irmão.

— Ora, ora. Muita gente nesse mundo tem de dormir com uma família inteira.

— Mas não com um irmão universitário cheirando a bebida. Não quando existe outro quarto na casa, absolutamente vazio, do outro lado do corredor.

Delia olhou para a caixa de orzo. Notou que o filho precisava cortar o cabelo, mas não era hora de falar nisso.

— Carroll, desculpe, mas eu ainda não estou pronta.

— A tia Eliza está pronta! Por que você não está? Tia Liza também era filha do vovô, e diz que é claro que eu devia usar o quarto dele. Não entendo por que você não deixa.

— Olhe só! Estragando um lindo dia com discussão! Onde está seu pai? Atendendo um paciente?

Carroll não respondeu. Tinha deixado a torrada cair no prato e estava sentado na ponta da cadeira com um ar desafiador, decerto acrescentando mais riscos no linóleo. Delia suspirou.

— Querido, eu sei como você se sente. Daqui a pouco vai ter seu próprio quarto, prometo. Mas ainda não! Agora não! O quarto ainda tem o cheiro do cachimbo dele.

— Mas não vai ter depois que eu me mudar para lá — disse Carroll.

— É disso que eu tenho medo.

— Então vou começar a fumar.

Ela deu um risinho quando ele disse isso.

— Seu pai está atendendo um paciente?

— Não.

— Onde ele está?

— Foi correr.

— Foi o quê?

Carroll pegou a torrada de novo e deu uma dentada, mastigando com barulho.

— Está fazendo o quê?

— Foi correr, mãe.

— E você não se ofereceu para ir com ele?

— Ele está correndo na ciclovia Gilman, pelo amor de Deus.

— Eu pedi a vocês, pedi muito para não deixarem seu pai sozinho. E se acontecer alguma coisa e não houver ninguém por perto para ajudar?

— Pouca chance, na ciclovia Gilman — disse Carroll.

— Ele não devia estar correndo. Devia estar andando.

— Correr faz bem para ele. Olhe aqui, o papai não está preocupado. O médico dele não está preocupado. Então, qual é o problema?

Delia podia dar outras respostas, mas pôs a mão na cabeça. Essas foram as coisas que não contou para o rapaz do supermercado. Ela era uma mulher de 40 anos, triste, angustiada, cansada, que não tomava champanhe no *brunch* há décadas. E seu marido era ainda mais velho, tinha mais de 50 anos, e no mês de fevereiro tinha tido uma forte dor no peito. Angina, disseram no pronto-socorro. Depois disso passou a entrar em pânico quando ele saía sozinho, não queria que ele dirigisse, inventava desculpas para não fazer amor com medo que ele morresse, e à noite ficava acordada, retesando os músculos cada vez que ele respirava durante o sono.

Seus filhos, além de não serem mais crianças, estavam enormes. Eram grandes, pesados, mal-educados, arrogantes — Susie estudava no Goucher College e gostava de todo tipo de esportes ao ar livre; Ramsay era calouro na Universidade Johns Hopkins, e perigava não passar de ano por causa da namorada de 28 anos, mãe solteira. (Os dois, Susie e Ramsay, não se conformavam com o fato de as finanças familiares não permitirem que eles morassem fora de casa.) O caçula de Delia, o meigo Carroll, dera lugar àquele adolescente rude que se esquivava dos seus abraços, criticava suas roupas e revirava os olhos a cada palavra que ela dizia.

Como agora, por exemplo. Determinada a começar o dia bem, empertigou-se e perguntou:

— Alguém telefonou enquanto eu estava fora?

— Por que eu iria atender um telefonema de *adultos?*

*Porque os adultos compram o aipo para sua sopa favorita de ervilha com hortelã,* ela poderia ter dito, mas depois de anos lidando com adolescentes se tornara uma pacifista. Saiu da cozinha, descalça, atravessou o corredor e foi para a saleta onde ficava a secretária eletrônica de Sam.

A saleta era repleta de livros do chão até o teto, mas se tornara uma sala de televisão. As cortinas de veludo estavam permanentemente cerradas, colorindo o ar de um vermelho-escuro empoeirado como num filme antigo. Em cima da mesa de centro havia latas de refrigerantes, pacotes de biscoito vazios e pilhas de vídeos alugados, e Susie estava deitada no sofá vendo desenhos animados com o namorado Driscoll Avery. Os dois namoravam há tanto tempo que mais pareciam irmãos, vestidos iguais, com moletons beges, largos na cintura. Driscoll piscou quando Delia entrou. Susie nem isso, só trocou de canal com o controle remoto.

— Bom dia para vocês dois — disse Delia. — Alguém telefonou?

Susie deu de ombros e trocou de canal de novo. Driscoll bocejou alto. Em vista disso, Delia não pediu licença para passar na frente deles e pegar a secretária eletrônica. Apertou o botão, mas não teve resposta alguma. Dispositivos eletrônicos sempre a deixavam na mão.

— Como eu faço...? — perguntou, mas nesse momento uma voz masculina fraquinha encheu a sala. "Dr. Grinstead, pode me ligar assim que chegar? Aqui é Grayson Knowles, falei com o farmacêutico sobre aquelas pílulas, mas ele perguntou se..."

O que o farmacêutico tinha dito não ficou claro, pois as palavras foram abafadas pela música alta do Pernalonga. Susie devia ter aumentado o volume da televisão. *Bip*, disse a máquina, e ouviu-se a voz da irmã de Delia. " Dee, aqui é Eliza. Preciso de um endereço. Pode ligar para o meu trabalho?"

— O que ela está fazendo no trabalho sábado de manhã? — disse Delia, mas ninguém respondeu.

*Bip* disse a máquina de novo. "Aqui é Myrtle Allingham", disse uma voz determinada de uma senhora de idade.

— Oh, meu Deus — Susie falou para Driscoll.

"Marshall e eu gostaríamos de convidar vocês todos para jantar conosco no domingo. Um jantar simples! Só nós! Diga à Srta. Susie para trazer seu querido Driscoll. Às 7 horas está bem para vocês?

*Bip, bip, bip, bip, bip.* Final.

— Nós fomos na *última* vez — disse Susie, afundando-se no sofá. — Tô fora.

— Eu não sei — Driscoll falou. — Aquele siri que ela serviu não estava nada mau.

— Nós não vamos, Driscoll, esquece.

— Ela está se sentindo sozinha — Delia falou. — Não pode sair de casa por causa do problema nos quadris...

Ouviram uma batida no teto.

— O que foi isso? — Delia perguntou.

Mais batidas, em intervalos regulares, como que intencionais.

— Será o bombeiro? — Driscoll perguntou.

— Que bombeiro?

— O bombeiro lá em cima no banheiro?

— Mas eu não chamei nenhum bombeiro.

— Talvez o Dr. Grinstead tenha chamado.

Delia olhou para Susie.

— Não sei o que aconteceu com esse homem — disse Delia. — Ele anda re... qual é a melhor palavra? Rejuvenescendo, ressuscitando... — Notando que nenhum dos dois ouvia, saiu da sala, ainda falando. — ... renovando. Renovando esta casa para uma despedida. Se for o problema do teto, realmente daria para pensar...

Subiu as escadas e no meio do caminho encontrou o gato descendo apressado, de qualquer jeito. Vernon detestava barulho alto.

— Alô! — Delia falou, enfiando a cabeça pela porta do banheiro. Um homem de macacão e rabo-de-cavalo estava agachado junto à banheira de pés em garra, examinando os canos.
— Alô — repetiu.

Ele virou-se para olhar para ela.
— Oi!
— Qual é o problema?
— Ainda não posso dizer — falou, voltando a atenção para os canos.

Delia esperou um instante, caso o homem quisesse acrescentar alguma coisa, mas percebeu que ele era um desses bombeiros que só gostam de dar explicações para o homem da casa.

No seu quarto, sentou-se na cama do lado de Sam, pegou o telefone e ligou para Eliza.
— Biblioteca Pratt — disse uma voz de mulher.
— Eliza Felson, por favor.
— Só um instante.

Encostou um travesseiro no espaldar da cama e colocou os pés em cima da colcha rosa com babados. O bombeiro continuava a trabalhar no banheiro, que ficava entre seu quarto e o quarto do seu pai. Não podia vê-lo, mas ouvia-o batendo de todo lado. Que informações poderia esperar de canos gastos?

— Sinto muito, mas não conseguimos localizar a Srta. Felson. Tem certeza de que ela está trabalhando hoje? — a moça falou.
— Deve estar, pois pediu para eu ligar para aí e não se encontra em casa.
— Sinto muito.
— Bom, obrigada, de todo jeito.

Desligou o telefone e ouviu o bombeiro assobiando "Clementine". Enquanto discava para a Sra. Allingham ele entrou no quarto, ainda assobiando, e ela ajeitou a saia com cuidado em volta dos joelhos. Agachou-se junto da portinhola da parede junto dos canos. Enquanto assobiava, Delia ia falando a letra da música mentalmente. Quando ele deu uma puxada na maçaneta de madeira, a maçaneta saiu na sua mão. Ela devia ter avisado que isso aconteceria. Com certa satisfação, viu o homem tirar um alicate do cinto e xingar baixinho.

Sete chamadas. Oito. Ela não desanimou. A Sra. Allingham mancava e levava anos para chegar ao telefone.

Nove chamadas.

— Alô!

— Sra. Allingham, aqui é Delia.

— Delia, querida. Como *você* vai?

— Vou bem, e a senhora?

— Estamos bem, muito bem. Aproveitando esse lindo tempo de primavera! Tinha quase esquecido como é um dia de sol.

— Eu também — disse Delia, tomada de repente por uma espécie de saudade. A voz ligeiramente rouca da Sra. Allingham lembrava todas as mulheres daquela rua onde ela tinha crescido.

— Sra. Allingham, Sam e eu teremos muito prazer em jantar aí amanhã à noite, mas creio que os meninos não poderão ir.

— Oh! — disse a Sra. Allingham.

— Eles andam muito ocupados. A senhora sabe como é.

— É claro que sei — disse baixinho.

— Talvez em outra ocasião! Eles gostam muito de ver a senhora.

— E eu de vê-los também.

— Então nos vemos amanhã às 7 horas — Delia falou depressa, pois ouviu Sam chegar e tinha um milhão de coisas para fazer. — Até amanhã.

Àquela altura a portinhola estava aberta e o bombeiro olhava para dentro da parede, mas ela não se preocupou em perguntar o que ele encontrara ali.

Ao descer para a cozinha encontrou Sam encostado no balcão, tirando os tênis cheios de lama, falando com Carroll.

— .... uma espécie de efeito tobogã quando a gente bate naquelas lascas de cedro...

— Sam, por que você saiu sozinho assim? — Delia perguntou. — Sabia que eu ia ficar preocupada.

— Oi, Dee — ele disse.

Sua camiseta estava empapada de suor, o rosto brilhava e os óculos estavam embaçados. O cabelo — meio louro e meio grisalho, já um tanto desbotado — caía em mechas molhadas pela testa.

— Olhe como você está. Todo suado. Foi correndo sozinho por aí e suou demais, e seu médico já disse umas dez vezes que...

— De quem é esse carro na entrada da casa?

— Carro?

— Uma perua estacionada na porta da casa.

— Não é de um paciente seu? Não, imagino que não.

— É do bombeiro — disse Carroll, por trás do copo de suco de laranja.

— Ah, que bom o bombeiro estar aqui.

Colocou os tênis no capacho e saiu da cozinha, esperançoso de ter uma dessas conversas lacônicas, de homem para homem, sobre válvula, juntas e gaxetas.

— Espere, Sam — disse Delia, com uma ponta de culpa. — Antes que eu me esqueça...

Ele virou-se, já desconfiado.

— O Sr. Knowles telefonou e falou sobre umas pílulas.

— Pensei que ele tivesse resolvido isso.

— E também... a Sra. Allingham. Ela quer saber se podemos...

— Não, não podemos — resmungou.

— Mas você nem ouviu ainda. É uma ceia leve de domingo, e eu disse que...

— *Eu* não vou mesmo — disse Carroll.

— Eu já disse que vocês tinham compromisso. Mas você e eu, Sam, só para...

— Não podemos ir — disse Sam determinado.

— Mas eu já aceitei.

Ele estava quase se virando, mas parou e olhou para ela.

— Eu sei que devia ter falado com você antes, mas não sei por que me adiantei e aceitei o convite.

— Muito bem, então vai ter de telefonar e dizer que não podemos ir.

— Mas, Sam!

Ele saiu da cozinha.

Delia olhou para Carroll.

— Como seu pai pode ser assim? — disse, mas Carroll levantou a sobrancelha daquele jeito novo que decerto andava praticando no espelho.

Às vezes ela se sentia uma nulidade no meio da sua família.

O linóleo estava melado e frio debaixo dos seus pés. Ela teria subido para pegar os chinelos se Sam e o bombeiro não estivessem no seu quarto. Então começou a esvaziar mais umas sacolas de compras. Devia ter dito à Sra. Allingham que Sam estava doente. Mas era arriscado, pois moravam no mesmo quarteirão e ele podia ser visto em ótima forma pegando o jornal de manhã, por exemplo. Deu um suspiro e fechou a porta do armário.

— Quando isso começou a acontecer comigo? — perguntou a Carroll.

— Hein?

— Quando a moça meiga e bonitinha virou uma boboca ineficiente?

Ele não emitiu opinião.

A irmã de Delia apareceu na porta, enrolando as mangas da camisa.

— Bom dia a todos — disse.

— Eliza?

Havia dias em que Eliza parecia quase uma anãzinha, e aquele era um deles. Estava com roupas de jardinagem — capacete de explorador que tapava o cabelo liso e preto cortado bem curto, camisa cáqui e calça larga marrom, sapato marrom abotinado de menino, de sola grossa para que parecesse maior. (Ela era a menor das três irmãs Felson.) Os óculos de aro de tartaruga engoliam seu rosto pequeno, rude e pálido.

— Resolvi transplantar algumas dessas ervas antes do chão secar — disse para Delia.

— Mas eu pensei que você estivesse no trabalho.

— Trabalho? Hoje é sábado.

— Pensei que tivesse telefonado do trabalho.

Eliza olhou para Carroll e ele levantou a sobrancelha de novo.

— Você telefonou e deixou um recado na secretária eletrônica, pedindo para eu procurar um endereço.

— Isso foi há dez dias pelo menos. Eu precisava do endereço de Jenny Coop, lembra?

— Então por que só vi o recado hoje na secretária eletrônica?

— Mãe... — interrompeu Carroll — ...você deve ter ouvido recados *antigos*.

— E isso é possível?

— Decerto não ligou a secretária primeiro, foi logo apertando o botão de recados.

— Oh, meu Deus. A Sra. Allingham.

— Tem algum café na casa? — Eliza perguntou.

— Não que eu saiba. Oh, meu Deus...

Foi até o telefone de parede e discou para a Sra. Allingham.

— Eu estava enroscada na cama — Eliza dizia para Carroll, — pensando, *Que bom, sábado de manhã, posso dormir até o meio-dia*, quando um dos faz-tudo do seu pai veio se arrastando pela porta detrás do meu armário.

— Sra. Allingham? — Delia disse no telefone. — Aqui é Delia de novo. Estou me sentindo uma idiota, mas acho que confundi os recados. A senhora deve ter nos convidado na semana *passada*. É claro que estivemos aí na semana passada, foi muito agradável. Não sei se lhe mandei um cartão de agradecimento, mas tive intenção de mandar. Mas *nesta* semana não vamos, só agora me dei conta de que a senhora não nos convidou...

— Mas Delia, querida, teremos muito prazer em recebê-la nesta semana também. Teremos muito prazer em recebê-la em qualquer dia, e já pedi a Marshall para ir ao Gourmet To Go com uma lista de compras.

— Oh, me desculpe — disse Delia. Naquele momento o moedor de café começou a funcionar com um barulho ensurdecedor e ela teve de gritar no telefone. — Qualquer dia vamos convidar vocês para virem aqui em casa! Até logo!

Colocou o fone no gancho e olhou para Eliza.

— O gosto do café podia ser tão bom quanto o cheiro — disse Eliza serenamente quando o moedor parou.

Sam e o bombeiro vinham descendo as escadas. Delia ouviu o bombeiro de fala arrastada, típica do leste de Baltimore, tecendo consideração sobre a água. — É a substância muito incrível. Estoura em um lugar, corre metros e metros por baixo do cano e começa a pingar em outro lugar, onde menos se espera. Fica de emboscada, espera o momento propício e vai aparecer em alguma fenda onde a gente não pensa em procurar.

Delia colocou as mãos nos quadris e ficou esperando. Assim que os dois homens entraram porta adentro, disse:

— Espero que você esteja satisfeito, Sam Grinstead.

— Hummm?

— Telefonei para a pobre Sra. Allingham e cancelei o jantar.

— Que bom — disse Sam distraído.

— Quebrei nossa promessa. Furei nosso compromisso. Provavelmente deixei-a magoada para sempre — Delia continuou.

Mas Sam não estava ouvindo. Seguia o dedo do bombeiro quando ele mostrou uma bolha no alto da parede. Eliza media o café, e o único que prestou atenção nela foi Carroll — que a olhou com ar de desprezo.

Delia virou-se para as sacolas de compras. Do fundo de uma tirou o aipo verde-claro e perolado. Olhou para o aipo durante longo tempo, pensativa. "Gostei de você dizer isso", ouviu Adrian exclamar de novo e agarrou-se àquelas palavras. Virou-se e deu um sorriso de felicidade para o filho.

# 3

"Gostei de você ter dito isso", ele dissera, "Por quê? Você é muito bonita!", e "Tem um rostinho lindo que nem uma flor". Será que ele comparara seu rosto a uma flor, porque por acaso ele também era pequeno, ou só porque ele era pequeno? Ela preferia a primeira interpretação, embora a segunda fosse mais provável.

Ele também elogiara sua bavaroise. É claro que a bavaroise na realidade não existia, mas ainda assim sentiu-se orgulhosa ao lembrar que ele tinha gostado muito.

Examinou seu rosto no espelho quando não havia ninguém em volta. Parecia mesmo uma flor. Se ele tivesse se referido às flores que pareciam sardentas. Ela sempre quis ter um ar mais dramático, mais misterioso — mais adulto, na verdade. Não era justo começar com pés-de-galinha em volta dos olhos sem perder aquele rosto ingênuo e triangular da infância. Mas evidentemente Adrian achou isso atraente.

A não ser que estivesse falando só por gentileza.

Procurou o nome dele na lista telefônica mas não encontrou. Passou a procurá-lo nas ruas e nas lojas locais. Voltou ao supermercado duas vezes nos três dias seguintes, sempre com o vestido franzido na frente que a deixava de peito menos achatado. Mas Adrian nunca apareceu.

Se aparecesse, o que ela faria? Não tinha se apaixonado por ele, não era isso. Como se apaixonaria se nem sabia como ele era? E certamente não queria (como dizia a si mesma) "começar alguma coisa". Desde os 17 anos sua vida foi centrada em Sam Grinstead. Nunca mais olhou para homem algum depois que o conheceu. Mesmo nos seus devaneios ela não era do tipo infiel.

Ainda assim, sempre que se imaginava encontrando com Adrian tinha consciência do modo claro e rápido com que se movia e do contorno do seu corpo dentro das dobras do vestido. Não se lembrava da última vez em que teve tanta consciência de si mesma.

Em casa, quatro homens estavam instalando ar-condicionado — outra das renovações súbitas de Sam. Cortavam o chão e as paredes com máquinas enormes e barulhentas para colocar conduítes de metal e materiais que pareciam algodão doce cinzento. Delia ficava deitada na cama à noite olhando para cima através de um novo retângulo no teto que deixava ver até o sótão. Fazia uma fantasia de que morcegos e andorinhas desciam para seu quarto enquanto ela dormia. Imaginava ouvir a casa gemendo desesperada — uma casa tão modesta e suave, tão despreparada para mudança.

Mas Sam estava eufórico. Mal conseguia arranjar hora para seus pacientes entre as visitas dos trabalhadores. Eletricistas, estucadores e pintores passavam pelo seu consultório com estimativas para os vários aprimoramentos que ele planejara. Um carpinteiro chegou para consertar as persianas, e um homem com um spray para limpar o mofo das vigas. Ele morava ali há 22 anos, será que tinha criticado suas acomodações durante todo esse tempo?

Sam entrara pela primeira vez na sala de espera do pai de Delia em uma segunda-feira de manhã, em julho, cerca de três semanas depois que ela se formou no secundário. Ela estava como sempre na mesa da recepção, embora fora do seu horário de sempre (em geral trabalhava na parte da tarde) pois estava ansiosa para conhecê-lo. Ela e as irmãs não falavam de outra coisa desde que o Dr. Felson anunciou que iria contratá-lo como seu assistente. Queriam saber se ele era casado, quantos anos tinha e como era. (O pai disse com certa impaciência que ele não era casado, tinha uns 32 ou 33 anos e um bom aspecto, perfeitamente normal. Para ele, o que importava era se o homem poderia diminuir sua carga de trabalho — fazer atendimentos domiciliares e trabalhar no consultório de manhã.) Delia levantou-se cedo naquele dia de verão e pôs seu melhor vestido, com decote em forma de coração. Depois sentou-se por trás da mesa e começou a trabalhar ostensivamente, transcrevendo as anotações do seu pai. Às 9 horas em ponto o jovem Dr. Grinstead entrou no consultório, trazendo um paletó branco engomado dobrado sobre o braço. A luz do sol brilhou sobre seus óculos sérios de armação clara e seus cabelos louros. Delia ainda se lembrava do desejo agudo que a deixou estonteada, como se tivesse se debruçado na borda de um precipício.

Sam não se lembrava daquele encontro. Dizia que a vira pela primeira vez quando foi jantar com eles. Esse jantar ocorrera na verdade naquela mesma noite. Eliza tinha feito uma carne assada e Linda um bolo (ambas anunciando suas prendas domésticas), e Delia, a caçula, que ainda não completara 18 anos e supostamente estava fora do páreo, sentou-se em frente a Sam e ao pai na sala de visita e tomou um copo de xerez. O xerez tinha gosto de passas liquefeitas e fluiu diretamente para aquela nova raiz poderosa de desejo que se aprofundava a cada minuto. Mas

Sam dizia que quando entrou pela primeira vez naquela casa as três meninas estavam sentadas no sofá. Como as três filhas do rei dos contos de fadas, disse, enfileiradas conforme a idade — a mais velha na extrema esquerda — e ele, como o filho honesto do lenhador, escolhera a mais moça e mais tímida sentada à direita, que achava que não teria nenhuma chance.

Sam que se lembrasse do que quisesse. De qualquer forma, tudo *acabara* como no conto de fadas.

Só que a vida real continua, e ali estavam os homens do ar-condicionado destruindo o sótão, o gato escondendo-se debaixo da cama e Delia lendo um romance no pequeno sofá da sala de espera de Sam — o único refúgio da casa, pois o consultório e a sala de espera já tinham ar-condicionado. Sua cabeça estava recostada num braço do sofá, e os pés, nos chinelos fofos cor-de-rosa, no outro. Acima dela via-se o retrato emoldurado do seu pai, pintado por Norman Rockwell, colocando o estetoscópio no peito da boneca de uma meninazinha. Por trás da divisória frágil que não chegava até o teto da sala Sam explicava o problema do cotovelo da Sra. Harper. Suas juntas estavam gastas, ele disse. Ouviu-se um silêncio estupefacto, até a serra elétrica parou de fazer barulho.

— Oh, não — disse a Sra. Harper aflita. — Oh, meu Deus! Que choque terrível para mim!

Choque? A Sra. Harper tinha 92 anos de idade. O que esperava?, Delia pensou. Mas Sam disse com toda a gentileza:

— Bom, eu imagino... — O resto ela não conseguiu ouvir porque a serra voltou a funcionar como que se lembrando de repente da sua obrigação.

Virou uma página do livro. A heroína estava passeando pela vasta propriedade do herói, admirando suas belezas locais e "compromissos" de bom gosto, o que quer que fosse isso. Delia notou que vários desses livros tinham heróis ricos. As mulheres podiam ser ricas ou muito pobres, mas os homens sempre tinham castelos e um séquito de criados dedicados. As mulheres com quem se casavam nunca mais teriam de se preocupar com problemas prosaicos — o vazamento do porão, o fogão com defeito, a chave do carro perdida. Uma coisa maravilhosa!

— Delia, minha querida! — a Sra. Harper gritou, ao sair da sala de consulta meio cambaleante. Era um esqueleto de mulher, toda vestida de seda, com mãos em forma de garra que se estenderam para Delia suplicantes. — Seu marido disse que minhas juntas estão em petição de miséria!

— Ora, ora — disse Sam por trás dela. — Eu não falei exatamente isso, Sra. Harper.

Delia aprumou-se no sofá e ajeitou a saia. Lembrou dos seus chinelos com orelhas de coelho e da capa escandalosa do livro.

— Sinto muito, Sra. Harper. Quer que eu marque outra hora para a senhora?

— Não, ele disse que tenho de ir a um especialista. Um homem que nunca vi na vida!

— Dee, veja o número de telefone do Peterson, por favor — Sam pediu.

Ela levantou-se e foi até a mesa, arrastando os chinelos. (A Sra. Harper estava de salto alto, que fincava no tapete para mostrar os tornozelos ainda em boa forma.) Delia procurou no caderno de endereços organizado por especialidade, não por nomes — alergia, artrite... Atualmente aquele consultório servia como uma espécie de câmara de compensação. Seu pai costumava fazer partos e cirurgias mais simples de vez em quando, mas agora o que faziam ali era vacinação contra abelhas na primavera, vacinação contra gripe no outono. Quanto aos partos, os pacientes tinham passado da idade há muito tempo. A maioria deles era herança do seu pai. (Ou até mesmo, Sam dizia brincando, do seu avô, que abrira o consultório em 1902 quando Roland Park era uma aldeia e ninguém sonhava em ter consultório fora de casa.)

Ela escreveu o número do Dr. Peterson em um cartão e passou-o para a Sra. Harper, que examinou o cartão desconfiada antes de enfiar na bolsa.

— Espero que esse médico não seja um garoto — disse a Sam.

— Ele tem 30 anos — Sam garantiu.

— Trinta! Meu neto é mais velho que ele! Oh, por favor, não posso continuar a me consultar com o senhor? — Mas como já sabia a resposta, virou-se e olhou para Delia. — Seu marido é um santo. É bom demais para existir nessa terra. Espero que você saiba disso.

— Eu sei.

— Nunca deixe de valorizar seu marido.

— Sim, Sra. Harper.

Delia esperou Sam levar a velha senhora até a porta, recostou-se de novo no sofá e pegou seu livro. "Beatrice", dizia o herói, "amo você mais que a própria vida", com voz rouca e desesperada — descontrolada, como dizia o autor. *Descontrolada, e sentiu um arrepio na espinha debaixo do négligé de cetim cor de pérola.*

Em vez de procurar Adrian, talvez fosse melhor ficar quieta e esperar que ele a procurasse. Talvez estivesse andando pelas ruas à sua procura. Ou talvez tivesse procurado seu endereço, pois sabia seu sobrenome. Quem sabe estava estacionado no quarteirão naquele momento, esperando vê-la por ali.

Delia passou a ir ao jardim várias vezes por dia. Dava qualquer desculpa para sentar-se no balanço da varanda. Nunca teve o hábito de viver ao ar livre nem de fazer jardinagem, mas passava mais de 1 hora com as luvas de couro mexendo nas ervas medicinais de Eliza. Depois do dia em que alguém telefonou e não disse nada quando ela atendeu, dava pulos a cada novo telefonema, como se fosse uma adolescente. "Eu atendo, eu atendo", dizia. Quando o telefone não tocava, fazia acordos com o Destino, também como uma adolescente: *Não vou pensar nisso e o telefone vai tocar. Vou sair da sala, fingindo que estou ocupada, e o telefone vai tocar.* Quando entrou com os filhos no carro para fazer a visita de domingo à mãe de Sam, seus movimentos eram fluidos, sensuais, como uma atriz ou dançarina consciente de estar sendo observada a cada minuto.

Mas se alguém estivesse realmente observando veria a completa desordem da vida familiar de Delia: Ramsay, baixo, de feições duras, mal-humorado, sempre irritadíssimo; Carroll e Susie brigando para ver quem se sentava na janela; Sam por trás do volante empurrando os óculos para cima do nariz, com a camisa de malha que não lhe caía bem. Ao chegar na casa da Mãe de Ferro (como Delia a chamava) — a vigorosa Eleanor Grinstead, que consertava seu próprio telhado, cortava a grama do seu jardim, e tinha criado sozinha o filho único naquela imaculada casa geminada da Calvert Street — ela estava esperando com os lábios apertados, para ouvir as novas bobagens que sua nora tinha inventado.

Não, nenhum deles se comparava a Adrian Bly-Brice, com seu olhar de um azul celestial.

O mais velho dos homens do ar-condicionado, chamado Lysander, perguntou o que eram aquelas coisas penduradas nos caibros do sótão.

— São as ervas da minha irmã — disse Delia, esperando parar o assunto ali, mas sua irmã estava na cozinha com ela, catando feijão para o jantar, e disse:

— Eu queimo essas ervas em uns potinhos em volta da casa.

— Você põe fogo nelas? — perguntou Lysander.

— Cada uma serve para uma coisa diferente — Eliza explicou. — Uma evita pesadelos, outra melhora a atenção, e outra limpa o ambiente depois de uma briga.

Lysander olhou para Delia, levantando as sobrancelhas grisalhas.

— E esse trabalho vai acabar logo? — Delia perguntou impaciente.

— Esse aqui? Oh, não. — Foi encher sua garrafa térmica na torneira da pia e esperou a água correr até ficar fria. — Temos vários dias de trabalho ainda.

— Vários dias! — disse Delia com voz rouca, limpando a garganta. — E o barulho, quando vai acabar? Até o gato está com dor de cabeça.

— Como a senhora pode saber?

— Delia lê o pensamento dos gatos — disse Eliza. — Ela nos ensinou a lidar com os gatos: que tom de voz devemos usar, como devemos olhar para eles e...

— Eliza, preciso desse feijão *agora* — Delia interrompeu.

Mas não adiantou. Lysander continuou a falar quando pôs a garrafa térmica debaixo da torneira.

— Vou arranjar um cachorro um dia desses. Os gatos são sorrateiros demais para meu gosto.

— Eu também gosto de cachorros, é claro — disse Delia. (Na verdade, tinha um pouco de medo deles.) — Só que eles são muito... imprevisíveis. Não é?

— Mas são sinceros — disse Lysander, num tom de acusação.
— Tudo bem se eu pegar um pouco de gelo?
— Pode pegar — ela falou.

Mas ele ficou parado ali, alisando a garrafa térmica, até Delia perceber que queria que ela pegasse o gelo. Devia ser um desses homens que não sabiam onde as mulheres guardam nada. Delia secou as mãos no avental e foi buscar o gelo no freezer.

— No último lugar onde trabalhamos, para colocar um novo sistema de aquecimento, um sujeito da casa ao lado tinha um desses cachorros ferozes. Um cachorro treinado para atacar. A senhora que tinha contratado nossos serviços nos avisou.

O homem segurou com força a garrafa térmica enquanto Delia tentava em vão enfiar os cubos de gelo dentro. Tentou quebrar um deles na palma da mão (Lysander nem piscava) mas o cubo voou no ar e caiu no chão. Lysander olhou para baixo com ar desconsolado.

— Deixe comigo esses diabinhos — disse Delia, tirando a garrafa da mão dele e batendo-a na pia. Jogou água quente num segundo cubo e enfiou-o na garrafa, e fez o mesmo com o terceiro.

Lysander continuou a conversar.

— Estávamos tirando material do caminhão um dia quando vimos o cachorro feroz rondando em volta da casa. Parecia um lobo, de pescoço grosso, rosnando. Meu Deus, achei que ia morrer. Então apareceu a senhora para quem trabalhávamos, como se estivesse esperando por isso. "*Vamos lá*", disse, segurando-o pela coleira com toda a calma, levando-o para o jardim do lado e chamando alguém. "Vou dar um tiro no seu cachorro se a senhora não vier buscá-lo nesse minuto", disse com uma voz muito clara e fria. Uma mulher e tanto, pode crer.

Por que ele estava contando essa história? Para se mostrar para Delia? Ela enfiou mais um cubo de gelo com facilidade.

Por alguma razão, imaginou que aquela mulher se parecia com Rosemary Bly-Brice. Talvez *fosse* Rosemary Bly-Brice. Sua expressão era indiferente e tolerante quando dobrou o corpo graciosamente para agarrar o cachorro pela coleira. Inesperadamente sentiu uma onda de admiração, como se seu êxtase por Adrian se estendesse também à sua mulher.

Fechou a torneira, pegou a garrafa térmica e esticou a mão para entregá-la a Lysander.

— Ei, olhe só isso — disse Lysander. A água pingava rapidamente do fundo da garrafa. — A senhora quebrou a garrafa! — disse.

Delia não se desculpou. Continuou com a mão esticada para ele pegar a garrafa e ir embora. Lembrou-se naquele instante que no supermercado tinha feito uma referência a Ramsay, e Adrian pensou que fosse seu marido. Não era de admirar que ele não tivesse aparecido ainda! Devia estar procurando Ramsay Grinstead, que não se encontrava na lista telefônica. Mais cedo ou mais tarde perceberia seu erro. Sorriu ao pensar nisso, ainda com a garrafa na mão, e Eliza levantou-se para pegar um pano de chão.

No escuro o telefone tocou duas vezes e Delia acordou sobressaltada, pensando onde seus filhos estariam antes de abrir os olhos completamente. Os três estavam na cama, mas seu coração continuou a bater com força.

— Alô? — disse Sam. — Aqui é o Dr. Grinstead. Oh, Sr. Maxwell.

Delia suspirou e rolou para o outro lado. O Sr. Maxwell era casado com a rainha da hipocondria.

— Há quanto tempo ela está sentindo isso? Entendi. Bom, não parece nada sério. Sei que incomoda, mas duvido muito que...
Veio uma conversa mole do outro lado da linha.
— É claro que ela sente. Eu compreendo. Tudo bem, Sr. Maxwell, se o senhor acha que é tão importante assim vou até aí dar uma olhada.
— Oh, Sam! — disse Delia baixinho, sentando na cama.
Ele ignorou-a.
— Estarei aí em alguns minutos então — disse ao Sr. Maxwell.
Assim que colocou o fone no gancho Delia falou:
— Sam Grinstead, você é um bobo mesmo. Já sabe que não vai ser nada demais. Por que ele não leva a mulher para o pronto-socorro se ela está tão doente?
— Nenhum dos dois dirige mais — Sam explicou com calma. Levantou-se e procurou as calças, que estavam dobradas nas costas da cadeira de balanço. Como sempre, tinha vestido a cueca separada para o dia seguinte e colocado as outras roupas à mão.
Delia levou a mão ao coração, que só agora tinha parado de bater forte. Será que era essa dor no peito que Sam tinha sentido? Ficou tentando imaginar seu marido indo para uma reunião, e ao notar seus sintomas virando o volante do carro com toda a calma e seguindo para o Hospital Sinai. Tinha feito sua própria internação e pedido à enfermeira para telefonar para Delia e dar a notícia aos poucos. ("Seu marido pediu para avisar que vai chegar um pouco mais tarde em casa hoje.") E Delia nessa hora estava lendo *O amante de Lucinda* junto da lareira, bem despreocupada.
Acendeu o abajur e saiu da cama. Duas e quinze da manhã, dizia o relógio. Apertando os olhos por causa da luz, Sam pegou os óculos e olhou para ela.

— *Onde* você vai? — perguntou. Os óculos deixavam seu rosto mais enrugado, menos vago em volta dos olhos, como se tivessem corrigido a visão de Delia e não a dele.

Jogou o roupão por cima da camisola e fechou o zíper antes de responder.

— Vou com você.

— Como?

— Vou te levar no meu carro.

— Por que cargas d'água vai fazer isso?

— Porque quero, só por isso. — Amarrou a faixa bem amarrada para que o roupão parecesse um vestido. Quando calçou os sapatos viu que ele a olhava fixo, mas pegou as chaves em cima da cômoda e perguntou: — Está pronto?

— Delia, você está duvidando da minha capacidade de dirigir meu próprio carro? — Sam perguntou.

— Oh, não! Que idéia! Mas já que estou acordada prefiro ir com você. Além do mais, está uma linda noite de primavera.

Ele não pareceu convencido, mas não discutiu enquanto ela descia as escadas.

Não era uma linda noite de primavera. Estava frio e ventoso, nuvens carregadas cruzavam o céu escuro. Ela sentiu falta de um suéter assim que saiu na rua, mas foi andando para o carro com passo calmo, resistindo à vontade de encolher os ombros para proteger-se do frio. As luzes da rua eram tão brilhantes que Delia podia ver sua sombra alongada, como uma figura em um desenho infantil.

— Isso me faz lembrar meu pai — disse. Precisava falar alto, pois Sam tinha ido pegar a maleta preta no seu Buick. Esperava que ele não notasse o tremor na sua voz. — Lembrar dos atendimentos em domicílio que eu fazia com ele, só nós dois! Há muito tempo.

Sentou-se na frente do volante e destrancou a porta do carona. O ar dentro do carro parecia refrigerado, e até cheirava a ar refrigerado — úmido e mofado.

— É claro que o papai não me deixava dirigir — disse, quando Sam entrou no carro. Mas de repente achou que ele poderia interpretar mal essa frase e acrescentou com um risinho: — Você sabe como ele era preconceituoso! Mulher dirigindo, dizia sempre... — Ligou o motor e acendeu o farol, iluminando as portas duplas da garagem e a rede rasgada de basquete presa no alto. — Mas sempre que eu estava acordada ele dizia que eu podia ir junto. Saí com meu pai muitas vezes! Eliza não se interessava e Linda vivia brigando com ele, mas eu estava sempre às ordens. Adorava sair com meu pai.

Sam tinha ouvido isso antes, é claro. Colocou a valise entre os pés enquanto ela saía da garagem de marcha a ré.

Quando entraram na Roland Avenue, Delia disse:

— Na verdade eu devia vir com você mais vezes, agora que as crianças cresceram. Não acha? — Sabia que estava falando demais, mas continuou. — Seria divertido! E você não sai mais toda noite, nem toda semana.

— Delia, dou minha palavra de honra que ainda sou capaz de atender meus pacientes em casa sem precisar de uma babá — disse Sam.

— Babá!

— Estou forte como um touro. Pare de se afligir.

— Não estou aflita, só achei que seria romântico nós dois fazermos alguma coisa juntos.

Isso não era bem verdade, mas assim que disse começou a acreditar na idéia e ficou um pouco magoada. Sam recostou-se no banco e olhou para fora da janela.

Não havia quase trânsito naquela hora, a avenida parecia vazia, cintilando palidamente sob as luzes da rua, como que coberta por um véu amarelo. As árvores com folhas novas, iluminadas por baixo, davam uma impressão de estar de cabeça para baixo. Aqui e ali via-se uma janela iluminada no segundo andar, e Delia olhava-as com certa melancolia quando passava.

Estacionou o carro em frente à casa dos Maxwell. Desligou o farol mas deixou o motor funcionando e ligou o aquecimento.

— Você não vai entrar? — Sam perguntou.

— Eu espero no carro.

— Vai ficar congelada!

— Não estou vestida para entrar.

— Vamos, Dee. Os Maxwell não vão reparar na sua roupa.

Ele tinha razão, decerto. (E o aquecimento nem começara a funcionar ainda.) Tirou as chaves da ignição e saiu do carro, seguindo-o até a casa grande, cheia de colunas, onde os dois Maxwell deviam estar zanzando como dados num copo. Todas as janelas estavam iluminadas e a porta estava aberta. O Sr. Maxwell esperava dentro, uma figura curva e volumosa, tentando retirar a tela quando eles atravessaram a varanda.

— Dr. Grinstead! Muito obrigado por ter vindo. E Delia também. Alô, querida.

Suas calças presas por um cinto no meio do peito eram manchadas de comida, e ele usava um casaco cinzento por cima de uma camiseta. (Foi um homem elegante quando jovem.) Sem parar de falar, virou-se para levar Sam até a escada carpetada.

— Fico de coração partido quando vejo minha mulher assim — disse, enquanto eles subiam. — Trocaria de lugar com ela, se pudesse.

Delia ficou observando-os do salão de entrada, e quando os perdeu de vista sentou-se em uma das duas cadeiras antigas que ladeavam uma cômoda alta. Sentou-se com cuidado, pois ao que parecia aquelas cadeiras eram só para olhar.

Lá em cima vinham as vozes abafadas da Sra. Maxwell queixando-se e de Sam sussurrando. O relógio de parede em frente a Delia batia tão devagar que parecia que cada batida seria a última. Como não havia coisa melhor que fazer (tinha esquecido a bolsa em casa), ficou brincando com as chaves do carro no colo.

Quantas horas tinha ficado sentada assim na infância? Encarapitada em uma cadeira ou no degrau da escada, coçando as mordidas de insetos nos joelhos nus ou folheando uma revista que os adultos lhe davam antes do seu pai subir as escadas. Por cima daqueles mesmos sons abafados as palavras não eram bem distinguíveis. Quando seu pai falava todos os outros ficavam em silêncio, e ela sentia-se orgulhosa de ver como ele era respeitado.

As escadas estalaram e ela olhou para cima. Era o Sr. Maxwell descendo sozinho.

— O Dr. Grinstead está examinando-a — disse. Veio descendo segurando no corrimão e quando chegou no salão sentou-se ofegante na outra cadeira antiga. Como a cômoda ficava entre os dois, Delia só via as pernas esticadas dele, os chinelos de couro sem contraforte e as meias escuras de seda com calcanhares quase rasgando. — Ele disse que acha que é uma intoxicação leve, mas eu falei que na nossa idade... bom, temos de ser muito cautelosos.

— Tenho certeza de que ela vai ficar bem — disse Delia.

— Eu agradeço a Deus a presença do Dr. Grinstead aqui. Muitos desses médicos jovens não atendem em casa.

— Nenhum deles — Delia disse, sem conseguir refrear-se.

— Alguns talvez sim.

— Nenhum. Pode crer.

O Sr. Maxwell sentou-se melhor para poder olhar para ela e Delia viu aquele rosto cheio de veias olhando por cima da cômoda.

— Sam é muito gentil por natureza. O senhor sabia que ele teve angina? Angina, aos 55 anos! O que poderá lhe acontecer no futuro? Se dependesse de mim, ele iria para casa nesse instante.

— Que bom que *não* depende de você — disse o Sr. Maxwell com certa ironia. Recostou-se na cadeira de novo e fez-se silêncio, e ela ouviu a Sra. Maxwell dar alguma opinião.

— Nós fomos os primeiros pacientes que o dr. Grinstead atendeu em casa, ele contou isso alguma vez? É mesmo, os primeiros. Seu pai dizia, "Acho que vocês vão gostar desse garoto". Eu admito que ficamos um pouco apreensivos, pois tratávamos com seu pai há anos.

Sam falava com mais energia agora. Devia estar terminando.

— Perguntei ao Dr. Grinstead quando ele veio nos ver, "Então, meu jovem?" Ele estava trabalhando com seu pai há poucos dias. "Então, com qual das meninas Felson está planejando se casar?" Eu fui bem sabido, não é mesmo?

Delia riu por educação e mexeu nas chaves.

— "Oh", ele disse, "acho que estou de olho na mais moça. A mais velha é muito baixa e a do meio muito gordinha, mas a mais moça é uma graça." Está vendo? Eu soube disso antes de você.

— Imagino que sim — Delia falou.

Nesse momento Sam veio descendo as escadas, os instrumentos da valise preta fazendo um ruído metálico. O Sr. Maxwell levantou-se imediatamente, mas Delia continuou sentada olhando para suas chaves. Pareciam estranhamente distintas umas das outras — mal-acabadas, mal distribuídas, com as marcas escritas como se fossem palavras de outra língua.

— Era o que eu... — Sam dizia. — Nada demais, só uma leve... Deixei uma medicação no... — Apertou a mão do Sr. Maxwell e disse. — Dee? — Ela levantou-se sem dar uma palavra e dirigiu-se para a porta que o Sr. Maxwell abriu.

Do lado de fora o gramado estava branco de orvalho e o próprio ar parecia branco, como se a madrugada estivesse perto de terminar. Delia entrou no carro e ligou o motor antes que Sam se ajeitasse bem no banco.

— Dá pena ver esses dois — disse ele, fechando a porta. — Envelhecer sozinhos assim, preocupados com cada sintoma.

Delia foi dirigindo um pouco acima da velocidade permitida, concentrada e calada. Estavam quase chegando em casa quando falou:

— O Sr. Maxwell disse que eles foram os primeiros pacientes que você atendeu em casa.

— Verdade?

— No segundo dia em que começou a trabalhar aqui.

— Tinha me esquecido.

— Disse que tinha perguntado com qual das meninas Felson você planejava se casar e você respondeu que preferia a mais moça.

— Hummm — disse Sam, abrindo a valise e checando alguma coisa lá dentro. — Delia, me lembre amanhã de manhã de pegar mais...

— "A mais velha é muito baixa e a do meio muito gordinha", você disse, "mas a mais moça é uma graça."

Sam riu.

— Você falou isso mesmo? — ela perguntou.

— Oh, meu bem, como posso me lembrar depois de todos esses anos?

Delia entrou na garagem e desligou o motor. Sam abriu a porta, mas ao notar que Delia não se mexia, olhou para ela. A lampadazinha do teto do carro marcava os sulcos do seu rosto.

— Você disse isso. Eu reconheço o tom de conto de fadas.

— Talvez tenha dito. Meu Deus, Dee, eu não estava pesando cada palavra. Talvez tenha dito "muito baixa" e "muito gordinha" mas provavelmente queria dizer "muito pouco convencionais" ou "muito francófilas".

— Não é isso — Delia falou.

— Linda passou metade da noite falando francês, lembra? E mesmo quando seu pai fez com que ela passasse para o inglês, manteve um sotaque francês.

— Você nem sabe o que eu estou contradizendo, sabe?

— Não, não sei.

Delia saiu do carro e foi para a entrada dos fundos da casa. Sam recolocou a valise no Buick e ela ouviu a batida da mala do carro.

— E Eliza — ele continuou, seguindo-a para casa — pedia a toda hora minha opinião sobre medicina homeopática.

— Você chegou aqui naquele primeiro dia planejando se casar com uma das meninas Felson — Delia falou.

Ela tinha destrancado a porta, mas em vez de entrar virou-se para ele. Sam olhava para baixo, com a testa vincada.

— Bom, suponho que isso deva ter mesmo passado pela minha cabeça. Eu era formado em medicina e estava na idade de me casar, por assim dizer. Na fase da vida em que se casa.

— Mas por que não escolheu uma enfermeira, ou uma colega, ou alguma menina conhecida da sua mãe?

— Minha mãe? — perguntou, piscando.

— Você estava de olho na clínica do meu pai, era isso. Planejou se casar com uma das filhas dele e herdar todos os seus pacientes e nossa casa velha mas confortável.

— Bom, querida, provavelmente eu pensei nisso. Provavelmente. Mas não teria me casado com alguém que não amasse. Você acredita mesmo que eu não me casei por amor?

— Não sei em quê acreditar — ela falou.

Deu meia-volta e desceu os degraus da entrada da casa.

— Dee? — Sam chamou.

Ela passou pelo carro sem dizer nada. A maioria das mulheres sairia *dirigindo*, mas ela preferiu andar. A sola dos seus sapatos batia na entrada de carro asfaltada em um ritmo propositado, lembrando-lhe uma música cujo nome não sabia bem qual era. Parte dela ouvia Sam chamar (Delia tinha ouvidos aguçados como de um gato) mas outra parte estava contente de livrar-se dele e contente de sua impressão sobre ele ser confirmada. *Olhe só, ele nem se digna a vir atrás de mim.* Ao chegar na rua virou à direita e continuou a andar. Sua sombra frágil a precedia, depois a seguia e depois sumia, à medida que ela passava de uma luz da rua para outra. Não sentia mais frio. Sua raiva parecia aquecê-la por dentro.

Agora compreendia por que Sam não se lembrava de quando a vira pela primeira vez. As meninas Felson eram um pacote completo para ele, era isso. Não tinha planejado encontrar uma amostra isolada. O que *tinha* planejado era a ocasião social daquela noite, com mocinhas casadoiras, uma, duas, três em exposição no sofá da sala de visita. Podia imaginar a cena agora. Só faltava a perspectiva apropriada para ver tudo com clareza: as almofadas vermelhas que pinicavam, a textura do seu copo de xerez e a irmã do meio gordinha, irrequieta e irritada ao seu lado.

Em um galho alto o tordo bobo do vizinho cantava que nem um alarme contra ladrão, "Doy! Doy! Doy!", com sua voz lírica, até ser silenciado por um som de rock vindo do outro lado da rua. Era um carro cheio de adolescentes, evidentemente. Delia ouviu as buzinadas e gritos cada vez mais altos. Ocorreu-lhe que nem mesmo Roland Park era um lugar absolutamente seguro àquela hora. Além disso, seu roupão não enganava ninguém. Estava andando por ali quase que só de camisola. Virou à direita de repente e deu em uma rua menor e mais escura, e foi andando junto a uma sebe cuja sombra engolia a dela.

Sam devia estar na cama agora, com as calças dobradas em cima da cadeira. E os filhos não sabiam que ela tinha saído de casa. Com seus horários desencontrados, talvez nem notassem sua ausência.

Foi caminhando mais depressa, ouvindo a música do carro mais longe. Chegou em Bouton Road, atravessou e virou à esquerda, e um segundo depois esbarrou em alguém. Deu um encontrão em um homem alto e ossudo, coberto por um casaco de flanela quente.

— Oh! — Delia falou, recuando depressa, com o coração aos pulos, enquanto um cachorro peludo, um desses cachorros de caça, latia nos seus joelhos.

— Butch! Deitado! — o homem comandou. — Você está bem? — perguntou para Delia.

— Adrian?

Naquela rua escura não dava para ver bem, mas ainda assim ela reconheceu seu rosto estreito de malar saliente. Viu que sua boca era mais larga, mais cheia e mais bem talhada do que tinha imaginado, e pensou como podia ter esquecido de uma coisa tão importante assim.

— Adrian, sou eu, Delia. — O cachorro continuava a latir.

— Delia Grinstead, lembra? Do supermercado?

— Delia! Minha salvadora! — Adrian falou rindo, e o cachorro acalmou-se. — O que *você* está fazendo aqui?

— É que... — e riu também, olhando para seu roupão e ajeitando-o com a palma da mão. — Eu não conseguia dormir.

Ficou aliviada ao ver que ele também não estava muito vestido. Usava um robe escuro em cima de um pijama claro, e tênis de corrida sem meia.

— Você mora por aqui? — perguntou.

— Bem ali — respondeu, mostrando uma sebe de arbustos emaranhados. Por trás da sebe Delia viu uma varanda iluminada e uma parte de tapume branco. — Eu acordei e vim dar uma volta com Butch para ele fazer pipi. É o novo *hobby* dele: me acordar no meio da noite e mostrar que precisa sair.

Ao ouvir seu nome, Butch sentou-se nas patas traseiras e arreganhou os dentes para ela. Delia abaixou-se para lhe fazer um carinho. Seu hálito aqueceu e umedeceu os dedos dela.

— Fui embora com suas compras naquele dia — ela disse, na direção do cachorro. — Fiquei sem graça!

— Compras? — Adrian perguntou.

— Seu orzo e seu rotini... — falou, encontrando os olhos dele. — Pensei em procurar seu endereço para devolver as coisas.

— Eu comprei orzo? Não faz mal. Fiquei muito grato por você ter me ajudado. Deve ter me achado meio esquisito, não é?

— Não, de maneira alguma, eu me diverti.

— Às vezes a gente quer manter as aparências na frente de alguém, sabe como é?

— Certamente. Eu devia abrir uma empresa: Aparências e Cia.

— Alugue uma namorada — Adrian sugeriu. — Impostores para viagem.

— Com louras posando de segunda esposa, e astros do futebol levando meninas recém-brigadas com o namorado para bailes...

— E lindas mulheres de preto chorando em enterros — Adrian falou.

— Por que *não* existem coisas assim? Não há nada como isso... Como essa fúria, esse tipo de fúria orgulhosa que a gente sente quando foi magoada, insultada ou tratada com indiferença...

Bom. Era melhor parar por aí. Adrian a observava com uma atenção tão peculiar que ela pensou de repente que estava com bobies no cabelo. Quase levantou a mão para checar, mas lembrou-se de que não usava bobies desde os tempos de colégio.

— Meu Deus, preciso ir para casa — falou.

— Espere! Você gostaria... posso te oferecer um café?

— Café?

— Prefere chá, chocolate, ou uma bebida?

— Acho que prefiro chocolate. Chocolate é uma boa. Cafeína a essa hora da noite provavelmente... Mas tem certeza de que não vou dar trabalho?

— Nenhum trabalho. Vamos entrar.

Levou-a até uma abertura nos arbustos. Um caminho de laje seguia em curva até a casa, uma dessas casas vitorianas rebuscadas que os casais jovens acham tão charmosas hoje em dia. A porta da frente tinha painéis de losangos de vidro em cores escuras que tiravam a transparência. Delia ficou um pouco aflita. Não sabia nada sobre aquele homem! E ninguém no mundo tinha a menor idéia de onde ela estava.

— Em geral, quando acordo a essa hora não durmo mais, então preparo um caneca de...

— Que varanda linda! — Delia exclamou interrompendo-o. — Podíamos tomar o chocolate aqui.

— Aqui? — Ele parou no último degrau e olhou em volta. Era uma varanda deprimente. As tábuas do piso estavam gastas e os móveis eram pintados em um tom de verde brilhante. — Não acha que vamos sentir frio?

— Nem um pouco — Delia falou, mas agora que tinha parado de andar parecia frio. Enfiou as mãos nos bolsos do roupão.

Ele olhou-a por um instante e ergueu os cantos da boca com ar divertido.

— Entendi.

— Mas se *você* estiver com frio... — ela falou, corando.

— Compreendo. Você está sendo cuidadosa.

— Oh, não é isso! Meu Deus!

— Você tem toda a razão. Vamos tomar chocolate aqui.

— Realmente, será melhor eu entrar.

— Não, espere aqui. Eu trago o chocolate.

— Por favor. Por favor, me deixe entrar.

E como viu que os dois ficariam discutindo eternamente, tirou uma das mãos do bolso e colocou-a no pulso dele.

— Eu quero — falou.

Queria entrar. Foi a isso que se referiu, mas no momento em que as palavras saíram da sua boca percebeu que havia uma outra implicação. Deixou cair a mão e deu um passo atrás.

— Ou talvez... a varanda, por que não tomamos o chocolate na... — Procurou uma cadeira e sentou-se. O assento frio, sem almofada, deixou-a sem ar por um instante, como se tivesse ouvido uma notícia assustadora ou visto uma possibilidade que nunca lhe passara pela cabeça antes.

# 4

— Eu disse a Eliza, quando ela nos pegou no aeroporto, que agora que o papai estava morto eu não teria de dividir o quarto com ela. Ia ficar livre dos seus roncos — Linda disse.

— É, mas... — disse Delia.

— E que as gêmeas não precisavam ficar empilhadas com Susie. Achei que poderíamos pôr as duas na cama grande do papai comigo. E quando chego em casa vejo isso.

— Eu pensei no início que você ficaria lá, mas pareceu tão... quando entrei para fazer as camas pareceu tão...

— Ótimo, eu mesma faço as camas — disse Linda. — Só sei de uma coisa: não vou mais dormir com Eliza tendo um quarto vazio na casa.

Elas estavam na porta do quarto do pai naquele momento, vendo tudo arrumado lá dentro, o ar fino criando rolos de poeira, a colcha artesanal esticada por cima do colchão. Linda, ainda com roupa de viagem, não tinha perdido aquela aura de concentração e eficiência que as viagens imprimem em algumas pessoas. Examinou o quarto sem o menor sentimentalismo, na opinião de Delia.

— Você não perdeu tempo para fazer mudanças. Aberturas para ar-condicionado em todo lugar, jardineiros derrubando as plantas, e nem sei o quê mais.

— Bom, isso....

— Imagino que era só o que Sam Grinstead estava esperando. Ele finalmente ficou de posse da casa.

Delia não discutiu. Linda olhou-a com ironia antes de entrar no escritório do pai. Olhou-se no espelho e passou os dedos pelo cabelo castanho curto com corte de pajem. Depois tirou a bolsa a tiracolo com a alça passada pelo peito — mais uma de suas manias européias. Ninguém diria que ela era americana. (Ninguém diria que tinha nascido em Michigan e se divorciado do professor de literatura francesa que não a levara para morar em Paris, como ela esperava.) Seu rosto redondo e suave era muito branco, a única maquiagem que usava era um batom vermelho e embora suas roupas não fossem excepcionais, tinha um gosto aprimorado — como o escarpim marrom de salto médio, por exemplo, combinando com um costume azul-marinho.

— Mas por que estamos de pé aqui? Não sei onde Marie-Claire e Thérèse se meteram — disse Linda forçando os *erres* nos nomes das meninas, como se estivesse gargarejando. Ao encaminhar-se para a escada, Delia sentiu cheiro de avião nela.

Na cozinha encontraram Eliza fazendo limonada para as gêmeas. Naquele outono elas fariam 9 anos — as pernas já estavam espichando muito — e embora usassem o mesmo corte de cabelo da mãe, pareciam-se muito com o pai. Os olhos eram quase pretos, caídos e tristes, a boca cor de ameixa. Elas tentavam alcançar um armário com frente de vidro, a primeira puxando a segunda, e para se movimentar melhor tinham enfiado os vestidos antiquados de colegial européia para dentro das calcinhas, o que deixava suas pernas ainda mais compridas.

— Assim que sua prima Susie aparecer vai levar vocês à piscina — disse Eliza. Estava do lado do escorredor de pratos, raspando limões. — Prometeu que seria a primeira coisa que faria com vocês, mas acho que deve estar por aí com o namorado.

A menção do namorado as distraiu por um instante.

— Driscoll? — perguntou Marie-Claire. — Susie ainda está namorando o Driscoll?

— Ainda.

— Eles vão juntos a festas? Beijam-se quando se despedem à noite?

— Isso eu não sei — Eliza falou com rispidez, abaixando-se para tirar uma jarra do armário.

As gêmeas tinham atingido sua meta: um vidro de balas de hortelã no alto da prateleira. Com todo o cuidado Thérèse passou o vidro pela porta semi-aberta. (As feições de Thérèse eram mais irregulares, o rosto menos equilibrado, menos simétrico, o que lhe dava um ar ligeiramente angustiado.) Por um instante o vidro ficou suspenso, mas chegou ileso nas mãos estendidas de Marie-Claire. — Ramsay e Carroll também já têm namoradas?

— Ramsay tem. Infelizmente.

— Por que infelizmente? — Thérèse perguntou.

E Marie-Claire disse:

— O que ela tem de errado? — As duas estavam tão ansiosas por um escândalo que Delia riu alto. Então Thérèse falou:

— Você também não gosta dela, tia Delia? Proíbe a menina de pisar na sua casa? Ela vai para a praia conosco?

— Não. A praia é um passeio familiar — disse, respondendo apenas à pergunta mais fácil.

Na manhã seguinte, um domingo, estariam saindo bem cedo para a praia, onde deviam passar uma semana. Todo ano faziam isso. Em meados de junho, assim que começavam as férias, Linda vinha de Michigan e eles todos iam para uma casinha alugada na costa de Delaware. A varanda da frente já estava empilhada de bóias e raquetes de badminton, o freezer estava entupido de comida e montes de pacientes de Sam queriam consultas de última hora para evitar aglomeração quando ele voltasse.

— Delia, pode me passar o açúcar? — pediu Eliza, enchendo a jarra de água. — Meninas, preciso de cinco copos daquele armário à sua direita.

Enquanto Delia media o açúcar, checou o relógio de parede. Quatro e dez. Olhou para as gêmeas e limpou a garganta. — Se Susie não voltar até vocês terminarem a limonada, talvez eu leve vocês à piscina.

— Você? — Linda perguntou. E as meninas falaram em uníssono: — Mas você *detesta* nadar!

— Eu não vou entrar na água. Deixo vocês lá e mais tarde Susie busca.

Eliza colocou gelo nos copos. Linda sentou-se na cabeceira da mesa e as gêmeas sentaram-se nas cadeiras ao lado. Quando Delia colocou a jarra de limonada na frente delas, Marie-Claire disse:

— Ei, tem uma porção de coisas boiando dentro!
— Isso faz bem para vocês — disse Linda servindo-as.
— E uns caroços grandes também!
— Não tem importância.
— Isso é o que *ela* diz — Thérèse falou para Marie-Claire em tom ameaçador. — Os caroços criam raízes no nosso estômago e crescem limoeiros nas orelhas.
— Que idéia, Thérèse — disse Linda.

Ignorando-a, as gêmeas olharam-se significativamente e Marie-Claire acabou dizendo:

— Acho que não estamos com sede.

— Vamos vestir a roupa de banho — Thérèse acrescentou.

Empurraram as cadeiras para trás e saíram correndo da cozinha.

— Ah, meu Deus. Desculpe, Liza — Linda falou.

— Tudo bem — Eliza disse com frieza.

Às vezes Delia percebia que Eliza era o que costumavam chamar de solteirona. Uma mulher desamparada, com aquela roupa excêntrica de safári e sapatos pesados. Puxou uma cadeira com a cabeça abaixada, o cabelo preto e curto caindo para a frente escondendo sua expressão, e sentou-se com as mãos pequenas dobradas resolutamente em cima da mesa.

— Bom, *eu* estou com sede! — disse Delia alto, sentando-se também e pegando um copo. Do corredor ouviu uma série de batidas — a mala das gêmeas, sem dúvida, sendo carregada para o andar de cima. Aparentemente, ainda planejavam dormir no quarto com Susie, pelos rangidos vindos lá de cima.

Do lado de fora da janela apareceu o rosto barbudo de um dos homens da obra. Olhou para as mulheres, piscou e desapareceu. Delia e Linda o viram, mas Eliza não porque estava de costas para a janela.

— O que ele está querendo agora? — Linda perguntou.

— Ele quem? — disse Eliza.

— O operário — Delia explicou.

— Não estou falando do operário, e sim de Sam — disse Linda. — Por que ele mandou cortar todas aquelas plantas?

— Disse que estão velhas e sem folhas.

— Não dá para podar? E o ar-condicionado central! Esta casa não foi construída para receber ar condicionado.

— Tenho certeza de que vamos gostar muito quando chegar o calor — disse Eliza. — Tome um pouco de limonada, Linda.

Linda pegou um copo mas não bebeu nada.

— Só queria saber onde ele encontrou tanto dinheiro. Além disso, esta casa está no nome de nós *três*, não dele. Papai deixou a casa para nós.

Delia olhou para a janela. (Achava que o operário estava espionando-as, ávido para saber da vida particular dos outros, como é costume de todos os operários.)

— Meu Deus! É melhor irmos logo para a piscina. Alguém quer alguma coisa do Eddie´s?

— Eddie's? — disse Eliza.

— Posso parar e comprar umas frutas quando estiver voltando para casa.

— Delia, você esqueceu que a mãe de Sam vem jantar? E ainda tem de examinar as contas do seguro de saúde. Eu posso levar as gêmeas, depois passo no Eddie's.

— Não! Por favor! — disse Delia. — Ainda tenho muito tempo. Além do mais, eu mesma quero escolher as frutas porque não sei bem o quê...

Estava dando explicações demais — isso era sempre um erro. Linda não notou, mas Eliza podia ler seus pensamentos, pensou Delia, e estava observando-a.

— Eu volto daqui a pouco, OK? — Levantou-se e ouviu as gêmeas descerem as escadas correndo. — Pode passar minha bolsa? — Eliza continuava a observá-la, mas pegou a bolsa de Delia no balcão.

No corredor as gêmeas começaram a brigar por causa de uns óculos de natação que deviam ter tirado do equipamento que levariam para a praia. Usavam roupas de banho de malha idênticas, só que de cores diferente — uma vermelha e a outra azul — e sandálias de borracha vermelhas e azuis nos pés compridos e pálidos. Nenhuma das duas tinha trazido toalha, mas as toalhas ficavam lá em cima e Delia achou melhor não falar nada.

— Vamos. Meu carro está estacionado ali em frente. — Da cozinha Linda gritou: — Façam o que o salva-vidas disser ouviram, meninas?

Delia seguiu-as pela varanda, desviando da haste de uma barraca de praia. Mais adiante um jovem com uma bandana vermelha arrancava as raízes de uma azaléia. Ajeitou o corpo, limpou o rosto no braço e deu um sorriso para elas.

— Eu também gostaria de nadar! — ele disse.

— Venha conosco — Thérèse falou, mas Marie-Claire disse: — Sua boba, não está vendo que ele não está com roupa de banho? — As duas atravessaram o jardim na frente de Delia, dizendo uns versinhos que ela se lembrava desde a infância:

— Assim é a vida.
— *Como* é a vida?
— Quinze centavos a cópia.
— Mas eu só tenho dez.
— Assim é a vida.
— *Como* é a vida?
— Quinze centavos a...

O tempo estava perfeito, ensolarado mas não muito quente, mas o carro de Delia tinha ficado exposto ao sol o dia inteiro. As meninas deram gritinhos ao entrarem no banco de trás.

— Pode ligar o ar-condicionado? — pediram a Delia.

— Não tenho ar-condicionado no carro.

— Não tem?

— Abram as janelas — falou, abrindo a do seu lado. Ligou o motor e saiu, com dificuldade de encostar a mão no volante.

Dava para ver que era um fim de semana, pois havia muita gente fazendo caminhada nas ruas. Outras pessoas cuidavam dos jardins, cortavam a grama ou aparavam as sebes, enchendo o ar de uma poeira verde visível que fez Thérèse (que era alérgica) espirrar. Na Wyndhurst o sinal mudou para amarelo, mas Delia não parou. Sentia que o tempo estava passando. Desceu a longa ladeira 15 quilômetros acima do limite de velocidade, virou à esquerda em Lawndale e estacionou na primeira vaga disponível. As gêmeas, também apressadas, passaram pelo portão na frente dela e antes de Delia pagar as entradas desapareceram no meio dos outros nadadores.

Delia vinha voltando pela ladeira, sacudindo a blusa e soprando dentro, o cabelo grudado de suor na testa. Se ao menos pudesse parar em casa para refrescar-se um pouco! Mas não conseguiria escapar das irmãs nem por um minuto. Virou na direção sul, passou pelo Eddie's, seguiu por uma alameda de árvores que davam uma sombra abençoada, e ao chegar na Bouton Road estacionou embaixo de um bordo. Antes de descer do carro secou o rosto em um lenço de papel que tirou da bolsa, depois atravessou o jardim de Adrian, subiu os degraus da varanda e tocou a campainha.

Àquela altura o cachorro já a conhecia bem, e simplesmente levantou-se do capacho e cheirou sua saia.

— Oi, Butch — disse ela, fazendo festinha no seu focinho mas dando um passo atrás. A porta da frente abriu e Adrian apareceu.

— Finalmente!

— Desculpe — ela disse, entrando. — Não pude sair antes de Linda chegar, o avião dela atrasou e tive de ajeitar um lugar na casa para ela e as crianças e...

Estava falando demais, mas não conseguia parar. Aqueles primeiros minutos eram sempre difíceis. Adrian pegou sua bolsa e colocou-a em uma cadeira, e ela calou a boca. Depois inclinou-se para beijá-la. Delia teve medo de estar com gosto de sal. Fazia pouco tempo que eles se beijavam — pelo menos assim, com tanta seriedade. Tinham começado com um beijinho no rosto, fingindo serem só amigos, até que um dia outras partes foram envolvidas — os lábios, as bocas, os braços em volta um do outro, os corpos apertando-se até Delia (era sempre ela) afastar-se com um risinho e ajeitar as roupas.

— Então, trabalhou muito? — ela perguntou. Adrian olhou-a sorridente. Usava calça cáqui e camisa azul desbotada combinando com seus olhos. Nessas últimas semanas de sol seu cabelo se tornara quase dourado, parecendo iluminar o corredor escuro — mais uma razão para ela entrar abruptamente em casa como se tivese um trabalho a fazer.

A casa de Adrian sempre lhe parecia pouco habitada, o que era estranho pois até três meses atrás sua esposa também morava lá. Por que então os quartos davam essa sensação de indiferença e negligência a longo prazo? A sala, vista do corredor, não a atraía. As paredes eram nuas, a não ser por um único quadro de natureza-morta acima da lareira, e em vez de um sofá havia três cadeiras quase em círculo. As mesas laterais tinham em cima apenas o necessário — um abajur e um telefone, sem qualquer peça decorativa que atenuasse aquele ambiente frio.

— Acabei de imprimir o ensaio de Adwater — Adrian disse. — Pode dar uma olhada e dizer o que achou?

Levou-a por uma passagem estreita e pelo corredor e chegaram em uma área que devia ter sido ser antes uma estufa ou solário. Era lá seu escritório. Janelas sombrias alinhavam-se em três paredes, os parapeitos empilhados de papéis. Na quarta parede havia uma mesa embutida com vários equipamentos de computador. Era ali que Adrian produzia suas publicações. Assinantes de 34 estados pagavam um bom dinheiro por *Depressa, por favor*, uma publicação trimestral voltada para viagens no tempo. A capa era de um azul-celeste brilhante, o logotipo um relógio de madeira assentado sobre rodas. Cada número da publicação continha uma seleção de ficção científica e não-ficção, resenhas de romances e de filmes sobre a máquina do tempo, e até mesmo umas piadas ou histórias em quadrinhos. Aliás, toda essa publicação era uma piada ou era real? Quando Delia lia as cartas dos leitores, ficava sem saber. Muitos assinantes pareciam acreditar na seriedade da coisa, pelo menos alguns diziam falar por experiência própria. Delia detectou um tom quase antropológico no artigo que Adrian lhe entregou — um ensaio de um certo Dr. Charles L. Adwater, propondo que a qualidade conhecida como "carisma" era na verdade a graça superior e o élan dos visitantes vindos do futuro, que passam um tempo no presente. *Pense*, escreveu o Dr. Adwater, *com que facilidade você e eu navegaríamos nos anos 1940, que hoje parece um período bastante ingênuo, de um modo geral, onde um habitante da nossa própria década poderia esperar criar um considerável impacto com esforço relativamente pequeno.*

— Você diria "os anos 1940 parecem um período" ou "os anos 1940 parece"? — Adrian perguntou. — Tenho dúvidas quanto a isso.

Delia não respondeu. Ficou andando enquanto lia, mordendo o lábio inferior, apertando os olhos para ler melhor no papel fino e cheio de perfurações.

— Bom... — ela disse, fingindo estar distraída, passando para o corredor enquanto virava a segunda página.

Adrian seguiu-a.

— Na minha opinião, o estilo de Adwater é meio pesado — disse ele. — Mas não posso sugerir muitas mudanças porque ele é um dos maiores nomes nessa área.

Como se podia fazer um nome na área de viagens no tempo? Delia ficou intrigada. Sua visita ao escritório de Adrian era na verdade um artifício, até mesmo Adrian devia saber. Estar lá em cima é que importava: subir para o segundo andar, o andar do *quarto*, e espiar por trás de cada porta. Adrian dormia em um quarto de vestir acanhado depois que Rosemary o deixou, e Delia sentiu-se à vontade para andar pelo quarto de casal enquanto virava a terceira página. Parou ao lado de uma cômoda, alegando que ali tinha mais luz. Adrian veio logo atrás e ajeitou a gola dela com suavidade.

— Por que você sempre usa um colar? — perguntou, junto ao seu ouvido.

— Hummm? — ela falou baixinho, virando outra página.

— Você sempre usa um colar de pérolas, um medalhão ou um pingente em forma de coração. Sempre alguma coisa em volta da garganta, e esses colarezinhos redondos inocentes.

— É só um hábito — ela respondeu, mas seus pensamentos voavam. Ele queria dizer que ela parecia boba, imprópria para sua idade?

Adrian nunca perguntou quantos anos ela tinha e, embora não fosse mentir para ele, não sentia necessidade de dizer a verdade. Quando ele contou que tinha 32 anos, ela disse, "Trinta e dois! Idade para ser meu filho!" Um exagero deliberado para fazê-lo rir. Ela tampouco mencionou a idade dos seus filhos. Não que ele tivesse perguntado, pois como a maioria daqueles que não têm filhos, Adrian parecia ignorar o enorme espaço que eles ocupam na vida dos pais.

Mas fazia uma ligeira idéia do seu marido, pois um dia disse que Sam devia ser robusto e atlético (porque fazia caminhada) e ciumento. Delia não o contradisse.

Se pusesse os dois homens juntos — se convidasse Adrian para jantar, dizendo que era um vizinho abandonado pela esposa e obrigado a preparar suas próprias refeições — a situação perderia todo seu potencial de drama. Sam começaria a referir-se ao "seu amigo Bly-Brice" da forma sarcástica de sempre, e seus filhos revirariam os olhos se ela conversasse muito tempo com ele ao telefone. Mas Delia não pensou em promover esse encontro. Mal tinha pronunciado o nome dele na família. Quando as mãos de Adrian largaram sua gola e passaram para os ombros e a puxaram para mais perto, ela não resistiu — jogou a cabeça para trás e apoiou-se no peito dele.

— Você é uma gracinha — ele disse, e ela ouviu o som abafado daquela voz dentro da sua cavidade pulmonar. — Pequena, delicada e gostosa.

Comparada com a esposa dele, Delia pensou, retesando o corpo, afastando-se um pouco e organizando as páginas. Deu a volta na cama (a cama de Rosemary! Coberta com uma colcha de cetim bem gasta) e foi até o closet.

— O que eu quero saber — disse por cima do ombro — é se você pode realmente viver dessas publicações. Porque uma revista como a sua é bem especializada, não é?

— Mal está dando para cobrir as despesas — disse Adrian imediatamente. — Em breve vou ter de parar. Passar para uma coisa nova. Mas estou acostumado com isso. Antes eu fazia uma publicação sobre pequenos clubes de beisebol.

O closet estava cheio de roupas de Rosemary — tops, vestidos, calças mais curtas e mais longas, tudo pendurado em espaços iguais, não embolado como no closet de Delia. Segundo Adrian, Rosemary tinha deixado todos os seus pertences quando foi embora. Saiu com o macacão de seda preto que estava usando e uma bolsa fina preta debaixo do braço. Por que Delia achava isso tão atraente? Não era a primeira vez que ela se sentia hipnotizada em frente ao closet de Rosemary.

— E antes disso — Adrian continuou a falar —, eu tinha uma publicação trimestral para os fãs da série de TV *M\*A\*S\*H*.

— Ele estava atrás dela agora e tocou na ponta do seu cotovelo dobrado.

— Como viveu durante todo esse tempo? — Delia perguntou.

— Bom, Rosemary tinha uma pequena herança.

Ela fechou a porta do closet.

— Você sabia disso antes de se casar com ela?

— Por que está perguntando isso?

— Ultimamente ando imaginando se Sam casou-se comigo para ficar com a clínica do meu pai.

Não devia ter dito isso. Adrian olharia para ela e pensaria, *Ela é bem sem graça, e além disso seus cotovelos estão rachados.*

Mas ele sorriu.

— Eu teria me casado com você por causa das suas sardas.

Delia foi para o lado de Rosemary na cama. Sabia que era o lado dela por causa do vidro de perfume junto do abajur. Primeiro colocou o artigo do Dr. Adwater na mesa de cabeceira, depois, como se fosse um passo lógico, abriu a gavetinha debaixo e viu uma mistura de alicate de manicure, lixas de unhas e vidros de esmalte.

Muito apropriado o nome Rosemary! Semelhante a rosmarinho, uma erva sofisticada, de gosto ativo, quase químico. Se usada em excesso em uma receita, mais parecia um derivado de petróleo.

Adrian veio por trás, virou-a para que ela o olhasse e passou os braços à sua volta. Dessa vez ela não se afastou, pôs as mãos na cintura dele e levantou o corpo para ser beijada. Ele beijou-lhe a boca, as pálpebras e a boca novamente.

— Venha se deitar comigo, Delia — falou baixinho.

Nesse momento o telefone tocou.

Ele pareceu não ouvir, nunca ouvia. E nunca atendia. Dizia que era sua sogra, que gostava mais dele que da própria filha e estava sempre tentando reconciliá-los. "Como sabe que não é a Rosemary?" Delia perguntou uma vez, e Adrian encolheu os ombros e disse, "Porque telefone não é o instrumento preferido dela". Dessa vez não se mexeu, nem ficou tenso. Delia teria percebido se ele ficasse. Beijou-lhe a curva entre o pescoço e o ombro, e a parte traseira dos seus joelhos encostaram na cama. Mas o telefone continuava a tocar. Dez toques, onze, Delia contou subconscientemente, afastando-se dele — mas com a sensação de estar arrastando as pernas pela água.

— Oh, meu Deus — disse arfando e enfiando a blusa para dentro da saia. — Eu realmente devia... Será que deixei minha bolsa lá embaixo?

Adrian também arfava e não respondeu. Ela disse:

— Já me lembrei. Deixei em cima da cadeira. Preciso ir embora rápido. A mãe de Sam vai jantar lá em casa.

Enquanto falava ia descendo as escadas. O telefone da sala estava no 14º toque. Agora 15º. Delia chegou no corredor, pegou a bolsa e foi para a porta.

— Eu já disse que vamos amanhã para a...

— Você nunca fica. Está sempre com pressa quando chega aqui.

— Bom, eu...

— De que tem medo?

*Tenho medo de me despir na frente de um rapaz de 32 anos*, pensou, mas não disse. Sorriu para ele e falou:

— Acho que só vou te ver quando voltarmos da praia.

— Será que nunca vai conseguir ficar aqui mais tempo um pouco? Uma noite inteira? Não pode dizer que vai visitar uma de suas amigas?

— Eu não tenho amigas — Delia disse.

Não tinha mesmo, pensando bem. Quando se casou com Sam mudou de geração e deixou todas para trás, todos as colegas antigas.

— Tenho só a Bootsy Fisher. (Que Sam chamava de Bootsy Officious, um apelido tirado do nada.) — Nós fazíamos rodízio de carro com as crianças.

— Não pode dizer que está na casa da Bootsy?

— Oh, não. Não vejo como eu...

Quando percebeu que ia ser beijada de novo, deu um adeus e foi depressa para a porta, quase tropeçando em Butch que estava deitado no capacho.

Engraçado, pensou, quando entrou no carro, como ultimamente os dias de colégio vinham à sua cabeça. Devia ser a sensação estonteante que tinha sempre que via Adrian às escondidas. Suas bochechas vermelhas e seus lábios a denunciavam, quando olhou pelo espelho retrovisor. Ao parar em um sinal examinou a blusa para ver se estava toda abotoada e ajeitou o medalhão pendurado entre os seios. E mais uma vez ouviu Adrian dizer, "Por que você sempre usa um colar?" e "Venha se deitar comigo, Delia", e como nos tempos do colégio sentiu-se mexida por dentro, mais ainda agora do que quando ele disse essas palavras. Se não estivesse sentada suas pernas teriam fraquejado.

Talvez ela *pudesse* dizer que estava fazendo uma visita a Bootsy. Não uma noite inteira, é claro, mas boa parte da noite. Certamente ninguém da família se preocuparia em verificar.

Estacionou o carro na entrada, já livre de todos os carros a não ser o de Sam. Uma fumaça vinha do jardim do outro lado da casa. Ele devia estar acendendo a churrasqueira.

Seguiu na direção da fumaça e chegou na pequena laje retangular abaixo das janelas do consultório. Lá estava ele, mexendo no termômetro da churrasqueira com os óculos levantados.

Continuava com a camisa, a gravata e a calça do terno, menos o jaleco branco. Parecia tão profissional que Delia sentiu uma certa ansiedade. Sam sabia tudo, não é? Mas quando levantou o corpo e baixou os óculos, disse apenas:

— Oi, Dee. Por onde você andou?

— Fui... fui comprar umas coisinhas.

Ficou surpresa de ele não perguntar o que tinha comprado, pois ela voltara de mãos vazias. Sam meneou a cabeça e deu um peteleco no termômetro com o indicador.

Ao subir os degraus que davam na porta da cozinha sentiu-se como uma mulher saindo de um sono profundo. Passou por Eliza e foi para o corredor.

— Você vai grelhar os legumes também ou vai assar no forno? — Eliza perguntou.

Não havia muito espaço na churrasqueira, os legumes teriam de ser preparados no forno. Quis dizer isso para Eliza mas se esqueceu e entrou no escritório. O escritório estava vazio, graças a Deus. Ela não queria falar do telefone lá de cima. Levantou o fone, discou o número de Adrian, deixou tocar duas vezes e desligou — sua forma de mostrar que não era a sogra dele. Discou de novo e ele atendeu logo depois do primeiro toque.

— É você? — perguntou. Sua voz parecia apressada, intensa. Delia afundou-se em um banquinho e segurou o fone com mais força.

— Sou eu — sussurrou.

— Volte para cá, Delia.

— Eu bem gostaria.

— Volte e fique comigo.

— Eu quero. Quero mesmo — ela disse.

Nesse momento ouviu a voz da mãe de Sam.

— Delia?

Delia desligou e deu um pulo do banquinho.

— Eleanor! — disse, enfiando as mãos nas dobras da saia para esconder seu tremor. — Eu estava só... estava só...

— Desculpe entrar assim, mas ninguém abriu a porta para mim. — Eleanor deu dois passos e beijou Delia no ar, perto da orelha. Ela cheirava a sabonete, não se perfumava nunca, era uma mulher sem artifícios. Usava um desses vestidos que não amassam e tênis Nike. Seu rosto era bonito e o cabelo quase branco, penteado como uma freira. — Não queria interromper sua conversa.

— Eu já estava desligando — Delia falou.

— Acho que alguém deixou umas coisas na varanda da frente.

— Que coisas?

Delia ficou imaginando o artigo do Dr. Adwater sobre carisma.

— Raquetes de badminton, bóias e outras coisas espalhadas por todo lado, alguém pode tropeçar.

Eleanor era o tipo de convidada que se achava obrigada a mostrar as falhas alarmantes da casa. Há quanto tempo a descarga do banheiro fazia aquele barulho? Eles sabiam que o galho de uma árvore estava a ponto de cair? Delia reagia fazendo-se de convidada também.

— Que coisa! — ela disse. — Vamos falar com o Sam. Ele está lá fora na churrasqueira.

— Achei que vocês iam fazer um jantar bem simples — disse Eleanor, saindo do escritório. Em vez de bolsa ela usava uma dessas pochetes presas no cinto, de náilon verde amarelado brilhante, bem no meio da barriga, parecia que estava grávida. Por causa da pochete andava ligeiramente inclinada para trás, mas normalmente sua postura era perfeita.

— Vou servir só frango grelhado — disse Delia, quando passavam pelo corredor. — Nada complicado.

— Sopa enlatada bastaria — Eleanor falou, vendo um pedaço de maçã fincada no balaústre da escada. — Especialmente considerando tudo que você ainda tem para fazer antes de ir para a praia.

Seria uma censura? Todo ano Sam tentava convidar a mãe para ir à praia com eles e todo ano Delia o convencia do contrário, por isso sempre fazia esse jantar conciliador antes de viajarem. Não que desgostasse da sogra, ela era uma mulher admirável. Tinha consciência de que nunca se sairia tão bem em circunstâncias adversas quanto Eleanor — que ficou viúva cedo e teve de trabalhar como secretária para sustentar o filho. (Segundo Sam, seu pai não fez muita coisa na vida, era um homem fraco e ineficaz.) Mas sentia-se uma inútil diante da sogra. Sentia-se frívola, perdulária e desorganizada. Só nas férias conseguia livrar-se desse sentimento.

Além do mais, não podia imaginar a Mãe de Ferro enrolada em uma toalha de praia.

— Linda já chegou? — Eleanor perguntou quando entraram na cozinha. — As gêmeas devem estar enormes, não é? Onde estão todas?

Foi Eliza que respondeu.

— As gêmeas estão na piscina. Linda saiu com Susie para buscá-las. Como vai você, Eleanor?

— Não podia estar melhor. Isso que estou vendo é aspargo? Delia, você sabe quanto *custam* os aspargos?

— Comprei em uma promoção — Delia mentiu. — Vou cozinhar no forno dessa vez, é muito simples. Sem grande confusão.

— E você acha aspargo e pombo assado um prato simples?

— Não é pombo, é frango.

— Uma cenoura velha bastaria para mim — disse Eleanor.

Foi andando para a porta dos fundos, seguida de Delia.

No jardim lateral Sam estava ajeitando a churrasqueira.

— Acho que está na temperatura ideal — disse para Delia.

— Oi, mamãe. Que bom te ver.

— O que aconteceu com a sebe do jardim, filho? — perguntou, olhando para ele.

— Estamos tirando tudo e colocando plantas novas.

— Isso deve custar uma fortuna! Não dá para se arrumar com o que tem, meu Deus?

— Nós queríamos tudo completamente novo — Sam falou. (Nós, pensou Delia.) — Estamos cansados de nos arrumar com o que temos. Dee, estou pronto para começar a cozinhar.

Quando Delia voltava para a casa, ouviu Eleanor dizer:

— Não sei não, filho. Essa vida sua parece rica demais para o *meu* sangue, aspargos no jantar e faisão grelhado.

— Frango! — disse Delia por trás do ombro.

Eliza devia ter ouvido também, pois estava rindo quando Delia abriu a porta de tela.

— Leve para o Sam — disse Delia. — Não posso agüentar nem mais um minuto.

— Ora, você leva tudo a ferro e fogo — Eliza falou, se divertindo com a situação. Ela achava Eleanor engraçada. Mas isso porque não era sua nora. Não precisava pensar nela diariamente como um modelo de parcimônia, com seu livro-caixa de 12 colunas e saquinhos de sanduíche usados três vezes, lavados e secados para economizar.

Será que algum dia ocorrera a Sam que Delia e o pai dele talvez fossem almas irmãs?

Delia pegou os talheres, dez de cada, e foi para a sala de jantar. Dali não se ouvia o barulho do jardim e ela podia pensar em Adrian. Deu a volta na mesa distribuindo facas e garfos e lembrando dos dedos de Adrian na sua gola e do seu hálito quente. Mas não conseguia mais sentir seus beijos. A interrupção de Eleanor devia ter afastado todos os seus sentimentos, como no dia em que o telefone tocou enquanto ela e Sam faziam amor e ela perdeu o entusiasmo, por assim dizer, e não conseguiu entusiasmar-se de novo.

Voltou à cozinha e viu Eliza pensativa diante do armário de copos.

— Que copos vamos usar? Para chá gelado ou para vinho?

— Vinho — Delia respondeu prontamente.

Do jardim lateral vinha a voz confiante de Eleanor.

— Você viu o preço dos aspargos ultimamente?

— Está subindo muito — ele disse num tom tranqüilo.

— Está altíssimo — Eleanor consertou. — Mas nós vamos ter no jantar hoje aspargos e pavão grelhado.

Eliza foi a única que riu.


Por uma razão ou outra o jantar saiu tarde. Linda e Susie levaram um tempão para tirar as meninas da piscina e Ramsay só apareceu às 19h embora tivesse prometido estar em casa às 18h. Veio com a namorada a reboque e a filha dela de 6 anos, pálida e calada. As gêmeas ficaram encantadas, é claro, mas Delia não gostou nada porque tinha avisado que aquela noite seria estritamente familiar. Mas não teve coragem de enfrentar Ramsay em público. Fervendo por dentro, colocou dois lugares a mais entre os outros e chamou todos para sentarem-se à mesa.

Velma, a namorada, era magrinha como um elfo, com cabelo farto e brilhante e corpo jeitoso, valorizado pelo short branco. Delia entendia o que seu filho vira nela. Primeiro, quando Velma entrou na sala de jantar foi direto para um dos lugares com pratos avulsos, como se estivesse habituada a viver à margem dos acontecimentos. Segundo, era tão incrivelmente animada que até mesmo Carroll — certamente Carroll — se entusiasmou na sua presença, e Sam resolveu lhe dar o pedaço maior do frango. ("Precisa encher um pouco esses ossos", disse, com uma linguagem que não era típica dele.) Depois conquistou Linda ao maravilhar com os nomes da gêmeas.

— Sou louca por nomes franceses, acho que foi por isso que dei o nome de Rosalie à minha filha. Como eu gostaria de ir à França! O mais longe que já estive foi em Hagerstown, algumas vezes, para shows de cabeleireiros.

Velma trabalhava em um salão de beleza unissex, onde conheceu Ramsay. Ele entrou para cortar o cabelo e convidou-a na mesma hora para tomar um chá na casa do seu colega. Agora estava sentado orgulhosamente ao seu lado, com um braço nas costas da cadeira, olhando feliz da vida para sua família. Embora fosse baixo (tinha puxado ao pai de Delia), parecia másculo e confiante ao lado de Velma.

— Mas no outono passado fui a uma palestra sobre cores em Pittsburgh — Velma lembrou-se. — Fiquei lá uma noite e deixei Rosalie com minha mãe.

Rosalie, sentada por trás do outro prato avulso, levantou os olhos enormes e olhou para Velma com ar de desespero.

— Todos da nossa loja recebem treinamento para usar cores — Velma continuou.

Estaria falando com Eleanor? Eleanor meneou a cabeça de forma encorajadora, com uma expressão graciosa.

— Certas pessoas deviam usar cores frias e outras, cores quentes — disse Velma a ela. — E nunca deviam mudar isso, mas é impressionante quantas tentam mudar.

— Isso é determinado pelo temperamento da pessoa, querida? — perguntou Eleanor.

— Como, minha senhora?

Mas Eleanor já tinha desviado a atenção para o prato que Sam preparava para ela.

— Meu Deus, Sam, não ponha tanto para mim!

— Pensei que você tivesse pedido um pedaço de peito.

— Pedi, sim, mas pequeno. Esse é grande demais para mim.

Sam pegou outro pedaço e mostrou-o.

— Assim está bom?

— Esse também é imenso!

— Bom, não temos nenhum menor, mãe.

— Não pode cortar pela metade? Eu não conseguiria comer tudo isso.

Sam colocou o peito de frango de novo no prato para cortá-lo.

— Uma senhora — disse Velma para os outros — estava usando rosa quando entrou e eu disse, "A senhora está muito errada. Devia usar cores frias com o tom de pele que tem". E ela disse, "Mas é por isso que escolho cores quentes. Escolho o que é meu oposto". Eu não pude acreditar no que ela dizia. Realmente não pude acreditar.

— Sam, meu querido, você está pondo seis vezes mais aspargos do que eu posso comer — disse Eleanor.

— São três talos, mãe. Como posso pôr um sexto disso?

— Quero só meio talo, se não for muito trabalho.

— Você ficaria maravilhosa de fúcsia — Velma disse para Eliza. — Com esse cabelo muito preto, essa cor escura não te favorece nada.

— Mas eu gosto de cor escura — disse Eliza em tom determinado.

— Você, Susie, aposto que já pensou nas suas cores. Certo? Esse azul-claro combinou bem com sua pele.

— Era a única peça de roupa que não estava lavando — Susie falou, mas com uma expressão de satisfação.

— Eu visto Rosalie *só* de azul-claro. Ela fica péssima com qualquer outra cor.

— Sam, não quero ser inconveniente — disse Eleanor — mas vou pedir para você tirar do meu prato um pouquinho dessa salada de batata e dar para outra pessoa.

— Por que não deixa no seu prato mesmo, mãe?

— Mas é uma porção grande demais, querido.

— Coma o que puder e deixe o resto, está bem?

— Você sabe que eu detesto desperdiçar comida.

— Então faça força para engolir toda essa maldita comida, mãe.

— Meu Deus! — Eleanor falou.

O telefone tocou.

— Carroll, quer atender o telefone? Se for um paciente, diga que estamos jantando — Delia falou.

Não que ela imaginasse que um paciente poderia ser tão facilmente dissuadido.

Carroll saiu da cozinha resmungando alguma coisa sobre o telefone de adultos e Delia deu uma mordida na sua coxinha. Estava seca e fibrosa como uma casca de árvore por ter ficado tempo demais no forno.

— É para você, mãe — Carroll avisou, enfiando a cabeça pela porta.

— Veja quem é e diga que eu telefono depois.

— Ele disse que é sobre uma máquina do tempo.

— Oh!

— Máquina do tempo? — disse Sam.

— Com licença um instante — Delia disse, pondo o guardanapo em cima da mesa.

— Alguém quer te vender uma máquina do *tempo*? — Sam perguntou.

— Não! Ao que eu saiba, não. Não sei... Diga para ele que não estamos precisando de nada — Delia falou, afundando-se na cadeira.

Carroll tirou a cabeça da porta.

Delia teve a impressão de que um pedaço do frango tinha ficado entalado na sua garganta. Pegou a cesta de pão e disse:

— Thérèse? Marie-Claire? Peguem um e passem para os outros, por favor.

Quando Carroll voltou para a mesa, não olhou para ele. Passou a manteigueira depois dos pães e ao levantar a cabeça viu que Eliza olhava fixo para ela.

Era com Eliza que tinha de tomar cuidado. Ela era misteriosa às vezes.

— Essa louça foi da sua bisavó, Cynthia Ramsay — dizia Linda para as gêmeas. — Ela era famosa em Baltimore por sua beleza, e a cidade toda se perguntou por que aceitou casar-se com aquele joão-ninguém baixo e atarracado, Isaiah Felson. Mas ele era médico e garantiu que se ela se casasse com ele nunca teria tuberculose. Quase toda sua família tinha morrido de tuberculose. Então ela aceitou e mudou-se para Roland Park. Teve uma saúde de ferro a vida toda e seus dois filhos também, um deles é o seu avô. Vocês se lembram do vovô.

— Ele não nos deixava andar de patins dentro de casa.

— Isso mesmo. Seu bisavô mandou vir a louça do casamento da Europa, esses mesmos pratos em que estamos comendo hoje.

— Menos Rosalie — disse Marie-Claire.

— O que, querida?

— O prato de *Rosalie* não é da louça do casamento.

— Não, o de Rosalie é da Kmart — disse Linda passando a manteiga para Eleanor, sem notar que os olhos de Rosalie estavam cheios de lágrimas.

— Meu Deus, *eu* não quero manteiga — disse Eleanor.

Por que Adrian teria telefonado? Não era do seu feitio. Só podia ser alguma coisa muito importante. Ela devia ter atendido.

Iria até a cozinha buscar água ou alguma outra coisa e telefonaria para ele.

Levantou-se, segurando a jarra de água, mas nesse momento a campainha da porta tocou. Delia congelou. A primeira coisa em que pensou, apavorada, é que fosse Adrian, que teria vindo buscá-la pois não queria mais ouvir a voz da razão. Uma cena completa passou pela sua cabeça — a perplexidade da sua família ao vê-la ir embora de casa, sua viagem noturna com ele (em uma charrete, talvez), e a vida feliz dos dois em uma casa iluminada pelo sol na costa mediterrânea. Enquanto isso Sam dizia, "Eu disse a eles várias vezes..." levantando-se e atravessando o corredor, certo de que era um paciente. Talvez fosse mesmo. Delia permaneceu de pé, tentando ouvir. Umas das gêmeas disse:

— O guardanapo de *Rosalie* é de papel." Delia teve ímpeto de mandá-la calar a boca.

Era uma mulher. Uma senhora idosa que se queixava de alguma coisa ininteligível. Uma paciente. Delia ficou mais aliviada do que esperava e perguntou se alguém queria alguma coisa da cozinha. Mas antes de virar-se, viu Sam trazendo a visita para a sala.

A mulher tinha bem mais de 70 anos, era pálida e enrugada, cabelo crespo pintado de preto, ruge vermelho e batom vermelho, sapatos absurdamente pequenos, com os dedos de fora aparecendo por baixo da bainha do vestido preto largo. Vinha agarrada a uma bolsa a tiracolo com as duas mãos gordas cheias de anéis e pingentes de brilhante em forma de lágrimas pendurados nos lobos das orelhas. Delia notou tudo isso e ao mesmo tempo percebeu a cara de espanto de Sam, que vinha logo atrás dela.

— Dee? Essa senhora está dizendo...

A mulher perguntou:

— Você é a Sra. Delia Grinstead?

— Sou.

— Quero que você deixe o marido da minha filha em paz.

Em volta da mesa todos ficaram extremamente atentos. Delia sentiu isso, embora seus olhos estivessem grudados na mulher.

— Não tenho a menor idéia do que a senhora está falando — disse.

— Você sabe bem de quem estou falando. Do meu genro Adrian Bly-Brice. Ou será que já se esqueceu? Será que tem tantos amantes que não sabe mais distinguir um do outro?

Alguém deu uma risadinha. Era Ramsay. Delia sentiu-se ligeiramente ofendida com isso, mas concentrou-se no problema em questão.

— Sra... hum... realmente eu... — disse.

Detestou o tom infantil da sua voz ao dizer isso.

— Você está destruindo um casamento feliz — continuou a mulher, agora junto à cabeceira da mesa, por trás da cadeira vazia de Sam. Olhou para Delia por baixo de cílios tão empapados de rímel que sombreavam seu rosto como verdadeiros toldos. — Eles podem ter seus altos e baixos como todo casal, mas estão tentando superar os problemas! Estão saindo juntos de novo, ele contou isso? Foram jantar duas vezes no restaurante onde se conheceram. Estão até pensando em ter um bebê para melhorar a situação. Mas toda vez que olho pela minha janela, o que vejo logo? Seu carro estacionado do outro lado da rua. Você beijando-o na porta da casa dele, louca por ele, subindo as escadas com ele e levando-o até a janela do quarto, deixando todos os vizinhos boquiabertos.

A sogra de Adrian morava em frente a ele?

Delia sentiu-se queimando por dentro e notou a expressão de espanto de todos à sua volta.

— Delia, você tem idéia do que ela está dizendo? — Sam perguntou com calma.

— Não. Não tenho idéia alguma. Ela está inventando tudo isso! Está me confundindo com outra pessoa.

— Então o que é isso? — perguntou a mulher, tentando abrir a bolsa. O cordão que amarrava a bolsa deslizava por um fecho e ela levou um tempão para soltá-lo, enquanto todos a observavam em um silêncio sepulcral. Delia se deu conta de que não respirava há algum tempo. Estava preparada para absolutamente qualquer coisa que saísse daquela bolsa — um objeto erótico, chocante, cheirando a sexo, o que seria precisamente? Mas finalmente surgiu uma fotografia. — Estão vendo? — disse, balançando lentamente da direita para a esquerda.

Era uma foto polaróide, tão pouco nítida que se resumia em nada mais que um quadrado escuro meio rasgado. Mas só quando Ramsay deu mais um risinho é que Delia compreendeu que estava segura.

— Muito bem.... — Sam falou — não se preocupe, tenho certeza de que sua filha é *muito* bem casada... — E de forma muito cavalheiresca foi guiando a mulher para a porta. — Posso levar a senhora até seu carro?

— Bom... sim, talvez... sim, talvez — ela disse, ainda mexendo na bolsa, mas deixando-se ser guiada. Foi andando de braço com ele, tão aturdida e insegura que Delia sentiu uma súbita pena dela.

— Quem era *essa pessoa*? — Marie-Claire perguntou distintamente.

— Alguém procurando sua tia Delia, a sereia — disse Ramsay, e todos riram.

Delia sabia que seria uma maldade, mas por um instante pensou realmente em confessar tudo só para se exibir. Mas é claro que não fez isso. Sorriu, sentou-se à mesa e colocou a jarra de água à sua esquerda.

— Quem vai querer mais frango? — perguntou, olhando dentro dos olhos de Eliza.

Era a noite de Susie lavar os pratos e Eleanor disse que queria ajudar. Não deixaria Delia levantar uma palha, disse, depois daquele jantar extravagante. Então Delia saiu da cozinha, fingindo estar relutante, mas em vez de ir para a varanda com os outros subiu as escadas e foi para o quarto. Fechou a porta, sentou-se na beira da cama e pegou o telefone.

Adrian atendeu quase no mesmo instante. Ela tinha se preparado para fazer o esquema dos dois toques, mas não foi preciso.

— Alô?
— Adrian?
— Oh, meu Deus, ela foi aí?
— Veio.
— Tentei avisar você. Telefonei para sua casa e mesmo depois que seu marido atendeu...
— Meu marido atendeu? Quando?
— Não era seu marido?
— Oh, era meu filho Carroll. Nós estávamos jantando.
— É, e eu esperava que você... Era seu filho então?
— Meu filho caçula, Carroll.
— Mas parecia muito mais velho pela voz.
— Velho? Ele não é velho!

— Parecia um homem feito.

— Mas não é — Delia falou laconicamente. — Adrian, por que você fica me beijando nas portas e janelas se sabe que sua sogra mora do outro lado da rua?

— Então ela fez o que disse que faria, não é?

— Ela veio aqui e disse à minha família que eu tinha um amante, se é a isso que está se referindo.

— Meu Deus, Delia, o que eles falaram?

— Acharam que ela era meio maluca, mas... Adrian, ela disse que você era muito bem casado.

— É claro que disse. Você sabe que ela gostaria de acreditar nisso.

— Falou que você e Rosemary voltaram a se encontrar, que você a levou duas vezes ao restaurante onde se conheceram.

— Bom, isso é verdade.

— É mesmo?

— Só para discutir umas tantas coisas, é claro. Nós temos muito em comum, afinal de contas. Vivemos muita coisa juntos.

— Sei.

— Mas não foi o que você está imaginando. Só fomos jantar!

— E estão pensando em ter um filho.

— Foi isso que ela contou?

— Foi.

— Bom, essa idéia veio à tona.

— Naturalmente — Delia disse chorando.

— Rosemary está ficando mais velha.

— Ela deve ter uns 30 anos — disse Delia com certa amargura, enrolando o cordão do telefone entre os dedos. Ouvia um chiado no fundo, como se fosse uma ligação interurbana.

— Mas acho que ela não é do tipo maternal — Adrian falou animado. — Estranho, não é? Exatamente aquilo que nos atrai em uma pessoa pode acabar nos afastando dela. Quando Rosemary e eu nos conhecemos ela era tão... fria, como você diria, com modos tão frios que eu fiquei enfeitiçado, mas hoje vejo que talvez ela seja fria demais para ser uma boa mãe.

— E eu? — Delia perguntou.

— Você?

— O que há em *mim* que te atrai mas te afasta?

— Ora, nada, Delia. Por que perguntou isso?

— Nada te atrai?

— Bom, talvez... bem, quando nos conhecemos você agiu de forma suave, meiga e infantil, sabia? Mas quando chegamos ao ponto em que a maioria das pessoas... se envolve, você *continuou* sendo meiga e infantil. Deixou tudo confuso, dizendo que tinha de ir embora, como se fôssemos adolescentes.

— Entendi.

— Delia, afinal quantos anos seu filho tem? — ele perguntou.

— Ele é velho — respondeu, mas era a ela própria que estava se referindo.

Desligou o telefone e saiu do quarto.

Lá embaixo ouviu a água correndo na cozinha, os pratos sendo lavados e Eleanor dizendo, "Susie, querida, você não está pensando em *ignorar* isso, não é?" — Delia atravessou o corredor, foi até a porta de tela e olhou para a varanda. Não viu sinal dos meninos, que há anos não ficavam para conversar depois do jantar, nenhum sinal de Velma nem de Rosalie. Só Sam e Linda conversavam no balanço. "Algumas dessas azaléias foram plantadas por nosso bisavô, embora isso não seja do seu interesse" Linda dizia. "Nem do seu, a menos que esteja planejando participar um pouco dos problemas daqui", disse Sam. Eliza, sentada na cadeira de balanço de junco, falou: "Parem com isso vocês dois." As gêmeas corriam na calçada da frente em volta do

poste de luz, com folhas de grama presas na pele e mariposas brancas voando acima delas. Tinham chegado àquele ponto de excitação que toma conta das crianças nas noites de verão, e diziam os versinhos em grande velocidade:
— *Como* é a vida?
— Quinze centavos a cópia.
— Mas eu só tenho dez centavos.
— Assim é a vida.
— *Como* é a vida?
— Quinze centavos a cópia.
— Mas eu só tenho dez centavos.

# 5

Choveu na primeira noite na praia e havia uma goteira no telhado da casa. Não era um chalé charmoso nem ficava na beira do mar, era uma casinha simples de beira de estrada. Delia imaginou que devia ter morado lá alguma vendedora de loja de Delaware. A pia da cozinha tinha uma cortininha de chintz embaixo, o chão da sala era forrado com um linóleo azul velho parecendo um tapete enrugado e as camas eram afundadas no meio e rangiam a qualquer movimento. Mas a poça d'água no corredor de cima era demais, Sam disse. Telefonou para o corretor de imóveis imediatamente, usando o número de emergência, e insistiu que o problema fosse resolvido bem cedo na manhã seguinte.

— Será que você tem de lidar com peões de obra mesmo nas férias? — Linda perguntou.

— Vamos passar um pano no chão e esquecer isso. Na certa não vai chover de novo aqui, porque se chover vou processar Deus — disse Eliza.

A própria Delia não disse nada. Não teve forças.

Na casa deles em Baltimore, os operários aproveitariam aquela semana para fazer o acabamento do piso. Por isso tiveram de levar o gato para a praia. (Ele não tolerava ficar com gente estranha, tinha definhado uma vez que o deixaram sozinho assim.) Sam disse que eles seriam despejados da casa de praia porque animais eram expressamente proibidos, mas Delia garantiu que ninguém descobriria que Vernon estava ali. Vernon ficou tão irritado com a viagem de carro que assim que todos se instalaram na casa, enfiou-se por trás de um armário da cozinha. Delia sabia que era melhor deixá-lo em paz, mas as gêmeas não descansaram enquanto não abriram a porta do armário e tentaram tirá-lo de lá com um prato de sobras do jantar. "Aqui, Vernon! Vem, gatinho." A única resposta dele foi o silêncio desanimador próprio dos gatos quando não querem ser perturbados.

— Oh, o que vamos fazer? Ele vai morrer de fome — disse Marie-Claire.

— Bons ventos o levem — disse Sam. — Só animais vivos é que não são permitidos aqui.

Delia achou Sam mal-humorado e irritado o dia inteiro.

Naquela primeira noite, quando normalmente estariam dando uma volta na praia ou indo até a cidade tomar um sorvete, ficaram todos sentados na sala mal iluminada cheirando a lampião de querosene, lendo as revistas velhas e rasgadas deixadas por outros inquilinos e ouvindo a chuva bater nas vidraças. As gêmeas ainda estavam na cozinha atormentando Vernon. Susie e os meninos tinham pedido emprestado o Plymouth e ido até Ocean City. Delia ficou aflita, pois na sua cabeça Ocean City era uma arena cheia de universitários bêbados fazendo pegas. Mesmo assim tentou manter a atenção na revista *American Deck and Patio*.

— Se amanhã não fizer sol, podíamos ir até Salisbury. Quero que as gêmeas tenham uma noção de suas origens.

— Oh, Linda, você não vai querer ir de novo àquele maldito cemitério — Eliza falou.

— Então me emprestem um carro que eu vou com elas. Foi o que aconteceu no ano passado, se bem me lembro.

— É, e no ano passado as gêmeas voltaram chorosas e emburradas. O que interessa a elas um bando de Carrolls e Webers mortos?

— Elas se divertiram muito! E eu gostaria de descobrir a casa do nosso tio-avô Roscoe também.

— Boa viagem então, é só o que posso dizer. A casa deve ser um estacionamento agora, e além do mais a mamãe nunca se deu bem com o tio Roscoe.

— Eliza, por que você tem sempre de ir contra mim? — Linda perguntou. — Por que caçoa e faz pouco de tudo que eu proponho?

— Ora, ora, senhoras — disse Sam, distraído, folheando a *Offshore Angler*.

— Não me venha com "Ora, ora, senhoras", Sam Grinstead — Linda reclamou.

— Desculpe — Sam falou baixinho.

— Ele é a Voz da Razão!

— Foi um erro meu.

Linda levantou-se com raiva e saiu para ver onde estavam as gêmeas. Eliza fechou a *Yachting World* e ficou olhando a capa da revista.

Linda e Eliza estavam no "Modo do Segundo Dia", Delia sabia bem: aquela fase irritadiça depois da confusão da chegada de Linda. Uma vez Delia perguntou a Eliza por que ela e Linda não eram mais próximas, e Eliza disse, "Eu constatei que os que vivem juntos uma infância infeliz raramente são próximos". Delia ficou surpresa. A infância delas tinha sido infeliz? A dela foi uma glória. Mas achou melhor não dizer nada.

Linda voltou com as gêmeas, que ainda importunavam Vernon, e Sam pôs de lado sua revista e sugeriu jogarem cartas.

— Você trouxe o baralho? — perguntou a Delia. Ela sabia que não tinha trazido, mas fingiu que estava procurando na sacola de compras em cima da mesa de centro. Encontrou quebra-cabeças, monopólio e um tabuleiro de gamão, mas não um baralho.

— Hummmm.... — ela disse.

— Tudo bem, então vamos jogar gamão. — O tom de voz dele denotava grande impaciência, o que era pior do que se estivesse gritando.

No fundo da sacola Delia encontrou o livro que tinha pegado na biblioteca, *Prisioneira do castelo*. Tinha começado na semana anterior e não se entusiasmara muito, mas qualquer coisa era preferível a jogar em família. E quando Sam perguntou se ela ia jogar, respondeu:

— Acho que vou ler na cama.

— Agora? Não são nem 21 horas.

— Estou cansada. — Deu boa-noite a todos e saiu da sala sem deixar que vissem a capa do livro, embora ninguém tivesse tentado ver o título.

Lá em cima, uma nova trilha de água medrava do tapete ensopado do banheiro. Ela ignorou a água e foi para o quarto onde ia dormir com Sam. Era um quarto pequeno, cheirando a mofo, com uma janela sem cortina. Para manter a privacidade, trocou a camisola no escuro depois foi lavar o rosto no banheiro do outro lado do corredor. Ao voltar para o quarto acendeu o abajur e direcionou a luz amarela e fraca para o travesseiro. Enfiou-se debaixo das cobertas, cobriu bem os pés e abriu o livro.

A heroína do livro era uma mulher chamada Eleanora, que infelizmente lembrava a Delia sua sogra. As tranças longas de Eleanora e seu rosto "malicioso" eram um contraste com o cabelo curto horrível e o maxilar da Mãe de Ferro. E quando Kendall, o herói, apertou-a contra ele, Delia viu o olhar desaprovador da sogra por cima do ombro largo dele. Kendall era o futuro cunhado de Eleanora, o irmão caçula do noivo aristocrata e suave. Impetuosamente, Kendall raptou Eleanora na primeira vez em que pôs os olhos nela, o que ocorreu uns 15 minutos antes do casamento. "Eu nunca vou te amar! Nunca!", disse Eleanora aos prantos, batendo no peito dele com seus punhos mínimos, mas Kendall agarrou-a pelos pulsos e esperou, dominador e confiante, até ela acalmar-se.

Delia fechou o livro, deixando o dedo dentro para marcar, e ficou olhando para o casal abraçado na capa.

Nem por uma vez, desde o momento em que se conheceram, Adrian a possuíra verdadeiramente. Foi tudo uma questão circunstancial. As circunstâncias o levaram a pedir que ela fingisse ser sua namorada (A quem mais por ali poderia pedir? À moça com o bebê? À senhora idosa que estava na frente deles?), e as circunstâncias fizeram com que se encontrassem de novo umas noites depois. Além do mais, toda a atitude dele mostrava que ele continuava apaixonado pela mulher. Amava-a tanto que não conseguiu enfrentá-la sozinho no supermercado, e não conseguia dormir no quarto de casal depois que se foi. Mas Delia, como uma adolescente iludida, não vira nada disso.

Tampouco vira outros indícios — que revelavam a própria natureza do caráter dele. Por exemplo, seu comportamento no primeiro encontro, não deixando-a comprar certas coisas, referindo-se com ironia aos nomes de Roland Park, comprando marcas da moda. Ele era bastante superficial.

Nos romances, essa revelação teria feito com que ela voltasse agradecida para o homem que sempre a esperava de braços abertos. Mas na vida real, quando ouviu os passos de Sam na escada, fechou os olhos e fingiu que dormia. Sentiu que ele tirava o livro das suas mãos, apagava a luz e saía do quarto.


De manhã a chuva tinha parado e o sol saíra, muito brilhante no ar lavado. Toda a família foi para a praia logo antes do meio-dia — os adultos no Buick de Sam e os jovens no Plymouth dirigido por Ramsay. As poças d'água espalhadas chiavam debaixo dos pneus quando eles atravessaram a auto-estrada para chegar às casas mais caras perto do mar. Estacionaram no final de uma rua sem saída e começaram a descarregar os suprimentos do dia — garrafas térmicas, cobertores, toalhas, caixas de isopor, bóias e sacolas de praia. Delia carregou uma pilha de toalhas e sua bolsa de palha estava tão entupida de provisões de emergência que as alças fizeram um sulco no seu ombro nu. Estava usando um maiô rosa riscado, uma saia debruada de ilhós e sapatilhas de lona azul-marinho, sem nenhuma blusa por cima. Não se importava se Sam reclamasse, queria pegar pelo menos um pouco de cor.

— Cuidado, meninas — disse Linda quando as gêmeas carregavam juntas um isopor pelo calçadão de madeira. — O fundo do isopor está arrastando no chão.

— É culpa da Thérèse, ela está me deixando fazer toda a força!

— Não estou, não.

— Está, sim.

— Eu não disse para trazerem coisas mais leves? — Linda falou. — Não ofereci a vocês os cobertores ou os...

Mas elas já tinham chegado à areia e lá estava o mar, lembrando-lhes que valera a pena terem vindo de tão longe. Todo ano Delia parecia esquecer-se disso. Aquela agitação constante, o cheiro fértil e pútrido de bafo de cachorro, daquele contínuo vaivém abafado enquanto ela queria estar em algum outro lugar, preocupada com suas coisas triviais! Fez uma pausa e deixou os olhos pousarem nos raios de sol que incidiam na água. Nesse momento Carroll, carregando um monte de bóias, deu um encontrão nela e disse:

— Cuidado, mãe.

— Desculpe — Delia falou, descendo os degraus de madeira que davam na praia.

Havia certas vantagens em tirar férias bem no início da estação. Embora a água ainda não estivesse muito quente, a praia era menos cheia. Os cobertores foram espalhados em intervalos civilizados, deixando espaço para passagem. Só poucas crianças estavam dentro da água subindo nas ondas, Delia podia contar facilmente as cabeças à distância.

Ela e Eliza desdobraram um cobertor e sentaram-se, enquanto Sam enfiava o pau da barraca na areia. Mas Susie e os meninos ajeitaram suas coisas a uns 6 metros dali. Fazia anos que ficavam separados dos adultos, Delia não se magoava mais com isso.

— Vocês duas só podem sair daqui quando estiverem cobertas de filtro solar — Linda disse para as gêmeas, besuntando-as nos braços e nas pernas. Assim que terminou as duas saíram correndo para o cobertor dos jovens.

O rádio de Susie tocava "Under the Boardwalk", uma canção que Delia achava muito triste. Mas na verdade essa música vinha também de outros rádios, de outros cobertores, parecendo que o oceano Atlântico tinha escolhido sua própria melodia de fundo melancólica.

— Vou dar uma caminhada — Sam disse a Delia.

— Oh, Sam. Você está de férias!

— E daí?

Ele tirou o roupão de praia e ajeitou a correia de couro do relógio de pulso. (O relógio era evidentemente parte da sua nova rotina de exercício, mas Delia não sabia ao certo de que forma.) Saiu andando junto da água, na direção norte, uma figura magricela, de calção bege e tênis brancos enormes.

— Pelo menos aqui temos todos esses salva-vidas treinados em ressuscitação cardiopulmonar — disse Delia para as irmãs, dobrando o roupão de Sam e guardando-o na sua bolsa de palha.

— Não se preocupe — Eliza falou. — Os médicos disseram para ele caminhar.

— Mas não precisa exagerar.

— Para mim ele parece bem como sempre. Se é que você considera minha opinião — Linda disse, protegendo os olhos para olhar para ele. — Eu nunca diria que ele teve um ataque cardíaco.

— Não foi um ataque cardíaco, foram dores no peito.

— Que seja — disse Linda, desinteressada.

Ela usava um maiô preso por um cordão central que dava a volta no pescoço, o que fazia os peitos caírem para os lados como dois olhos cansados. Eliza, que achava um absurdo comprar maiô novo para nadar uma semana por ano, usava shorts de jeans e um top preto de crochê sobre o sutiã.

Delia tirou as sapatilhas e jogou-as na bolsa de palha, depois deitou-se de costas para aproveitar o calor brando do sol. Aos poucos os sons foram ficando cada vez mais fracos, como sons relembrados — as vozes dos outros banhistas, os gritos altos e tristes das gaivotas, a música dos rádios (agora Paul McCartney cantava "Uncle Albert"), e debaixo de tudo isso, de modo quase inaudível, o ruído do mar, constante e invariável como o ruído dentro de uma concha.

Ela e Sam tinham passado a lua-de-mel nessa praia. Ficaram em uma pousada no centro que não existia mais, e toda manhã deitavam-se ali lado a lado, com os braços nus se tocando. Quando chegavam a certo ponto tinham de levantar-se e correr para o quarto. Uma vez o quarto pareceu muito longe, e eles mergulharam no mar e foram além da arrebentação; ela ainda se lembrava dos contrastes — as pernas quentes e ossudas dele esfregando-se nas suas debaixo da água fria e sedosa — e o cheiro do seu rosto molhado quando se beijaram. Mas no verão seguinte levaram um bebê (a pequena Susie, de dois meses, muito, muito manhosa) e nos outros anos os meninos; raramente tinham tempo para deitar na areia juntos, que dirá voltar correndo para dentro de casa. Com o tempo Eliza começou a vir para a praia também, Linda antes de se casar, e o pai porque não sabia cuidar da casa sozinho. Delia passava os dias com água pelos calcanhares com medo de que as crianças se afogassem, admirando cada coisa nova que elas aprendiam. "Olhe isso, mamãe", "Não, olhe *isso!*" Eles a consideravam muito importante.

Alguém passou pela areia como se estivesse esfregando os pés em veludo, e ela abriu os olhos e sentou-se. Por um instante sentiu a cabeça oca. "Seu rosto está queimando, é melhor pôr um pouco de protetor", disse Eliza, mais cuidadosa, debaixo da barraca. Linda estava na água defendendo-se de uma onda, com os braços gordos esticados para o alto e as mãos parecendo asas de passarinhos, e as gêmeas tinham voltado do cobertor dos jovens e enchiam baldes com água perto de Delia. A areia úmida cobriu os joelhos de Marie-Claire e fez dois círculos nos fundilhos do maiô de Thérèse.

— Sam já voltou da caminhada? — Delia perguntou a Eliza.
— Ainda não. Quer dar um mergulho?

Delia não se dignou a responder. (Como todos na família sabiam bem, a água tinha de estar bem quente, o mar liso como vidro e nenhuma água-viva à vista para ela aventurar-se no mar.) Pegou sua bolsa de palha e começou a remexer lá dentro — encontrou as sapatilhas, o roupão de Sam, a carteira de dinheiro e por fim o livro *Prisioneira do castelo*. Eliza fez um ar de desprezo quando viu a capa.

— Vou deixar você com sua "literatura" — disse para Delia, levantando-se e tirando a areia do short com ar sério.

— Tia Eliza, podemos ir também? — gritou Marie-Claire.

— Espere por nós, tia Eliza!

Correram atrás dela feito dois caranguejos de bunda grande.

Eleanora começava a notar que Kendall não era o monstro que ela imaginara. Trouxe bandejas com comida para seu quarto na torre trancada e confessou que ele mesmo tinha preparado todos os pratos. Ela fingiu não se impressionar, mas quando ele foi embora ficou pensando na incongruência de um homem tão vigoroso e viril mexendo panelas no fogão.

— Oi! — disse Sam. O suor escorria pelos ossos do seu peito e ele arfava, com aquele ar de exaustão que sempre afligia Delia depois das corridas dele.

— Sam, você vai se matar! Sente aqui e descanse um pouco — disse ela, largando o livro.

— Não, tenho de relaxar aos poucos. — Começou a andar em círculos em volta do cobertor, parando a toda hora para dobrar-se e segurar nos joelhos. Gotas de suor escorriam da sua testa para a areia. — O que você tem para beber? — perguntou a ela.

— Limonada, Pepsi, chá gelado...

— Chá gelado é uma boa.

Delia levantou-se, encheu um copo de papel e passou-o para Sam. Ele não respirava mais com tanta dificuldade, pelo menos.

Tomou o copo de um só gole e colocou-o sobre a tampa do isopor. — Seu nariz está queimando — disse a ela.

— Eu quero pegar *um pouco* de cor.

— Melanoma é o que você vai pegar.

— Talvez depois do almoço eu ponha...

Mas ele já tinha apanhado o filtro solar de Linda.

— Fique quietinha, — falou, abrindo a tampa e espalhando o creme no rosto dela. O creme tinha cheiro de pêssego passado, um cheiro artificial ruim que fez com que ela franzisse o nariz. — Agora vire para eu passar nas suas costas.

Obedientemente ela virou-se. Estava olhando para a rua agora, os telhados das casas elevando-se além dos bancos de areia. Um bando de passarinhos pretos atravessou o céu azul à distância, mantendo uma formação perfeita, como se fossem interligados por arames invisíveis. Voaram em círculos na direção do sol e de repente tornaram-se brancos, quase prateados, como um véu de lantejoulas; voaram mais uma vez e ficaram pretos de novo. Sam espalhou o creme nos ombros de Delia, que de início parecia quente mas quando esfriou com a brisa lhe deu um ligeiro formigamento.

— Delia?

— Hummm?

— Estava pensando naquela senhora que esteve lá em casa no sábado à noite.

Ela manteve-se imóvel, mas com todos os seus nervos retesados.

— Eu sei que ela era estranha, mas tinha uma fotografia real e ao que parecia você estava com aquele... como se chama mesmo?

Delia já tinha se virado para ele e não conseguiu negar mais.

— Aquele Adrian Bly-Brice.

Ele se esquecera do nome de propósito. Sempre fazia isso. Referia-se sempre à madrinha de casamento deles, Missy Pringle, como Prissy Mingle. Era típico dele depreciar as pessoas. Desprezar suas amigas com um tom irônico na voz! Todo o seu casamento desdobrou-se diante dela: mágoas antigas, humilhações e ressentimentos teoricamente esquecidos, esperando apenas para serem revividos em momentos como aquele.

— O nome dele é Adrian Bly-Brice.

— Sei — ele falou, com um olhar inexpressivo.

— Mas aquela mulher confundiu tudo. Ele é só um conhecido meu.

— Sei.

Em silêncio ele guardou o filtro solar.

— Você não acredita.

— Eu não disse isso.

— Não, mas deu a entender.

— Não pode me culpar pelo que você imagina que eu dei a entender. É claro que ele é só um conhecido. Você não é exatamente o tipo de pessoa que tem um caso. Mas não sei o que os outros pensaram, Dee. Você sabe?

— Não — ela disse entre os dentes. — E meu nome não é *Dee*.

— Tudo bem, *Delia*. Agora, por que não se acalma um pouco?

Levantou as palmas das mãos para cima num gesto protetor que sempre a deixava enfurecida, virou-se e foi para a água.

Em todas as brigas que tinham ele sempre se afastava antes de solucionar o problema. Deixava-a exasperada e saía, dando a impressão de que pelo menos ele podia comportar-se como um adulto. Adulto? Velho seria melhor. Quem mais entraria na água com tênis? Quem mais jogaria água no peito e nos braços antes de mergulhar na água? Para Delia parecia que ele estava calculando as ondas, envolvido em algum ritual de precisão que a deixava irritada.

Levantou a bolsa de palha do cobertor e saiu andando descalça pela praia.

A praia foi enchendo de gente sem que ela notasse. Uma passagem estreita serpenteava entre as barracas, cadeiras de lona e cercadinhos de tela, então ela mudou de rumo e foi caminhando junto da água, na areia molhada que esfriava a sola dos seus pés.

Essa parte da praia pertencia aos andarilhos, que em geral caminhavam aos pares — casais de jovens, casais de velhos, quase sempre de mãos dadas ou pelo menos mantendo o mesmo passo. Aqui e ali crianças pequenas cortavam-lhes o caminho. Delia imaginou um mapa de toda a Costa Leste, da Nova Escócia à Flórida — uma faixa irregular de areia bege pontilhada de seres humanos mínimos, tendo ao lado o Atlântico azul pontilhado ainda mais escassamente. Ela própria era um ponto em movimento, dirigindo-se para o sul. Continuaria a caminhar até chegar ao fundo do continente, decidiu. Depois de algum tempo Sam pensaria em perguntar "Vocês viram Delia por aí?" E os outros diriam, "Não, onde ela pode ter se metido?" Mas ela continuaria a caminhar, como se estivesse correndo da chuva, e nunca seria encontrada.

Porém alguma coisa já a estava atrapalhando. Apareceu o primeiro dos condomínios Sea Colony — muito feio, com prédios monocromáticos parecendo um povoamento de uma galáxia alienígena. Ela poderia ter passado direto, mas aquele misterioso zumbido de *Guerra nas estrelas* que os prédios sempre emitem lhe deu tanto calafrio que a fez parar. Na sua infância, ali era uma região pantanosa coberta de grama, com algumas casinhas simples espalhadas em volta. Na sua infância, tinha quase certeza de que ela e seu pai tinham empinado pipas onde aquele conjunto de pirâmides de plástico cor de laranja agora serviam de sombra em um deck modernista. Por um instante sentiu os dedos grossos do seu pai sobre os dela no cordão da pipa. Esfregou os olhos com a mão, depois virou-se e começou a voltar.

Um salva-vidas estirado na cadeira observava os banhistas por trás dos óculos escuros. Um garoto gordão em uma bóia foi jogado por uma onda aos pés de Delia. Ela o contornou, e quando olhou para a frente avistou a barraca verde e branca da sua família e as crianças no cobertor próximo. Estavam todos sentados agora mas Sam mantinha-se a certa distância, ainda brilhando depois do banho. Ali de longe parecia que ninguém estava falando, as crianças olhavam o horizonte e Sam examinava seu relógio.

De repente Delia deu uma guinada e seguiu em direção oposta ao mar, passando por túneis de areia, fortes e coleções de brinquedos. Ao atravessar o calçadão de madeira que dava na estrada, parou para tirar areia dos pés e pegar a sapatilha na bolsa de palha. O roupão de praia de Sam estava por baixo — um chumaço de tecido azul-marinho. Depois de pensar um pouco resolveu vesti-lo, seus ombros estavam tão queimados a essa altura que pareciam emitir calor.

Se tivesse se lembrado de pegar as chaves do carro com Ramsay poderia sair nele. Não estava querendo caminhar até em casa. Talvez fosse bom buscar as chaves agora. Mas alguém poderia querer voltar com ela e decidiu em contrário.

O mar já parecia muito longe no tempo e no espaço, um mero sussurro naquela estrada pavimentada ensolarada, com casas silenciosas e vazias, automóveis torrando ao sol e filas imóveis de roupas de banho nos varais. Cortou caminho pelo quintal de alguém — quase todo de areia — e passou em volta de um monte de latas de lixo cheirando a caranguejo, infestadas de moscas azuis brilhantes. Então avistou a rodovia. Os carros passavam a tal velocidade que ela teve de esperar vários minutos para poder atravessar.

Do outro lado da auto-estrada seus passos eram o som mais alto em volta — as solas duras de corda marcavam um ritmo. Talvez porque estivesse pensando no seu pai, o ritmo parecia seguir a música que ela costumava cantar quando era pequena. Passou por varandas teladas, suas sapatilhas ao ritmo de "Delia's Gone" — em que ele perguntava onde ela tinha estado todo esse tempo, dizia que não conseguia dormir, dizia que em volta da sua cama à noite ele ficava ouvindo os pés descalços de Delia. Ela gostava especialmente dessa última frase, sempre tinha gostado. Mas a outra Delia não estava morta? Sim, no primeiro verso ficava óbvio que a pequena Delia tinha morrido. Mas ela preferia acreditar que tinha simplesmente desaparecido. Era melhor assim.

Seu rosto estava ligeiramente pegajoso. O ombro ardia onde as alças da bolsa encostavam, e ela passou a bolsa para o outro lado. Estava quase chegando. Planejava beber um copo bem cheio de chá gelado assim que entrasse em casa, depois tomaria um banho frio e faria uma visita ao gato. Era hora de tirar Vernon debaixo da sua cama, para onde tinha ido durante a noite. Na verdade, talvez fosse melhor fazer isso primeiro.

Sorriu para a mulher que tirava uma mala da casa ao lado da dela.

— Um lindo tempo para praia! Detesto ir embora! — disse a mulher.

— O tempo está perfeito! — Delia disse, contornando uma van estacionada na entrada da casa e subindo os degraus.

Quando entrou estava tão escuro que não dava para ver nada. Subiu as escadas com cuidado e chamou:

— Vernon?

— O quê?

Ela prendeu a respiração.

— Alguém me chamou? — disse uma voz de homem.

Ele desceu as escadas — um rapaz gordinho com uma prancheta na mão, de jeans e camisa de xadrez vermelha. Seu rosto de meia-lua, com bochechas redondas e rosadas, nariz de bolota e boca pequena, lhe deu um certo alívio, mas mesmo assim não conseguiu respirar direito quando falou.

— Quem...?

— Eu sou Vernon, você não gritou meu nome? Vim aqui ver o telhado.

— Ah — ela disse, dando uma risada e agarrando a bolsa no peito. — Eu estava chamando meu gato.

— Bom, não vi nenhum gato por aqui. Desculpe se a assustei.

— Você não me assustou!

Ele apertou os olhos, em dúvida. A pele acetinada por baixo dos seus olhos brilhava de suor, o que o deixava com um rosto ainda mais jovem.

— Bom, parece que vou precisar substituir as telhas em volta da chaminé. Não posso fazer isso hoje, preciso voltar. Se o pessoal da imobiliária telefonar, diga que eu entro em contato com eles, OK?

— OK.

Acenou para ela com a prancheta na mão e saiu porta afora. Nos degraus, virou-se e perguntou:

— Gostou do veículo?

— Veículo?

— Minha van, não é uma coisa?

Era uma coisa mesmo. Como não tinha notado? Grande como um trailer, em bronze metálico, com a paisagem de um deserto pintada de um lado, ocupando toda a entrada da casa.

— Tem dentro um microondas e um frigobar — disse Vernon.

— Você mora nela?

— É claro.

— Pensei que as vans tivessem vários bancos.

— Você nunca viu por dentro um RV? Entre que eu te mostro.

— Não sei se...

— Vamos! Você vai ficar de queixo caído.

— Bom, acho que vou dar uma olhada — Delia disse, seguindo-o, ainda agarrada à sua bolsa. Em uma parte da cena do deserto havia uma porta de correr. Vernon abriu-a e deu um passo atrás para ela espiar lá dentro. Delia enfiou a cabeça e viu lambris até metade das paredes, armários embutidos, uma cama de plataforma no fundo com gavetas embaixo. Os dois bancos de costas altas em frente do pára-brisa eram o único sinal de que aquilo era, afinal de contas, um veículo de transporte.

— Meu Deus! — disse.

— Pode entrar. Dê uma olhada no meu centro de entretenimento.

— Você tem um centro de entretenimento?

— A última palavra em equipamento. — Ele entrou e a van inclinou-se um pouco com seu peso, depois virou-se e ofereceu-lhe a mão grande como uma luva de beisebol. Ela aceitou e subiu. O cheiro forte de tapete novo lembrava aeroportos e viagens.

— Tan-tan-tan-tan! — disse Vernon, abrindo um armário. — No fundo do armário fica a televisão com entrada para vídeo, está vendo? Com um videocassete integrado. À noite eu giro isso e vejo os últimos filmes na cama.

— Você mora aqui o tempo todo?

— Quase todo. Bom, mais ou menos. Por enquanto estou morando. — Olhou para ela com a cabeça abaixada. — Vou contar um segredo. Esta van é do meu irmão.

Pensou que ela ficaria extremamente desapontada. Olhou-a com ar preocupado, mal respirando, mas ela disse apenas:

— É mesmo?

— Creio que dei a impressão de que era minha. Meu irmão está fora pescando com a mulher e deixou a van na casa da nossa mãe em Nanticoke Landing. Pediu para ela não deixar ninguém dirigir. Referia-se a mim. Mas ele vai voltar esta tarde, e ontem comecei a pensar, "Droga. Essa van totalmente equipada está estacionada no quintal da minha mãe a semana toda e não usei nem o microondas". Então, na noite passada dormi nela e hoje de manhã saí para fazer meus orçamentos. Minha mãe disse que não tem nada a ver com isso. Não quer se meter. Mas o que ele pode fazer comigo? O que vai fazer comigo, me mandar para a cadeia?

— Talvez ele não descubra — disse Delia.

— Ah, vai descobrir sim. Teve o cuidado de anotar a quilometragem antes de sair — Vernon falou desanimado.

— Você pode dizer que a bateria precisou ser recarregada.

— Bateria. É mesmo.

— Ele mora aqui? Quer dizer, na van?

— Não.

— Eu moraria. — Abaixou-se para levantar o assento de um banco estofado. Era o que esperava, dentro havia um espaço para guardados. Viu uns artigos de lã que podiam ser cobertores ou casacos. — Eu moraria num lugar assim o ano todo. Verdade! Quem precisa de uma casa grande com uma porção de quartos vazios?

— É, mas meu irmão tem três filhos.

— Você já viu essas cafeteiras embutidas debaixo do armário? — Delia perguntou.

— Hein?

Ela estava inspecionando a cozinha agora. Era uma cozinha em miniatura, com a pia do tamanho de uma saladeira e um fogão de duas bocas. Em uma das bocas havia uma cafeteira elétrica velha.

— São umas cafeteiras que você embute abaixo da borda do armário para aproveitar todo o espaço.

— É verdade.

— Aliás, há uma linha completa de equipamentos para debaixo de armários. Torradeira, forno, abridores de lata... abridores de lata elétricos para instalar debaixo...

— Creio que meu irmão só usa abridor manual mesmo.

— Se isso fosse meu, teria tudo instalado debaixo do armário.

— Abridor manual não ocupa espaço nenhum, para falar a verdade.

— Eu não teria nada solto, nada que interferisse, para poder sentar atrás do volante e sair na hora que bem entendesse. Viajar com a casa nas costas, como um caracol. Parar quando estivesse cansada. Estacionar em qualquer acampamento que me agradasse.

— Mas a maioria dos campings exige reserva.

— E no dia seguinte eu diria, "Cansei desse lugar!", e continuaria viagem.

— As taxas são meio altas também, se for um camping decente. Droga. Acho que preciso ir embora.

Olhou o relógio em cima da pia. Delia gostou do relógio, pelo menos era preso na parede. Para ela havia muita coisa solta por ali — não só a cafeteira elétrica como jornais mal dobrados, fitas de vídeo fora das caixas e roupas espalhadas.

— O que não posso imaginar é como você consegue dirigir com essas coisas soltas. Elas não voam toda vez que a van passa por um quebra-molas?

— Não notei nada. Mas a van não é minha. E por falar nisso, meu irmão deve estar voltando daqui a 2 horas, é melhor eu ir indo.

— Eu gostaria de ir também — disse Delia.

— Certo. Bom, foi ótimo conversar com você...

— Talvez você pudesse me levar até um certo ponto.

— Quando, agora?

— Só para eu ver como isso se comporta na estrada.

— Bom... se comporta muito bem na estrada. Mas eu não vou para nenhum lugar perto da praia, sabe? Vou passar por Ashford, depois...

— Então eu vou só até Ashford.

Delia sabia que estava deixando o rapaz nervoso. Ficou olhando para ela com as sobrancelhas franzidas e a boca ligeiramente aberta, a prancheta pendurada em uma das mãos. Tudo bem, a qualquer momento deixaria de brincar. Voltaria ao normal, daria uma boa gargalhada e diria que pensando bem não poderia de jeito nenhum ir até Ashford. Afinal de contas, tinha uma família e já deviam estar se perguntando onde ela teria se metido.

Mas ali estava aquela van linda, toda equipada, inteiramente auto-suficiente, na qual se poderia viajar para sempre, desligada de qualquer outra pessoa. Ela não poderia se oferecer para comprá-la? Quanto uma coisa assim custava? Ou poderia até mesmo roubar — podia empurrar Vernon para fora da porta e se mandar, pegando estradinhas vicinais onde ninguém a encontraria.

— Bom, eu tenho uma família — ela disse com tristeza.

— Família em Ashford? Oh, nesse caso...

Ela levou um minuto para compreender. As sobrancelhas dele se suavizaram e ele fechou a porta. Jogou a prancheta no banco e falou:

— Desde que você tenha como voltar...

Sem fala, Delia foi se sentar na frente, no banco do carona, com a bolsa nos joelhos. Vernon sentou-se ao volante. Quando ligou a ignição, a van roncou tão de repente que Delia fantasiou que o motor estava impaciente todo esse tempo para sair.

— Ouviu isso? — Vernon perguntou.

Ela fez que sim. Supôs que fosse a vibração da máquina que fazia com que seus dentes começassem a bater.

\* \* \*

Ao seguirem pela auto-estrada na direção da divisa de Maryland, passando por lojas gigantescas de móveis de praia, novas construções "vitorianas" e montes de cafés e condomínios em Fenwick Island, Delia dizia a si mesma que ainda poderia voltar para casa. Seria uma longa caminhada, só isso (que se tornava cada vez mais longa de minuto a minuto). Quando entraram em Ocean City, em meio à confusão de bares e cores, lembrou-se de que ali havia ônibus. Ela poderia tomar um ônibus que seguisse para o norte e descer o mais perto possível de casa, fazendo o resto do percurso a pé. Ficou quieta, sentindo-se quase relaxada, observando Vernon dirigir encurvado com os braços encostados no volante. Ele era um desses motoristas que conversavam no trânsito. Quando um carro à sua frente enguiçou, disse, "Não quero te pressionar, cara". E quando quatro adolescentes atravessaram a rua com suas pranchas, ele riu e falou, "Olha só a pinta dos caras". Delia olhou para os meninos. O mais alto tinha um calção listado exatamente igual ao de Carroll — do tipo moderno, largão, indo até o meio dos joelhos.

Quando sua família descobrisse que ela tinha sumido, ficaria atônita, sem saber o que fazer. Se ficasse bastante tempo fora, eles começariam a pensar que talvez tivesse havido um acidente. "Ou será que ela foi embora de caso pensado?", Sam finalmente perguntaria aos meninos, "Algum de vocês falou alguma coisa para ela? *Eu* falei alguma coisa? Eu estava errado quando achei que ela não era do tipo que tem um caso?"

Uma sensação de alegria enchia seu peito. Sentiu-se muito leve de repente.

Depois de algum tempo eles ficariam preocupados e então ela telefonaria. Procuraria uma cabine telefônica quando a noite caísse e diria, "Sou eu. Fui fazer um passeio pelo interior, será que algum de vocês pode vir me pegar?" Nada demais.

Quando Vernon entrou na rodovia 50 e afastou-se da costa (falando agora de um tal de "diferencial", que ela não tinha idéia do que fosse), Delia não pediu para ele parar. A cafeteira elétrica trepidava em cima do fogão. Passaram por uma ponte que ela nunca tinha visto e entraram em uma região mortiça, inteiramente desconhecida. Olhou pela janela e viu casas amareladas construídas no meio de gramados tão bem cuidados que pareciam ter sido aparados com uma tesourinha. Atravessaram bosques verdejantes. "Uma falha dele é não ter colocado rádio", disse Vernon, evidentemente referindo-se ao irmão. Mas Delia estava se lembrando que os lábios de Sam formavam uma linha reta quando ficava zangado. E ocorreu-lhe que talvez ele dissesse aos meninos, "Bom, pelo menos podemos organizar as coisas agora que ela foi embora".

— Além do mais, pode notar que a van não tem som estereofônico — Vernon continuou. — Meu irmão é assim, não liga muito para música. Para mim, falta alguma coisa em um homem que não gosta de música.

Talvez Eleanor se mudasse (dizendo que organizaria as coisas). Assumiria a casa com muito prazer — planejaria cardápios para o ano inteiro e estabeleceria um dos seus orçamentos de Mãe de Ferro.

— Você deve me achar horrível por falar mal do meu próprio irmão.

— Oh, não... — Delia disse.

Aqui e ali viam-se casas antigas de fazenda no final de longas entradas de carro, com plantações à volta e pára-raios nos telhados. Imagine viver num lugar assim! Uma vida muito saudável. Delia se viu alimentando as galinhas, debulhando milho ou trigo com o seu enorme avental campestre. Mas primeiro teria de se casar com um fazendeiro. Ao que parecia, era sempre preciso começar encontrando um homem para pôr as coisas em movimento.

— Mas vou ser franco. Eu e ele nunca fomos muito próximos, como se diz. Ele tem três anos mais que eu e nunca se esquece disso. Vive alegando que é o chefe da família, mas na verdade só aparece de mês em mês. *Eu* é que levo a mãe para fazer as compras de mercado. *Eu* é que levo a mãe para todo lado, para as noites de bingo e jantares comunitários.

Por que diziam que os homens não eram comunicativos? Pela experiência de Delia, eles falavam um bocado, especialmente os consertadores. E Sam não era nenhuma exceção. Sam se comunicava bem demais, na opinião dela.

Quando passaram por um estacionamento de trailers, ela seguiu-o com os olhos. Cada trailer tinha toldos, degraus de cimento e às vezes uma extensão telada. Coleções completas de bichos de cerâmica enchiam os pequenos jardins.

— Veja só essa pescaria, sabe quem está cuidando das crianças? Eu e a mãe. É claro que ela faz a maior parte, mas quando eu chego em casa depois de trabalhar à noite ela está tão cansada que eu cuido de tudo. Mas não pense que Vincent me agradece. E se souber que eu dirigi sua van, vai ficar furioso.

Na bolsa de palha Delia tinha 500 dólares separados para as férias, escondidos entre a carteira e uma bolsinha de maquiagem. Podia passar a noite fora de casa se realmente quisesse alarmar sua família — dormiria em um motel ou até mesmo em uma pousada pitoresca. Mas estava só de roupa de banho. Oh, meu Deus! Com a roupa de banho de sainha, as sapatilhas e o roupão de praia de Sam. Mas se fechasse bem o roupão... Sob certo aspecto, não era muito diferente de um vestido. Tinha mangas três quartos e cobria os joelhos. Os hotéis dali deviam ser freqüentados por turistas, que usavam roupas simples.

Aproximavam-se agora da entrada de uma cidade. Vernon diminuiu a marcha no sinal, agora falando sobre a mulher do seu irmão, Eunice.

— Sinto uma certa pena dela, se você quiser saber. Imagine ser casada com Vincent!

— Que cidade é essa? — Delia perguntou.

— Essa? Ora, é Salisbury.

O sinal abriu e ele acelerou. Delia pensou que talvez pudesse descer ali. Talvez no próximo sinal. Mas encontraram todos os outros sinais abertos, e estavam entrando em uma área residencial de classe média, muito parada. Mais adiante havia uns shoppings sem atrativo e estabelecimentos comerciais malcuidados, nada ali era muito convidativo.

— Acho que Vincent bate nela — Vernon falou. — Ou pelo menos lhe dá uns empurrões. Só sei que eles brigam muito, porque quando vão lá em casa ela em geral não olha para a cara dele.

Estavam atravessando um campo aberto de novo e Delia começou a achar que tinha perdido sua última chance. Era um campo muito *vazio*, muito plano e desolado. Agarrou-se no puxador da porta e ficou vendo aquele campo nu, com árvores arrancadas violentamente e espalhadas por todo lado, as raízes e galhos virados para cima. Vernon freou inesperadamente e fez uma curva fechada à esquerda para entrar em uma estrada pavimentada estreita. "Rodovia 380", informou. Parecia não notar a cafeteira elétrica trepidando em cima do fogão.

— Mas essa pescaria que foram fazer é supostamente uma segunda lua-de-mel.

— Lua-de-mel! — disse Delia, olhando uma pastagem cheia de carros enferrujados. Na curva seguinte viu um celeiro em ruínas, quase caindo — a viga mestra do telhado quase em forma de U, e madeiras empenadas por cima de um mato alto. A cada minuto, pensou, afastava-se mais da civilização.

— Bom, pelo menos foi o que Eunice disse para a mãe, disse que ela e Vincent iam fazer um passeio de barco sozinhos, só os dois.

Delia achou que um passeio a dois num barco de pesca era um atentado ao melhor dos casamentos, mas disse apenas:

— Boa sorte para eles.

— Foi o que eu disse para a mãe — falou, desviando de um trator antigo, cujo tratorista vestia uma espécie de guarda-pó. — Eu disse para a mãe, "É preciso muita sorte quando o marido é um covarde como Vincent".

— Ela devia largar esse marido — Delia disse, esquecendo que não era da sua conta. — Especialmente se apanha dele.

— Tenho quase certeza que apanha, sim.

Seria aquilo lá longe uma construção de tijolos? Sim, e um bosque com árvores escuras que refrescaram e aliviaram seus olhos, e mais adiante um campanário branco resplandecente. Decerto encontraria acomodações por ali. Pegou a bolsa de palha e ajeitou o roupão em volta dos joelhos.

— Uma vez Eunice apareceu lá em casa com uma inchação no rosto. Quando a mãe perguntou o que era aquilo, disse que tinha dado um encontrão em um muro. Se fosse comigo eu teria inventado uma mentira melhor que essa.

— Ela devia se separar — Delia falou, mas com a cabeça na cidade lá adiante. Estavam entrando na cidade agora — casinhas brancas, um carro-restaurante, um grupo de homens conversando em frente a um posto de gasolina.

— Não adianta tentar melhorar um casamento que chegou nesse nível de violência — Vernon disse.

Tinham chegado na construção de tijolos — Escola Dorothy G. Underwood. Uma rua daquelas certamente daria em um parque, pois Delia viu à distância uma área verde e uma estátua.

E agora aproximavam-se da igreja com o campanário. Vernon dizia:

— Bom, eu não sei, talvez você tenha razão. Como disse para a mãe no outro dia...

— Acho que vou descer aqui — Delia falou.

— O quê?

— Aqui é onde acho que vou descer.

Ele parou a van e olhou para a igreja. Duas senhoras de chapéu de palha tiravam o mato de um canteiro de gerânios no pé de uma placa de avisos.

— Mas eu pensei que você estivesse indo para Ashford. *Aqui* não é Ashford.

— Mesmo assim, obrigada pela carona — Delia disse, pendurando as alças da bolsa no ombro e abrindo a porta do carona.

— Espero não ter dito nada que tenha te aborrecido — Vernon falou.

— Não! Juro! Só acho que...

— Foi por causa da Eunice?

— Eunice?

— Porque eu contei que Vincent batia nela? Não vou falar mais sobre isso, se te contraria.

— Não é isso, eu gostei da sua conversa — disse, pulando para o chão e dando um lindo sorriso ao fechar a porta. Saiu andando depressa na direção em que tinham vindo e, ao chegar na rua onde vira a estátua, virou-se, sem diminuir a marcha, como se tivesse um destino específico em vista.

Por trás dela, ouviu o ronco da van saindo. Então fez-se um silêncio profundo, como o silêncio que ocorre depois de uma declaração chocante. A cidade parecia tão atônita quanto Delia com o que ela tinha feito.

# 6

Que tipo de árvores eram aquelas que ladeavam a rua? Faias, talvez, a julgar pela aléia em arco que formavam. Mas Delia nunca foi muito boa para identificar árvores.

Identificar a cidade era mais fácil. Primeiro passou por uma casa imponente com uma placa na janela do andar térreo: MIKE POTTS — "O AGENTE DE SEGUROS MAIS SIMPÁTICO DE BAY BOROUGH". Depois veio a Caixa Econômica de Bay Borough. E estava descendo a Bay Street quando percebeu que havia chegado no primeiro cruzamento. A baía em questão seria Chesapeake Bay? Tinha quase certeza de que não estava tão longe assim. Além do mais, aquela cidade não parecia estar à beira-mar. Cheirava a asfalto.

Encontrou a explicação na praça — Bay era o nome do fundador da cidade. Ali, onde a grama lutava para crescer debaixo de um tipo de bananeira e outras árvores, uma placa na base da única estátua de bronze dizia:

NESTE LOCAL, EM AGOSTO DE 1863,
GEORGE PENDLE BAY,
UM SOLDADO DA UNIÃO ACAMPOU COM SUA COMPANHIA
E SONHOU QUE UM PODEROSO ANJO LHE APARECEU E DISSE:

"VOCÊ ESTÁ SENTADO NA CADEIRA DO BARBEIRO DO INFINITO",
O QUE ELE INTERPRETOU COMO UMA ORDEM
PARA ABANDONAR A GUERRA, JÁ NO FINAL,
E FUNDAR ESTA CIDADE.

Delia piscou e deu um passo atrás. O Sr. Bay, de rosto redondo e vestimenta larga, estava sentado em uma cadeira com uma borda de bronze. Agarrava os braços da cadeira com tanta força que espremia os dedos — evidentemente roía as unhas quando era vivo. Delia achou isso cômico. Deu uma risada e olhou por cima dos ombros, com medo de alguém ter ouvido. Mas os quatro bancos da praça estavam vazios. Na rua passavam um a dois carros de cada vez, e pedestres entravam e saíam dos prédios baixos de tijolo com vigas de madeira sem perceber sua presença.

Ainda assim, ficou aflita com a roupa que usava. Não tanto pelo roupão de praia mas o maiô enrugado e volumoso por baixo. Daria tudo para arranjar uma calcinha. Ao atravessar a praça viu uma fileira de vitrines do outro lado da rua.

Evidentemente, os tempos modernos não tinham chegado naquela cidade. Os prédios — de tijolos gastos que nem borrachas velhas de lápis e madeiramento acinzentado — deviam estar ali há um século, mas eram agora pontos comerciais: Wild Applause Video Shop, Tricia's cabeleireiros e Potpourri Palace. Porém a loja popular de 1,99 da esquina parecia não ter sofrido mudança alguma, com sua placa com arabescos vermelhos e dourados e a vitrine cheia de bandeiras e tecidos.

Delia foi ensinada a sempre comprar roupa de baixo de alta qualidade por mais que precisasse economizar, mas aquilo era uma emergência. Atravessou a rua e entrou na loja de 1,99 de piso de madeira, cheirando a caramelos e cosméticos baratos. Aparentemente, a inovação de corredores com caixas registradoras na saída não tinha pegado ali. Em cada balcão uma funcionária registrava as compras. Uma mocinha de cabelo sedoso registrava um livro para uma criança, e uma senhora idosa empacotava biscoitos para uma mulher mais moça. Quem cuidava do departamento de lingerie era um homem, por mais estranho que fosse. Delia escolheu depressa o que queria e entregou a ele sem levantar os olhos — um sutiã branco liso e calcinhas brancas de algodão. As calcinhas vinham num pacote de três. Outros modelos podiam ser comprados em separado, mas foi o pacote de três que seus dedos pegaram. *Caso eu fique fora mais de uma noite*, pensou. Enquanto contava o dinheiro pensou, *mas posso usar as calcinhas em casa também, é claro. Não tem importância.*

Agora tinha roupas de baixo mas não sabia onde se trocar, pois não havia banheiros naquela loja. Enfiou as compras na bolsa, saiu e deu uma olhada na rua. Viu ao lado a Debbi's Dress Shoppe, com dezenas de manequins de cabelos pintados exibindo a última moda — terninhos com ombreiras e saias de linho em forma de triângulos invertidos. Não era seu estilo, mas pelo menos teria uma cabine para se trocar. Entrou na loja como se fosse comprar alguma coisa, pegou o primeiro vestido que viu na arara e foi para um dos provadores.

— Precisa de ajuda? — perguntou uma mulher.

— Obrigada, estou só... — Delia respondeu, desaparecendo por trás de uma cortina.

A roupa de baixo serviu, felizmente. (Teve o maior cuidado para não ouvirem o ruído da sacola de compra.) Foi um alívio sentir-se *presa* de novo. Dobrou o maiô e enfiou-o na bolsa, e ao olhar-se no espelho ficou óbvio que o roupão de Sam parecia um roupão de praia. Examinou o vestido de malha cinzenta que tinha pegado na arara. Era muito comprido, mas mesmo assim resolveu vesti-lo. O cheiro ácido do tecido novo deixou-a enjoada. Ajeitou a saia, puxou o zíper lateral e olhou-se de novo no espelho.

Aquela roupa até os tornozelos decerto lhe daria um ar de menininha querendo se passar por adulta. Mas para sua surpresa viu no espelho uma mulher séria e esguia trajando um vestido cinza-perolado. Uma bibliotecária ou secretária, ou uma dessas secretárias executivas que realmente dirigem o escritório por trás dos bastidores. "Isso está no arquivo Jones, Sr. Smith", imaginou-se dizendo. "E não esqueça que tem um almoço com o prefeito hoje, seria bom levar o material sobre..."

— Como vai indo aí? — perguntou a vendedora.

— Muito bem.

— Quer experimentar alguma outra coisa?

— Não, o vestido ficou perfeito.

Enfiou o roupão de Sam na bolsa de palha, saiu do provador e perguntou:

— Pode tirar as etiquetas, por favor? Acho que já vou vestida com ele.

A vendedora — uma loura muito bronzeada com uma roupa de estampa geométrica em branco e preto — franziu a sobrancelha ao ver o comprimento do vestido.

— Nós fazemos consertos. Gostaria de encurtar um pouco a bainha?

— Não, obrigada — disse Delia com uma voz dura de secretária.

— Ficou muito bem em você — disse a vendedora com toda a calma.

O vestido custava 79,95 dólares sem os impostos. Delia pagou sem hesitar e saiu da loja.

Passou de novo pela loja de 1,99 e por uma série de outros estabelecimentos menores — uma copiadora, uma agência de viagem, um florista. Notou que estava andando de forma diferente, não com seu andar solto costumeiro mas de forma mais contida devido à saia justa. *Sou uma secretária, a Srta. X, correndo para o escritório depois do almoço. Preparando-se para datilografar suas anotações para a diretoria.*

De brincadeira, começou a escolher um lugar para trabalhar, como costumava escolher sua casa quando passeava por um bairro chique. DENTISTAS DE FAMÍLIA NICHOLS & TRIMBLE. Mas ali talvez tivesse de limpar dentes ou alguma outra coisa. ÓTICA VALUE VISION. Será que as óticas tinham secretárias? EZEKIEL POMFRET, ADVOGADO. Possivelmente falecido, dado o aspecto sombrio das persianas abaixadas. Nenhum daqueles lugares tinha um aviso de PRECISA-SE DE FUNCIONÁRIOS. Não que isso fizesse alguma diferença.

No próximo cruzamento virou à esquerda. Passou por uma petshop e uma loja de antigüidades (embora a vitrine estivesse cheia de produtos Fiesta e cinzeiros de plástico em forma de bumerangue), uma farmácia, duas lojas de molduras, uma quitanda familiar, depois outra loja de molduras — tão próxima da rua que o piso da varanda parecia uma extensão da calçada. Encostado na janela empoeirada da frente, um cartaz de papelão por trás de cortinas transparentes dizia, QUARTO PARA ALUGAR.

Quarto para alugar.

Devia ser uma "pensão", é claro. Imaginou a secretária ajeitando os lençóis da sua cama branca de solteirona, pensionistas passando pelo corredor com chinelos aveludados, a dona da pensão idosa toda de preto arrumando a sala de jantar para o café-da-manhã do dia seguinte. Ao entrar na varanda e tocar a campainha, estava tão confiante que mal precisou apresentar-se à mulher que apareceu na porta.

— Oi, precisa de alguma ajuda? — a mulher perguntou.

Não era quem Delia esperava encontrar. Era uma mulher gorda, por volta de 40 anos, rosto muito pintado, com um penteado alto de cachos dourados, vestindo um conjunto de calça e blusa rosa-choque. Mas parecia ser encarregada daquele lugar e Delia disse:

— Gostaria de ter informação sobre o quarto.

— Quarto?

— O quarto para alugar.

— Ah, o quarto. Bom, estava pensando em alugar para um homem.

A lei permite isso atualmente? Delia ficou sem saber o que dizer.

— Até abril passado os quartos eram reservados para homens — disse a mulher, abrindo a porta velha de tela. — Parecia funcionar bem assim. Só alugo dois quartos, e tinha dois homens aqui: o Sr. Lamb que viaja nos dias de semana, e Larry Watts que era separado. Mas quando Larry voltou para a mulher em abril passado, recebi uma hóspede. E como me arrependi!

Virou-se para deixar Delia passar e começou a subir as escadas. Indecisa, Delia seguiu-a, com a impressão de estar em uma casa abandonada há muito tempo. No papel de parede, marcas ovais mostravam onde os quadros tinham sido pendurados, e no piso de tábuas corridas do corredor de cima havia um tapete velhíssimo.

— O nome dela era Kate O'Connell — disse a mulher. Mesmo aquela subida de nada deixara-a sem ar, e ela deu umas pancadinhas leves no peito grande. — Acho que era de Delaware. Veio trabalhar para Zeke Pomfret, a antiga secretária dele, Srta. Percy, tinha acabado de morrer. Katie precisava de um lugar para morar e eu disse "Tudo bem", pensando que uma inquilina não seria diferente de um inquilino. Mas era, "Quero isso, quero aquilo, quero toalhas limpas todo dia, onde está meu sabonete...?" Eu não recebo hóspedes de passagem, é bom que saiba disso. Estava pensando que recebo hóspedes de passagem?

— É claro que não — Delia disse.

— Eu alugo quartos. Comprei esta casa há três anos. Depois que passei no exame de corretagem pensei em reformar a casa para revender, mas do jeito que anda o mercado não tive dinheiro, então moro aqui sozinha e alugo dois quartos. Não sirvo refeições, espero que você não pretenda fazer refeições aqui. Katie pretendia. "Vou pegar só esse litro de leite da sua geladeira", disse um dia, e quando abri os olhos ela estava usando minha cozinha. Nem mesmo eu cozinho em casa! Uso a cozinha só para o essencial.

Para provar isso, abriu a porta à direita da escada e Delia entrou em uma peça comprida e estreita, com uma janela de cada lado, e a parede cedendo para dentro sob os beirais. Debaixo da janela da frente havia uma cama de metal e, encostada na parede, uma cômoda baixa marrom-alaranjada. Delia sentiu cheiro de ninho de marimbondo — um cheiro seco e forte, vindo talvez do papel de parede velho e quebradiço estampado de rosas.

— Katie colocou cortinas nessas janelas, mas levou-as quando foi embora. Saiu na quinta-feira passada com Larry Watts, acho que foram para o Havaí.

— O... Larry Watts que era separado da mulher? — Delia perguntou, confusa.

— É, não sabia que você o conhecia. Se bem me lembro, ele voltou para pegar a capa de chuva que tinha esquecido no armário lá embaixo e os dois se conheceram. Ele foi embora sem mais nem menos depois disso, largou a mulher pela segunda vez em dois anos. Com tudo isso, Zeke Pomfret vai precisar procurar uma nova secretária agora, depois de perder a pobre Srta. Percy.

Abriu a porta dos fundos e Delia viu um armário raso, com três cabides velhos pendurados.

— O banheiro é no final do corredor, com banheira e chuveiro, e só precisa ser dividido nos fins de semana, quando o Sr.

Lamb volta das suas vendas pelas redondezas. Eu moro embaixo. O aluguel é de 42 dólares por semana. Vai querer o quarto?

Quarenta e dois dólares era menos que uma única noite na maioria dos hotéis. E os hotéis não seriam tão incrivelmente espartanos.

— Então não tem importância eu não ser homem? — Delia perguntou.

— Ninguém *mais* apareceu — disse, dando de ombros.

Delia foi até a cama, coberta com lençóis brancos e um cobertor branco de lã muito surrado. Quando testou o colchão com a palma da mão, pareceu tão velho quanto os cabides.

— Vou querer sim — respondeu.

— Muito bem. A propósito, meu nome é Belle Flint.

— Eu sou Delia Grinstead — disse Delia, imaginando se deveria ter dito "a propósito" também. Mas Belle não parecia nada interessada nisso, estava afofando o cabelo em frente ao espelho da cômoda. — Vou precisar... assinar um contrato?

— Contrato?

— Quer dizer...

Devia parecer óbvio que ela nunca fora responsável pela sua própria moradia.

— Quer dizer... algum tipo de contrato?

— Meu Deus, não, basta pagar adiantado todo sábado de manhã — Belle disse, examinando os dentes na frente no espelho. — Vamos ver. Hoje é segunda-feira... então você paga 30 dólares por essa primeira semana. Está planejando ficar muito tempo aqui?

— Talvez — disse Delia, num tom vago, mexendo na bolsa de palha. Belle virou o queixo para o lado, examinando agora sua papada. Todo o seu rosto era papudo, ela parecia uma dessas flores viçosas e macias, uma peônia ou uma grande íris mole.

— Aqui está — disse Delia. — Dez, vinte... — Só então é que Belle saiu da frente do espelho. Se ficou surpresa de receber dinheiro vivo não demonstrou. Dobrou as notas e enfiou-as no bolso da blusa.

— Bom, você vai querer buscar seus pertences agora. Vou deixar a chave na cômoda, caso não esteja aqui quando você voltar. Preciso mostrar uma casa a um cliente às quatro e meia. Espero que não esteja trazendo muita *coisa*.

— Não, eu...

— Porque este quarto não tem muito espaço para guardados e detesto coisas espalhadas por todo lado. Foi isso que aconteceu com Larry Watts e Katie, a capa de chuva dele ficou guardada no armário lá de baixo e ele naturalmente esqueceu de levar quando foi embora.

— Vou trazer muito pouca coisa.

Esperaria até mais ou menos 5 horas, quando Belle saísse, para não ver que ela não tinha absolutamente nada. Agora eram... Olhou as horas disfarçadamente. Eram 16h45. Belle saiu do quarto com as sandálias de plataforma alta e deu uma parada no corredor.

— Pelas regras da casa, o primeiro andar é meu, e isso inclui a cozinha. O café do outro lado da rua é bem bonzinho, o Rick-Rack's. Na East Street há uma lavanderia e nas sextas a Sra. Auburn vem limpar os quartos. Nós nunca trancamos a porta da frente, mas a chave do seu quarto funciona, se você for medrosa. Entendeu tudo?

— Entendi, obrigada.

— E não pode trazer ninguém para cá — Belle disse, olhando bem para Delia. — Homens, quero dizer.

— Não vou trazer, pode deixar.

— Sua vida particular não me diz respeito, mas esses 42 dólares cobrem o uso da casa só para uma pessoa. Lençóis e toalha para um, também.

— Eu nem tenho ninguém para convidar.
— Você não é daqui, hein?
— Não.
— Eu também não. Quando vim para cá com um sujeito, nunca tinha ouvido falar em Bay Borough — disse Belle num tom jovial. — As coisas não deram certo conosco, mas eu resolvi ficar.

Delia sabia que devia dar alguma informação sobre sua vida também, mas disse apenas:

— Acho que vou tomar um banho antes de buscar minhas coisas.

— Fique à vontade — Belle falou, acenando para ela e descendo as escadas com passo pesado.

Delia esperou meio segundo para ir ao banheiro. Não fazia pipi desde as 10 horas da manhã.

O papel de parede do banheiro — cavalos-marinhos soltando bolhas prateadas — era enrugado nas linhas de junção e as luminárias estavam velhas e oxidadas, mas tudo parecia limpo. Primeiro Delia usou o toalete, depois lavou o rosto com água fria e deixou secar ao natural. (Supôs que a única toalha ali fosse do outro hóspede.) Evitou ver seu rosto no espelho, preferiu lembrar-se da imagem que tinha visto no provador da loja. Mas olhou para o vestido para ver se estava com um bom caimento, como convinha a uma secretária. Logo antes de sair do banheiro tirou a aliança do dedo e jogou-a dentro da bolsa.

Depois foi dar uma olhada no seu quarto. Ficou na porta, contente de ter um quarto só para si.

Saiu andando pela rua, olhando em frente como se soubesse aonde ia. Na verdade sabia, mais ou menos. Já distinguia pontos familiares na cidadezinha — a máquina de refrigerantes de um vermelho desbotado do lado de fora da Gobble-Up Grocery, a louça lascada Fiesta no Bob's Antiques, os sacos de ração dietética para cachorros empilhados no Pet Heaven. Virou à direita na esquina e a praça verde à distância lhe pareceu confortável, muito conhecida e um tanto monótona, como se ela tivesse passado a infância aos pés da cadeira do Sr. Bay.

A cortina de Ezekiel Pomfret continuava abaixada, mas quando Delia girou a maçaneta a porta abriu e ela se viu diante de um lance íngreme de escadas. A porta do andar térreo à direita era de vidro granulado, com o nome de Ezekiel Pomfret e a placa TESTAMENTOS & ESPÓLIOS — DIREITO CRIMINAL. Essa porta também abriu quando Delia girou a maçaneta. Entrou em uma sala com papel de parede imitando madeira, tendo no centro uma mesa para a recepcionista. Ficou contente de ver que não havia ninguém na mesa. Não havia ninguém visível, mas por trás de outra porta, essa almofadada, ouviu uma voz de homem. Parou, deu um passo à frente e, ao perceber o silêncio que se seguiu, deduziu que ele devia estar falando ao telefone.

Aproximou-se da mesa da recepção, que tinha apenas um telefone fixo e uma máquina de datilografia. Levantou um canto da capa cinzenta da máquina e viu que era manual, nem ao menos elétrica. (Teve medo de encontrar um computador.) Deu uma pequena girada na cadeira, para testar.

*Boa tarde, vim aqui perguntar se...* , ela diria.

*Perguntar* não. *Perguntar* era muito hesitante.

Ajeitou o cabelo, tão ressecado quanto a areia da praia. (A praia! Tire esse pensamento da cabeça.) Alisou a saia em torno dos quadris e teve o cuidado de esconder o enfeite da bolsa de palha — um laço rosa ridículo — debaixo do braço.

*Parece destino, Sr. Pomfret, parece que recebi um comando direto quando soube da Srta. Percy exatamente quando...*

A voz por trás da porta ganhou energia e volume. A conversa do Sr. Pomfret devia estar animada.

*Como se uma coisa amortecesse meu tombo. (Isso faz algum sentido?) Como se eu estivesse caindo, caindo o dia todo e fosse por acaso apanhada por um gancho, ou presa em uma saliência e acabasse caindo aqui. Então pensei se...*

Delia ouviu o fone sendo colocado no gancho e rodinhas de cadeira girando no tapete. A porta almofadada abriu e um homem de meia-idade, barrigudo, vestindo um terno listradinho de algodão, examinou-a por baixo dos óculos de meia-taça.

— *Achei* que havia alguém aqui — falou.

— Sr. Pomfret, meu nome é Delia Grinstead. Quero ser sua secretária.

Às quatro e quinze Delia voltou à loja de 1,99 e comprou uma camisola de algodão branca e dois pares de meia de náilon. Às quatro e vinte e cinco atravessou a praça para ir à sapataria Bassett Bros e comprou uma bolsa de couro preta grande. A bolsa custou 57 dólares. Quando viu o preço pensou em escolher uma de plástico, mas a Srta. Grinstead merecia uma bolsa de couro verdadeiro.

Delia era agora Srta. Grinstead — como o Sr. Pomfret chamou-a durante toda a entrevista. Parecia adequado aceitar o "Srta." antes do seu nome, indicando sua condição de mulher solteira. Certamente o "Sra." não se aplicava mais a ela, e tampouco podia voltar a ser a jovem Srta. Felson. Além do mais, na sua carteira de identidade estava escrito Grinstead. Tinha tirado a identidade da carteira e lido o número para o Sr. Pomfret (como não usava a carteira há anos, não sabia o número de cor). Informou que se mudara de cidade depois da morte da sua mãe

— toda uma história não dita insinuava-se no ar entre eles: a mulher doméstica e a filha dedicada — e que tinha trabalhado em um consultório médico durante toda sua vida adulta. — "Durante 22 anos. Tive pena de ir embora, mas simplesmente não conseguiria continuar em Baltimore com todas aquelas lembranças."
— Delia parecia ter sido contagiada com o modo de falar da Srta. Grinstead. Ela nunca usaria a palavra "simplesmente" em uma conversa informal, e a palavra "lembranças" naquele contexto tinha um certo tom enganador que não era do seu feitio.

Se ele tivesse pedido referências, estava preparada para dizer que seu chefe também morrera recentemente. (Estava matando as pessoas a toda hora naquele dia.) Mas o Sr. Pomfret não fez menção a referências. Sua única preocupação era com a experiência profissional dela. Sabia datilografar, arquivar, taquigrafar? Ela respondeu a verdade, mas pareciam mentiras.

— Eu datilografava todas as contas, correspondências e fichas médicas — disse, lembrando do rosto gasto de Sam, do seu casaco branco remendado e da gravata muito colorida que ele chamava de "gravata paramécia". Ajeitou-se na cadeira e continuou. — Arquivava, cuidava do telefone e marcava hora, mas infelizmente não sei taquigrafia.

— Isso não importa — disse o Sr. Pomfret. — Nem a Srta. Percy nem a outra, não me lembro bem do nome, sabiam taquigrafia. Sempre sonhei em ter uma secretária que soubesse taquigrafia, mas creio que nunca terei.

Houve um instante de constrangimento quando ele pediu seu endereço, pois ela não tinha a menor idéia do nome da rua. Mas quando mencionou Belle Flint ele falou, fazendo uma anotação:

— Ah, sei, na George Street. Belle é uma mulher muito divertida. — Essa era a vantagem de uma cidade pequena, ou desvantagem, dependendo sob qual ângulo se olhasse.

Ele disse que ela poderia começar no dia seguinte e que o horário era de 9 às 17. Desculpou-se por pagar apenas o salário mínimo (olhando de lado para ver a reação de Delia) e disse que ela teria de fazer o café. Esperava que isso não fosse um problema.

É claro que não era, Delia falou bruscamente, levantando-se e dando a entrevista por terminada. O Sr. Pomfret era um homem sem nenhum atrativo, calmo mas não especialmente interessante, e isso lhe servia. Na verdade, não gostou muito dele, e isso lhe servia também. Para a nova vida impessoal que parecia estar criando para si mesma, o Sr. Pomfret era ideal.

O relógio de Delia marcava 16h40, e ela não tinha comido nada desde o café-da-manhã. Antes de voltar para o quarto foi até o café que Belle tinha recomendado. Não era exatamente em frente à casa dela, era um pouco adiante, ao lado de uma loja de ferragens. Ainda assim dava para avistar a pensão da janela, e ela sentou-se no banco de onde poderia ver melhor Belle voltando. Devia ter comprado uma mala para poder entrar em casa abertamente. Mas era bobagem gastar dinheiro com aparências. Seus 500 dólares já tinham baixado para... quanto? Fez as contas mentalmente e estremeceu. Quando a garçonete chegou, limitou seu pedido a um prato de sopa de legumes e um copo de leite.

O Rick-Rack's era o tipo de lugar que ela freqüentava na época do colégio — basicamente um carro-restaurante, com linóleo no chão e parede azulejada, com seis ou oito mesas e uma fileira de bancos em volta do balcão de fórmica. Uma mocinha de cabelo vermelho servia o restaurante todo, e um rapaz negro e musculoso, de cabeça raspada, cozinhava. Ele estava fazendo um sanduíche de queijo quente para o único cliente, um garoto mais ou menos da idade de Ramsay. O cheiro de fritura fez o estômago de Delia doer de fome, mas ela continuou a tomar sua sopa, lembrando que estava ingerindo mais vitaminas, e não pediu a sobremesa — uma torta feita em casa. Pagou na caixa registradora ao cozinheiro, que secou as mãos no avental e recebeu o dinheiro sem comentário. Na próxima vez levaria alguma coisa para ler, pensou. Sentiu-se estranha mastigando seus biscoitos e olhando fixo pela janela.

Nenhum sinal de Belle na casa. Delia abriu a porta da frente e sentiu um silêncio completo à sua volta. Subiu as escadas, pensando, *Aí vai a secretária executiva, voltando da refeição solitária para a solidão do seu quarto*. Mas não estava se queixando. Estava se gabando. Estava exultante.

Ao abrir a porta do quarto o cheiro de ninho de marimbondo pareceu mais forte, talvez porque o calor da tarde tivesse penetrado nos beirais. Ajeitou suas coisas na cômoda e foi abrir as duas vidraças. A janela dos fundos dava para um quintal bem pequeno e uma viela. A da frente deixava ver parte da varanda e os prédios do outro lado da rua. Delia encostou a testa na tela e avistou o café (B.J. "RICK" RACKLEY, PROP.), a loja de ferragens e uma casa com madeiramento escuro, onde viu as barras de um berço ou um quadrado pela janela do andar de cima. Os únicos sons eram calmos — um carro ou outro que passava ocasionalmente e passos na calçada.

Belle tinha deixado uma chave fina e velha em cima da cômoda, com a qual Delia trancou a porta. Tirou as etiquetas da bolsa nova, colocou a carteira dentro, pendurou a bolsa em um gancho no armário e colocou as outras compras em cima da cômoda. (As gavetas estavam emperradas e corriam mal, eram gavetas baratas, como a casa.) Pendurou o roupão de Sam em um cabide e pôs seus cosméticos dentro de uma gaveta. Guardou a bolsa de palha com o resto de filtros solares, roupa de banho, elástico de cabelo e outras coisinhas na prateleira do armário.

Depois de tudo arrumado, fechou a porta do armário e foi sentar-se na cama.

Então!

Estava instalada.

Se olhasse em volta do quarto não detectaria que alguém morava ali.

Já estava escurecendo quando Belle voltou. Delia ouviu a porta do carro fechar e o ruído de saltos de sapato na varanda. Mas as duas não se encontraram. Delia, que ficara olhando para o espaço durante longo tempo, levantou-se do catre sem fazer barulho e foi na ponta dos pés tirar umas coisas de cima da cômoda e, com cuidado para não deixar as tábuas do assoalho rangerem, atravessou o corredor para ir ao banheiro.

Enquanto esperava a água esquentar, escovou os dentes e despiu-se, pondo a roupa de baixo de molho na pia. Uma segunda toalha e uma toalha de mão estavam agora penduradas na outra argola do banheiro. Pegou a toalhinha e foi para trás da cortina do chuveiro velha, quebradiça e ligeiramente mofada.

Sujeira, suor e filtro solar saíram do seu corpo, deixando à mostra uma nova camada de pele. As solas dos pés, achatadas de tanto andar, pareciam estar bebendo água. Ela levantou o rosto e molhou o cabelo. Finalmente fechou as torneiras e saiu do boxe para se secar. A camisola nova caiu sobre seus ombros queimados de sol.

Achou melhor não deixar a escova de dentes no copo da pia. Guardou na bolsinha de maquiagem e levou tudo para o quarto. Torceu as roupas de baixo e pendurou num cabide do armário, o que significava que teria de deixar a porta aberta durante a noite

— uma marca na esterilidade do quarto. Mas melhor isso que deixar a roupa molhada no banheiro. Concordava com as regras da casa de Belle, não pretendia fazer nenhuma "bagunça".

Tirou a coberta da cama e deitou-se, puxando apenas o lençol de cima. A brisa da janela refrescou o quarto, mas não o suficiente para usar um cobertor. Do lado de fora as crianças brincavam. Não estava completamente escuro ainda. Ela deitou-se de costas com os olhos abertos e a cabeça tão vazia quando o teto acima. Horas mais tarde, um único pensamento lhe veio à cabeça. *Oh, meu Deus, como vou sair dessa?* Mas fechou os olhos imediatamente e caiu no sono.

# 7

*Mulher de Baltimore desaparece*, Delia leu, com a sensação de que tinha levado um soco no estômago. *Mulher de Baltimore desaparece durante férias da família.*

Ela vinha lendo os jornais de Baltimore diariamente, de manhã e à noite. Não havia nada no jornal de terça-feira, nada no de quarta, nada no de quinta. Mas na edição vespertina da quinta-feira, que chegou na banca perto da praça na hora do almoço de Delia, vinha a notícia. *O departamento de polícia de Delaware anunciou hoje de manhã...*

Dobrou o jornal na folha do artigo e olhou em volta. No banco em frente uma mãe dava ao filhinho migalhas de alguma coisa para ele jogar para os pombos, um pouco de cada vez. No banco à direita, um homem muito velho folheava uma revista. Ninguém parecia tomar conhecimento da sua presença.

*A Sra. Grinstead foi vista pela última vez por volta do meio-dia da segunda-feira passada caminhando pela praia em direção ao sul, entre...*

Provavelmente fazia parte das regras da polícia considerar uma pessoa desaparecida só depois de passado algum tempo.

Talvez por isso não tivessem anunciado nada antes. (Durante sua procura nos jornais, Delia sentira-se ao mesmo tempo aliviada e magoada. Alguém teria percebido que ela tinha ido embora? Talvez não tivesse ido embora, talvez tudo isso fosse apenas um sonho. Talvez ainda estivesse levando sua vida anterior, e a Delia de Bay Borough tivesse se separado da Delia original.)

Doía ler sua descrição física: *cabelo louro ou castanho-claro... olhos azuis ou cinzentos ou talvez verdes...* Pelo amor de Deus, ninguém na família olhava para ela? E suas roupas pareciam ridículas descritas por Sam. *Uma espécie de baby-doll*, essa não! Dobrou de súbito o jornal e deu mais uma olhada à sua volta. A criança estava fazendo manha agora, batendo o pé no chão como que numa dança silenciosa, porque não tinha mais comida para os pombos. O velho lambia o dedo para virar uma página. Delia detestava ver alguém fazendo isso. Na hora do almoço ele sempre aparecia ali com uma revista e lambia o dedo para virar a página. Tomara que ninguém mais lesse a revista depois dele.

Como um viajante diário que sempre escolhe o mesmo lugar no trem, como um convidado que sempre se senta na mesma cadeira na sala, Delia tinha conseguido em três dias criar uma rotina de vida. Café-da-manhã no Rick-Rack's lendo o jornal. Almoço na praça — iogurte e frutas frescas compradas um pouco antes na Gobble-Up Grocery — sempre no mesmo banco, lendo o jornal vespertino. Depois alguma comprinha para encher o tempo. Na terça comprou um par de sapatos pretos de salto baixo porque a sapatilha estava machucando seu calcanhar. Na quarta, uma luminária curva para leitura. Naquele dia ia procurar um desses aparelhos elétricos para ferver água e fazer chá em casa toda manhã, mas depois daquela matéria no jornal não pensou em mais nada. Sentiu-se desprotegida de repente. Sua única vontade era voltar para o escritório.

Jogou o resto do almoço em uma cesta de lixo com o jornal junto. Via de regra deixava o jornal no banco para os outros lerem, mas não naquele dia.

A mãe tentava agora enfiar o filho no carrinho. O menino resistia, recusando-se a dobrar o corpo. O velho tinha terminado de ler a revista e guardava os óculos no estojo. Nenhum dos três olhou para Delia quando ela passou. Talvez estivessem fingindo, até mesmo a criança; talvez tivessem recebido orientação para não assustá-la. Não. Sacudiu os ombros. *Controle-se*. Não tinha cometido nenhum crime. Decidiu continuar sua rotina e dar um pulo na loja de 1,99 conforme planejara.

Engraçado como a vida tramava para juntar *coisas* em volta de uma pessoa. Ela já tinha comprado uma luminária porque a luz do teto não era suficiente para ler na cama; colocado copos de papel e uma caixa de saquinhos de chá na prateleira do seu armário para preparar o chá com a água quente da torneira do banheiro; e sentia que precisava de mais um vestido. Na noite anterior, a primeira noite realmente quente de verão, pensou que teria de comprar um ventilador. Depois disse a si mesma, *Pare, pare, enquanto pode!*

Entrou na loja de 1,99 e parou. Será que compraria mesmo coisas para casa? A senhora que vendia lençóis e panelas estava desocupada, mexendo no seu colar, e Delia perguntou:

— A senhora tem desses aparelhos elétricos para ferver água?

— Eu sei o que você quer, parece que estou vendo na minha frente. Um aparelho elétrico, não é?

— Isso mesmo.

— Meu neto levou um desses para a faculdade, mas sabe o que aconteceu? Ele não leu as instruções e tentou esquentar um prato de sopa, mas o aparelho só esquenta água. Ele disse que deu um cheiro horrível! Mas eu não tenho isso aqui. Por que não tenta a seção de ferragens?

— Obrigada — disse Delia secamente, indo embora.

É claro que encontrou o aparelhinho na seção de ferragens pendurado em uma gôndola, junto a extensões e tomadas com três entradas. Pagou a quantia exata. O vendedor — um homem grisalho de gravata-borboleta — piscou quando lhe entregou a sacola.

— Tenha um bom dia, senhorita — disse. Provavelmente achou que estava fazendo um elogio, mas Delia nem sorriu para ele.

A Srta. Grinstead não era uma mulher afável. Aqueles que participavam da sua rotina diária eram vistos por ela em duas dimensões, como nas ilustrações de livros infantis sobre diferentes ocupações. Ela não fazia amizades com a facilidade com que Delia fazia.

Ao sair da loja de 1,99, atravessou a Bay Street e passou pela fileira de lojas pequenas. O relógio da vitrine da loja de ótica marcava 13h45. Ela sempre tentava ocupar toda a sua hora de almoço, de 13h às 14h, mas até agora não tinha conseguido.

E como iria fazer no inverno, quando ficasse frio demais para almoçar na praça? Ao que parecia, ela já estava vendo mais adiante — aquela Srta. Grinstead com seus dias intermináveis, inexpressivos e imutáveis.

Mas em Bay Borough era sempre verão. Era a única estação que ela podia imaginar ali.

Abriu a porta externa do Sr. Pomfret, depois a porta interna almofadada. Ele já tinha voltado do almoço e estava ao telefone, como sempre. *Wurlitzer, wurlitzer*, era o que parecia dizer. Delia guardou a bolsa na última gaveta da mesa, ajeitou a saia e sentou-se na cadeira giratória. Tinha de terminar uma carta e voltou a datilografar com as costas bem retas e as mãos na posição certa, como aprendera no colégio.

*As autoridades não suspeitam de afogamento*, dizia o jornal. Não lhe ocorrera que tivessem suspeitado. *Pois a Sra. Grinstead tinha* — como escreveram mesmo? — *aversão a água*. Ou alguma coisa assim, o que dava a impressão de que ela não tomava banho. Puxou o carro da máquina com mais força que o necessário. E aquela coisa de Eliza dizer que ela tinha sido um gato na outra encarnação?! As pessoas iam achar que as duas eram lunáticas.

Aquela máquina de datilografia era mais dura que a do consultório de Sam. No primeiro dia de trabalho ela já tinha quebrado duas unhas. Então lixou as unhas bem rentes, mais adequado ao perfil da Srta. Grinstead. Tinha levado 20 minutos lixando as unhas e naqueles dias andava muito interessada em usar bem seu tempo à noite.

— Vamos fazer isso então! Vamos nos encontrar e fazer isso! — disse o Sr. Pomfret de repente, num tom mais alto e mais enérgico. Delia terminou o fechamento da carta e puxou o papel. O Sr. Pomfret apareceu na porta e disse: — Srta. Grinstead, quando o Sr. Miller aparecer, vou precisar que venha aqui fazer umas anotações. Vamos enviar uma... O que a senhorita tem aí?

— A carta para Gerald Elliot — ela falou.

— Elliot! Eu me encontrei com Elliot em...

Ela verificou a data no alto da página.

— Em maio. No dia 14 de maio.

— Droga.

Delia percebeu logo que a secretária anterior guardara as tarefas mais maçantes na gaveta do arquivo onde ficava o material *Em andamento*. Todas as correções do Sr. Pomfret em tinta vermelha desapareceram convenientemente. (Muita coisa estava marcada em vermelho, pois Katie O'Connell não escrevia de forma correta e aparentemente não acreditava em parágrafos.)

O Sr. Pomfret ficou roxo quando Delia lhe mostrou aquilo, mas ela sentiu-se confortada. Assim parecia muito eficiente, muito dona da situação. (Como se estivesse dedurando a colega.) Além disso, o trabalho de redatilografar a carta era um treinamento para ela. Lamentaria quando terminasse.

— O Sr. Miller deve chegar às 14h30 — disse o Sr. Pomfret, debruçando-se sobre a mesa para assinar a carta. — Quero que a senhorita anote tudo que ele disser, palavra por palavra.

— Sim, Sr. Pomfret.

Ele ajeitou o corpo, fechou a caneta e olhou-a com aqueles olhos de lagarto. Às vezes Delia levava sua representação de secretária um pouco longe demais. Deu um sorriso para o chefe e pegou a carta. A assinatura dele era grande e esparramada, cheia de curvas. Ele usava uma daquelas canetas alemãs caras que vazavam.

— E vamos querer tomar café, então é melhor deixar tudo preparado — acrescentou.

— Sim, senhor. Pode deixar.

Entrou no escritório dele para pegar a garrafa de água e levou-a para a pia do banheiro. Quando voltou ele estava sentado na sua mesa, com as pernas curtas dobradas para o lado, digitando de novo no computador. Comprara esse computador recentemente e estava fascinado por ele, talvez por isso não tivesse notado os métodos de arquivamento de Katie O'Connell. Teoricamente, ia aprender os mistérios da máquina para depois ensinar a Delia, mas depois da sua primeira manhã no escritório ela viu que não teria nada a temer. O computador ficaria para sempre em condição temporária enquanto o Sr. Pomfret se divertia com "backups" e "macros". Naquele momento estava registrando todos os jantares que ele e a esposa já tinham oferecido — a lista de convidados, o menu, os vinhos e os lugares marcados na mesa — e suas variáveis poderiam continuar infinitamente. Delia olhou para a tela com desprezo e pegou a cafeteira do outro lado da mesa.

Água, filtro, torrefação francesa. Era uma cafeteira de primeira linha, moía os próprios grãos. Decerto fora comprada por um daqueles catálogos que entupiam a caixa do correio. Sempre que o Sr. Pomfret se interessava por alguma coisa mandava Delia encomendar. ("Sim, Sr. Pomfret.") Discava o determinados números e fazia encomendas para o país inteiro: um relógio de cabeceira que falava, um dicionário eletrônico de bolso, uma caixa de couro preto para guardar mapas no porta-luva. A ganância do seu chefe, como sua enorme barriga, fazia com que Delia se sentisse magra e virtuosa. Não achava ruim fazer as encomendas. Gostava de tudo do seu trabalho, especialmente sua aridez. Ninguém recebia notícia de câncer inoperável num escritório de advocacia. Ninguém dizia a Delia como era terrível ficar cego. Ninguém falava que se lembrava dela de quando era um bebê.

Apertou um botão da cafeteira e ela começou a moer os grãos.

— Socorro! — o Sr. Pomfret gritou por cima daquela barulheira, olhando estupefato as linhas do texto que tremelicavam na tela do computador. Não lhe ocorreu que isso sempre acontecia quando a máquina de torrefação estava ligada. Delia saiu do escritório e fechou a porta discretamente.

Datilografou outra carta, com os estatutos corporativos de uma firma de contabilidade. (Katie O'Connell tinha escrito errado a palavra "Estatutos".) *Com base na nossa discussão e responsabilidade fiscal, e anuência dos que não estão presentes,* escreveu devagar para a carta sair na perfeição, como convinha à Srta. Grinstead, corrigindo os poucos erros com o toque mágico no original e no carbono.

O Sr. Miller chegou — um homem grande, moreno e bonitão, com uma faixa de cabelo preto na cabeça calva. Delia levou-o à sala do Sr. Pomfret, serviu o café e sentou-se em uma cadeira, com bloco e caneta na mão. Estava com medo de não escrever depressa o suficiente, mas não havia muito a escrever. A pergunta era com que freqüência a ex-mulher do Sr. Miller podia ver o filho, e a resposta, de acordo com o Sr. Miller, era "Nunca". Mas o Sr. Pomfret corrigiu para uma vez por semana e feriados alternados, com horário a ser combinado à conveniência do cliente. Depois a conversa passou para computadores e como não voltasse ao assunto principal, Delia pigarreou e perguntou:

— Mais alguma coisa?

O Sr. Pomfret disse:

— Humm? Nada mais, obrigado, srta. Grinstead. — Quando ela saiu ouviu-o falar para o Sr. Miller: — Vamos providenciar isso imediatamente. Minha secretária enviará por correio hoje à tarde.

Delia sentou-se na cadeira giratória, colocou o papel no rolo da máquina e começou a datilografar. Era tão exímia datilógrafa que se podia equilibrar um copo de água sobre cada uma de suas mãos.

A próxima hora marcada era às 16h — uma mulher com umas ações que tinham sido deixadas por sua mãe — mas os serviços de Delia não foram requisitados. Então ela endereçou vários envelopes, colocou dentro as cartas que o Sr. Pomfret assinara, fechou os envelopes e lambeu os selos. Atendeu um telefonema de uma certa Sra. Darnell, que marcou hora para segunda-feira. O Sr. Pomfret passou por ela com os braços apertados no paletó do terno.

— Até amanhã, Srta. Grinstead — disse.

— Até amanhã, Sr. Pomfret.

Separou os carbonos, arquivou-os e guardou na gaveta o que restava do arquivo "em andamento". Atendeu o telefonema de um homem, que ficou desapontado ao saber que o Sr. Pomfret já tinha saído mas disse que tentaria encontrá-lo em casa. Limpou a cafeteira e às 17 horas em ponto desceu todas as persianas, pegou as cartas e a bolsa e fechou o escritório.

O Sr. Pomfret tinha lhe dado uma chave e ela já conhecia a manha da porta almofadada — a chave tinha de ser empurrada com jeito antes de trancar.

Do lado de fora o sol ainda brilhava e o ar parecia quente e pesado depois do frio do ar-condicionado. Foi caminhando devagar, deixando os outros passarem — homens de terno voltando apressados para casa, mulheres andando rápido com sacolas de plástico do Food King. Enfiou as cartas na caixa de correio da esquina, mas em vez de virar para a esquerda continuou na direção da biblioteca — a próxima parada na sua rotina.

Àquela altura já tinha uma noção da planta da cidade. Era uma grade perfeita: a praça matematicamente centralizada entre três ruas dando para o norte e três para o sul, duas para leste e oeste. Se olhasse para o oeste no cruzamento, veria a pastagem e muitas vezes até mesmo uma vaquinha. (Quando Delia acordava cedo ouvia os galos cantando a distância.) As calçadas eram irregulares, com grama em certos pontos e grandes falhas onde havia árvores. As ruas mais distantes da praça inclinavam-se para o asfalto esboroado ladeado de mato, como nas estradas do interior.

A Biblioteca Pública de Bay Borough na Border Street, o limite norte da cidade, localizava-se entre uma igreja e um posto de gasolina Exxon. Parecia uma casa qualquer, mas quando Delia entrava sentia sempre uma seriedade e um tom oficial. Acima das quatro mesas com cadeiras de madeira, o balcão alto envernizado da bibliotecária e as estantes cobertas de livros velhos, sentia-se o cheiro de papel velho e cola. Não havia CDs nem vídeos ali, só livros pesados com encadernação barata e números escritos a mão nas lombadas com tinta branca. A verba devia ser pouca, Delia supôs. Nada parecia ter sido acrescentado ali na última década. Não se viam best-sellers, mas muitos livros de Jane Austen e Edith Wharton, biografias e vários estudos solenes de história. As obras infantis brilhavam com as várias camadas de fitas adesivas para remendar os livros.

Às 17h30 a biblioteca fechava e a bibliotecária começava a repor os últimos livros nas estantes. Delia podia colocar o livro da véspera no balcão sem dar uma palavra e procurar um outro sem ser observada, pois àquela hora todas as mesas estavam vazias. Mas o que iria escolher? Queria que houvesse uns romances ali. Livros de Dickens ou Dostoievski não seriam lidos em uma noite (pretendia ler um livro por noite). Nem de George Eliot, Faulkner, Fitzgerald...

Pegou *O grande Gatsby* e lembrou-se vagamente das suas aulas de inglês na faculdade. Levou-o para o balcão e a bibliotecária (uma mulata de seus 50 anos) parou de recolocar os livros nas prateleiras e veio atendê-la. "Oh, o *Gatsby!*", ela disse. Delia entregou-lhe seu cartão.

O cartão tinha seu novo endereço — George Street 14 — e um espaço vago para o número de telefone. Ela nunca fora inacessível por telefone antes.

Enfiando o livro na bolsa, saiu da biblioteca e seguiu na direção sul. Notou que a Pinchpenny Thrift Shop tinha mudado a vitrine. Havia agora um vestido de malha azul-marinho pendurado junto com um paletó masculino rosa. Ficaria mal comprar seu segundo vestido numa loja barata assim? Em uma cidade daquele tamanho, sem dúvida todos poderiam saber de onde vinham as roupas.

Mas, afinal de contas, o que importava isso? Disse a si mesma que experimentaria o vestido no dia seguinte, na hora do almoço.

Ao virar à direita na George Street viu a mãe com o filhinho que dava comida para os pombos na praça. As duas trocaram um sorriso, mas Delia imediatamente evitou olhar para ela de novo.

A próxima parada era no Rick-Rack's Café. Passou por sua casa e ficou contente de não ver nenhum carro estacionado ali. Belle bem que poderia passar a noite toda fora. Ela parecia ter uma vida muito ocupada.

O Rick-Rack's cheirava a bolinho de siri, mas não havia mais nenhum cliente agora. A garçonete baixinha de cabelo vermelho enchia os saleiros e o cozinheiro raspava sua grelha.

— Oi! — ele disse quando Delia entrou.

— Alô — ela respondeu sorrindo. (Tudo bem ser gentil, desde que não passasse disso.) Sentou-se no seu banco habitual e quando a garçonete chegou já estava imersa no livro da biblioteca.

— Leite e torta de galinha, por favor — disse, continuando a ler.

Na noite anterior tinha tomado sopa com torrada de trigo integral e duas noites atrás comera uma salada de atum. Seu plano era alternar sopas com proteínas. Mas proteínas baratas. Bolinhos de siri eram caros demais, pelo menos até ela receber seu primeiro salário.

Quando comprou os sapatos novos na terça-feira, teve vontade de usar o cartão de crédito que estava na sua carteira, mas se usasse poderia ser rastreada facilmente! Então um pensamento peculiar lhe veio à cabeça. *A melhor forma de não ser rastreada era morrer*, pensou.

Mas é claro que não tinha intenção disso.

O corpo da letra do livro da biblioteca era tão grande que ela achou que o livro não duraria a noite toda. Obrigou-se a ler mais devagar e quando seu prato chegou parou de ler mas manteve o livro aberto ao lado do prato, caso alguém se aproximasse.

A garçonete colocou uns jogos americanos de papel na mesa para quem viesse jantar. O cozinheiro estava mexendo alguma coisa no fogão. Seu couro cabeludo preto era coberto de trancinhas elaboradas. Delia constatou que ele tinha feito a torta de galinha na hora, pois a crosta estalava ao toque do garfo. E as batatas do acompanhamento pareciam amassadas a mão, não colavam como quando eram amassadas na máquina.

Ficou imaginando se sua família teria descongelado as comidas que ela guardara no freezer.

— Se ele vier — o cozinheiro dizia à garçonete — você vai ter de cuidar dele. Porque *eu* não vou cuidar.

— Mas vai ter de ficar por aqui.

— Não estou dizendo que não vou estar aqui. Só estou dizendo que não vou cuidar dele.

A garçonete olhou para Delia antes que ela desviasse o olhar. Tinha aqueles olhos grandes que muitas ruivas têm, queixo redondo e rosto inocente.

— Meu pai está planejando me visitar — disse para Delia.

— Ah — Delia falou, pegando o livro.

— Ele não gostou muito quando eu e Rick nos casamos.

Então os dois eram casados? Delia achou que se retomasse sua leitura eles poderiam pensar que ela também não aprovava o casamento, então marcou a página com o dedo e disse:

— Tenho certeza de que com o tempo ele vai aceitar.

— Ele já aceitou! Ou pelo menos disse que sim. Mas agora, sempre que Rick olha para mim, fala do papelão que meu pai fez no início.

— Eu não agüento ficar perto desse homem — Rick disse com tristeza.

— Sempre que meu pai entra em um lugar, Rick sai e cala a boca.

— E a Teensy começa a falar que nem uma metralhadora, mas só diz bobagem.

Delia sabia como era. Quando sua irmã Linda casou-se com um francês que seu pai detestava...

Mas não comentou nada com eles. Estava sentada naquele banco sozinha, muito sozinha, longe do pai, das irmãs, do marido e dos filhos. Era uma pessoa sem passado. Respirou fundo para falar, mas não tinha nada a dizer. Foi Teensy quem finalmente quebrou o silêncio.

— Bom, pelo menos temos alguns dias para nos preparar para isso. — Depois foi atender um casal que acabara de entrar.

Quando Delia saiu do café, sentiu que o ar estava mais leve que o habitual — mais fino, mais transparente — e atravessou a rua com passo solto. Abriu a porta da casa de Belle e encontrou uma pilha de cartas jogadas no chão, mas não pegou nenhuma nem verificou os nomes nos envelopes, pois sabia que nada seria para ela.

Lá em cima seguiu a rotina da chegada em casa: pôs suas coisas de lado, tomou uma chuveirada e lavou roupa, prestando atenção se Belle já tinha voltado para se movimentar de forma mais silenciosa. Mas viu logo que era a única pessoa na casa.

Quando terminou todos os seus afazeres, deitou-se na cama com o livro da biblioteca. Se tivesse uma cadeira teria lido sentada, mas não havia outro jeito senão deitar. Será que o quarto do Sr. Lamb era mais bem mobiliado? Pensou em pedir a Belle uma cadeira, mas isso implicaria uma conversa e ela estava evitando ao máximo conversar. Não queria fazer amizade com Belle nem trocar idéias à noite.

Encostou o travesseiro na cabeceira de metal da cama e largou o corpo para trás. Nos primeiros minutos ainda conseguiu ler com a luz de fora — um facho de luz morna que lhe deu uma sensação de preguiça. Ouviu um bebê chorando na casa em frente e uma mulher chamando à distância, "Robbie! Lenny!", naquele tom autoritário das mães quando mandam os filhos voltarem para casa. Delia continuou a ler, virando as páginas lentamente. Estava interessada na história de Gatsby mas não exatamente empolgada. Servia para passar a noite, só isso.

A luz diminuiu e ela acendeu a luminária curva, colocada no peitoril da janela por cima do seu ombro. As crianças do outro lado da rua, liberadas da mesa de jantar, brincavam ao ar livre. Delia ouviu-as durante algum tempo mas aos poucos não lhes prestou mais atenção e, quando pensou nelas de novo, percebeu que já deviam ter ido para a cama. Era noite e as mariposas voavam em volta das janelas teladas. Lá na rua a porta de um carro foi aberta e Belle atravessou a varanda com seus saltos altos ecoando no escuro. Entrou em casa, foi diretamente para o quarto da frente e começou a falar ao telefone. "Você sabe que a possibilidade de revenda é grande", Delia ouviu-a dizer, mas depois desinteressou-se da conversa. Parou de ler por um instante e notou o silêncio absoluto, dentro e fora de casa, a não ser pelo tráfego distante na rodovia 380. Estava mais fresco agora e ela sentiu-se grata pelo calor que vinha da luminária.

Chegou ao fim do livro, mas leu a última frase várias vezes até seus olhos azuis se encherem de lágrimas. Colocou o livro no chão e desligou a luz para poder chorar no escuro — o último passo da sua rotina diária.

Chorou sem pensar em nada, com soluços silenciosos que lhe sacudiam o peito e contorciam a boca. Assoou o nariz no lenço de papel guardado debaixo do travesseiro. Quando se sentiu completamente esvaziada, deu um suspiro profundo e disse alto, "Muito bem". Assoou o nariz pela última vez e deitou-se para dormir.

Incrível como seu sono era sempre tão pesado.

O menininho queria que os pombos comessem na sua mão. Agachou-se no meio deles, com o macacão de veludo cotelê a poucos centímetros do chão, e segurou uma ponta de pão. Mas os pombos esvoaçavam em volta com olhares desconfiados e evasivos, e quando o menino percebeu que não chegariam perto jogou-se para trás e ficou pedalando no ar num ataque de fúria. Delia sorriu por trás do jornal.

Naquele dia não viu mais nada sobre seu desaparecimento. As autoridades teriam se esquecido dela tão depressa assim?

Dobrou o jornal e colocou-o ao seu lado no banco. Pegou o copo de iogurte e notou, com o canto dos olhos, que uma mulher a observava a alguns metros de distância.

Seu coração começou a bater forte.

— Eliza? — perguntou.

Eliza deu uns passos à frente abruptamente, como se tivesse decidido alguma coisa naquele instante.

Não havia ninguém ao seu lado e ninguém atrás.

Ninguém.

Ela usava um vestido escuro bem cortado, comprado na antiga loja de departamento Stewart's. Eliza quase nunca usava vestidos, devia ser uma ocasião especial. E Delia pensou, *Ora, eu sou a ocasião especial.* Levantou-se, ainda segurando o iogurte.

— Oi, Eliza — disse.

— Oi, Delia.

As duas se entreolharam, Eliza com uma bolsa grande de couro na mão. Delia viu o velho chegar e sentar-se no outro banco, parecendo interessado na sua revista, mas isso não a convenceu.

— Quer dar uma volta? — perguntou a Eliza.

— Podemos — ela respondeu num tom reservado.

Provavelmente estava zangada. É claro que estava zangada. Delia jogou os restos do almoço na cesta de lixo, sentindo-se como uma menina arteira. Percebeu que estava corando. Maldita pele fina, tão denunciadora. Pôs a alça da bolsa no ombro e atravessou a praça. Eliza seguiu-a um pouco atrás, como que para mostrar a obstinação e falta de consideração da irmã. Quando chegaram na rua, Delia virou-se e disse:

— Sei que você acha que eu não devia ter feito o que fiz — disse.

— Eu não disse nada. Estou esperando para ouvir suas explicações.

Delia andou de novo. Se soubesse que Eliza ia aparecer de uma hora para outra teria inventado alguma razão de antemão. Era ridículo não ter razão alguma.

— O Sr. Sudler achou que você apanhava do Sam — disse Eliza.

— Quem?

— O homem que conserta telhados, Vernon Sudler.

— Ah, Vernon — Delia disse. É claro, ele devia ter lido o jornal.

Atravessaram a rua e foram andando a esmo. Delia tinha planejado ir a uma daquelas lojas baratas, mas agora não sabia mais aonde estava indo.

— Ele telefonou para Baltimore. Pediu...

— Baltimore! O que vocês estavam fazendo em Baltimore?

— Ora, nós juntamos nossa tralhas e voltamos para casa. Você não imaginou que ficaríamos na praia depois disso.

Na verdade, Delia *tinha* imaginado. Mas via agora que seria muito estranho todos estirados ao sol, como de hábito, passando filtro solar e enchendo com cuidado as bóias, enquanto cães da polícia farejavam as sandálias dela.

— Pensamos de início que você tivesse voltado para Baltimore. Pode imaginar a confusão que encontramos, com todos aqueles operários trabalhando no piso da casa! E então constatamos que você não estava lá.... Graças a Deus o Sr. Sudler telefonou. Tinha telefonado na noite anterior e perguntado como poderia entrar em contato comigo pessoalmente, e por sorte fui eu que atendi. Falou que podia jurar que você não havia sido seqüestrada, mas hesitou em dizer isso à polícia porque acreditava que você teria uma boa razão para fugir. Contou que você saltou da van em frente a uma igreja que dá aconselhamento a mulheres que apanham dos maridos.

— Eu? — disse Delia, parando em frente à florista.

— Disse que quando você viu a placa da igreja, pediu para descer da van.

— Placa?

— E que vocês falaram sobre um assunto que fez com que mais tarde ele pensasse se... Mas não contou onde você estava, pois seu marido podia ser perigoso. "Perigoso?", eu disse a ele, "Sam Grinstead é o melhor homem da face da terra!" Mas o Sr. Sudler insistiu na idéia. "Eu só telefonei para dizer que ela está bem e que eu não sabia que ela estava fugindo. Pediu uma carona até uma certa cidade para ver uns parentes, e eu achei tudo muito natural." Depois o Sr. Sudler me fez prometer que eu não falaria com o Sam mas é claro que falei, não podia manter isso em segredo. Disse ao Sam que viria conversar com você para ver como as coisas estavam.

Eliza esperou até ouvir a pergunta de Delia.

— E o que Sam disse?

— Que *naturalmente* eu devia vir. Concordou comigo por completo.

— Ah!

Outra espera.

— E compreendeu que eu não diria em que cidade você estava até nós duas conversarmos.

— Sei — disse Delia. — Mas como *você* sabia onde eu estava?

— Porque você disse ao Sr. Sudler que tinha parentes aqui.

— Parentes. Humm...

— A família da mamãe é de Bay Borough.

— A família da mamãe mora em Bay Borough?

— Pelo menos morava. Talvez alguns ainda morem, mas não conheço nenhum deles. Você sabia disso. Bay Borough, onde a tia Henny morava. Nosso tio-avô Roscoe tinha criação de galinhas perto daqui.

— Era em Bay Borough?

— Onde mais podia ser?

— Nunca me dei conta disso — Delia falou.

— Não sei por que não. Aqui tem até uma Weber Street — o nome de solteira da nossa avó Carroll. E tem também uma Carroll Street mais para o sul, se não me engano. Não tem uma Carroll Street aqui?

— Tem — disse Delia. — Mas pensei que fossem outros Carroll. Os Carroll da Declaração de Independência.

— Não, querida, os daqui são nossos Carroll — disse Eliza calmamente, melhorando o humor depois dessas explicações.

As duas continuaram andando e passaram pelo consultório do dentista e pela ótica.

— Na verdade, creio que somos parentes do homem que fundou esta cidade. Mas parentes por afinidade.

— O homem... Está falando de George Bay?

— Isso mesmo.
— George Bay, o desertor?
— Olha quem fala!
Delia encolheu-se.

— Então vim para cá hoje de manhã e fui a vários lugares onde achei que você poderia estar. Acontece que há só uma pousada aqui, sem falar daquele motel imundo da Union Street. Quando não te encontrei lá, pensei em vir para a praça, pois parece um lugar onde todos os moradores da cidade passam em alguma hora do dia.

As duas estavam agora em frente ao escritório do Sr. Pomfret. Se ele já tivesse voltado do almoço e olhado pela janela a veria passando. A Srta. Grinstead com uma amiga! Muito sociável! Esperava que ele ainda estivesse no Bay Arms Restaurant com os amigos. Na George Street viraram à esquerda e passaram pela Pet Heaven, onde um menino arrumava uns brinquedos para cachorro ao lado de sacos de ração.

— Delia, o Sr. Sudler entendeu mal, não é? Ou será que você está com algum problema... que gostaria de conversar comigo?

— Oh, não — Delia respondeu.

— Ah! — Eliza disse, parecendo quase bonita de repente. — Está vendo? Eu disse isso a ele. Disse que tinha certeza de que você só precisava ficar um pouco sozinha. Sabe o que a polícia falou quando ligamos para eles? "Aposto o que vocês quiserem como ela está perfeitamente bem e saudável. Um número surpreendente de mulheres parece ter essa mania de desaparecer durante as férias de família." Você sabia disso? Não é estranho?

— Hum... — disse Delia, sentindo os pés muito pesados, mal conseguindo andar.

— Ele deve ter muita experiência, trabalhando na Bethany Beach e arredores.

— Acho que sim — Delia concordou.
— Então vamos buscar suas coisas, Dee?
— Minhas coisas? — Delia falou, parando subitamente.
— Estou estacionada perto da praça. Você tem alguma bagagem?

Delia sentiu uma coisa dura na garganta — uma espécie de obstinação, só que mais forte. Ficou surpresa com essa força.

— Não, não vou voltar com você.
— Como?
— Eu quero... eu preciso... eu tenho um lugar agora, tenho um emprego, um cargo, e um lugar para ficar. Está vendo? É ali que eu moro — disse, mostrando a casa de Belle. Só então notou que as cortinas de gaze das janelas de baixo pareciam ataduras.

— Você tem uma casa? — Eliza perguntou incrédula.
— Bom, tenho um quarto. Venha ver! Vamos lá dentro!

Pegou no cotovelo de Eliza e foi levando-a para a varanda. Eliza deu um passo atrás, com o braço rígido como uma asa de galinha.

— É de uma corretora de imóveis — disse Delia abrindo a porta. — Uma *corretora*, muito simpática. O aluguel é extremamente razoável.

— Imagino que sim — disse Eliza, olhando em volta.

— Eu trabalho com um advogado na outra esquina. É o único advogado da cidade e cuida de tudo, testamentos, espólios... e sou encarregada do escritório. Aposto que você não pensou que eu pudesse fazer isso, não é? Provavelmente pensou que eu trabalhava no consultório só porque era filha do papai, mas estou descobrindo que...

Estavam subindo as escadas, Delia na frente. Gostaria que Belle pendurasse alguns quadros ou pusesse um novo papel de parede.

— Todo esse andar é praticamente meu, pois o outro inquilino viaja durante a semana. Tenho um banheiro privativo, está vendo? — Mostrou o banheiro, destrancou a porta do quarto e entrou. — Tudo isso é meu — falou, colocando a bolsa em cima da cômoda.

Eliza foi entrando devagar.

— Não é perfeito? Sei que pode parecer um pouco vazio, mas...

— Delia, está me dizendo que planeja morar aqui?

— Eu moro aqui!

— Mas... para sempre?

— Sim, por que não?

Sentiu de novo necessidade de engolir, mas não abriu a guarda.

— Sente aí — disse para Eliza. — Posso te oferecer um chá?

— Oh... não, obrigada — disse Eliza, agarrando a bolsa com força. Parecia fora de lugar naquele ambiente — uma pessoa de casa, com aquele aspecto humilde e desbotado que as pessoas de casa sempre têm. — Deixe ver se eu entendi direito.

— Eu posso esquentar a água em dois segundos. Sente-se na cama.

— Está dizendo que vai nos deixar para sempre? — Eliza perguntou, sem se mover. — Planeja ficar permanentemente aqui em Bay Borough? Está deixando seu marido e seus três filhos, um deles ainda no colégio?

— No colégio, sim, mas já com 15 anos e capaz de passar muito bem sem mim — disse Delia. Para seu horror, sentiu que tinha lágrimas nos olhos. — Melhor do que comigo — continuou com firmeza. — A propósito, como vão eles?

— Estão pasmos, o que você esperava?

— Mas fora isso vão bem, não é?

— E você se importa?

— É claro que me importo.

Eliza afastou-se. Delia achou que ela ia se acalmar e sentar-se, mas não. Foi até a janela da frente e continuou a falar, de costas para ela.

— Sam, como você deve imaginar, está simplesmente sem ação.

— É, ele deve achar agora que devia ter se casado com a Filha Um ou a Filha Dois e não comigo.

Eliza virou-se.

— Delia, o que está *acontecendo* com você? Perdeu o juízo de vez? Seu marido maravilhoso, um marido modelo, anda pela casa que nem um zumbi, seus filhos não sabem o que pensar, os vizinhos estão nervosos e o pessoal da televisão e dos jornais espalha nossos nomes por todo o estado de Maryland...

— Deu na televisão?

— Em todos os canais de Baltimore! Uma fotografia grande colorida piscando na tela: "Alguém viu essa mulher?"

— Que foto eles usaram? — Delia perguntou.

— A foto do casamento de Linda.

— Mas isso foi há muitos anos.

— Bom, nas outras ocasiões era sempre você que tirava as fotos. Não tivemos muita escolha.

— Aquela roupa horrível de dama de honra, com ombros que davam a idéia de que o cabide continuava ali dentro?

— Delia, desde que o Sr. Sudler telefonou venho tentando descobrir por que você resolveu fugir de nós assim. Sempre pensei que sua vida tinha sido fácil. A caçula da família. Toda bonitinha. A menina mais popular do colégio. A queridinha do papai. É bem verdade que você não teve mãe, mas nunca pareceu notar isso. Tinha só quatro anos quando ela morreu, e além do mais nunca a viu fora da cama. Mas hoje acho que 4 anos era idade suficiente! É claro que você notava! Passava as tardes brincando no quarto dela, pelo amor de Deus!

— Não me lembro disso.

— Deve se lembrar. Você e ela tinham aquelas bonecas de papel que eram guardadas em uma caixa de sapato no chão do armário e toda tarde...

— Não me lembro de nada disso! Por que fica insistindo? Não me lembro absolutamente dela.

— E ser a queridinha do papai foi uma faca de dois gumes, acho eu. Ele não te encorajou a entrar para a faculdade, achou que o natural seria você trabalhar no consultório... você teve todo o direito de se ressentir disso.

— Eu não me ressenti disso.

— E quando ele morreu, é claro que você sentiu mais que...

— Não vejo por que cargas d'água você está trazendo tudo isso à tona agora!

— Deixe eu acabar de falar, por favor. Dee, você sabe que eu acredito que os seres humanos vivem muitas vidas.

Normalmente Delia teria resmungado. Mas dessa vez ficou contente de ver que a conversa estava seguindo outra direção.

— A meu ver, cada vida é uma espécie de missão. Você tem uma missão toda vez que vem à terra, tem de desenvolver sua experiência. Então, mesmo que sua vida tenha tido contratempos, você precisava passar por isso.

— Como você sabe que minha missão não inclui Bay Borough?

Um ruga de incerteza vincou a testa de Eliza.

— Eliza, estive pensando...

— Em quê? — Eliza perguntou aflita.

— Pode me dizer se eles levaram o gato de volta para casa?

Um erro. Alguma coisa se fechou por trás dos olhos de Eliza.

— O gato! É só com isso que você se preocupa?

— É claro que não me preocupo só com isso, mas ele *estava* meio escondido debaixo de um móvel quando eu saí, e não sei se lembraram de..

— Lembraram, sim — respondeu laconicamente. — Não sei para quê. Aquele gato imbecil está ficando tão velho que ronca até quando está acordado.

— Velho?

— Eles guardaram todas as suas roupas e suas panelas também — disse Eliza. — A pobre Susie teve de empacotar seu... Delia? Você está chorando?

— Não — Delia respondeu com voz abafada.

— Está chorando por causa do *gato*?

— Não, já disse.

Bom, ela sabia que ele não era mais um gatinho. (Foi um gatinho tão *alegre*... um gatinho com senso de humor, passando teatralmente pelas plantas proibidas depois dando um sorriso.) Mas ainda pensava em Vernon como se estivesse nos seus áureos tempos, e lembrou que ele vivia parado ultimamente, tendo de se concentrar para dar qualquer pulo por menor que fosse. Um dia naquela primavera ela o enxotou do balcão e ele caiu de mau jeito, como se fosse uma posta de carne, depois ficou lambendo a coxa como se estivesse fazendo pose.

Arregalou os olhos para as lágrimas não começarem a escorrer.

— Delia, há alguma coisa que você não está me dizendo? Alguma coisa a ver com aquele... homem?

Delia não pareceu intrigada.

— Não, não tem nada a ver com ele. — Foi até a cabeceira da cama e Eliza deu um passo atrás. Pegou debaixo do travesseiro um lenço de papel e assoou o nariz. — Talvez eu esteja ficando maluca — disse.

— Não, não! Você não está maluca! Só um pouco cansada talvez. Um pouco esgotada. Sabe o que acho? Que você se esgotou mais do que nós percebemos com a doença do papai. Está provavelmente anêmica também, precisando de um descanso físico. Umas férias por conta própria. É, não foi tão má idéia vir para Bay Borough! Mais uns dias, mais umas semanas e você vai voltar para casa renovada.

— Pode ser — disse Delia, insegura.

— É isso que vou dizer à polícia. "Ela foi para a casa de uns parentes nossos descansar e se divertir um pouco" é o que vou dizer. Porque preciso dar alguma informação a eles.

— Eu sei.

— E vou ter de falar com Sam.

— É.

— Talvez ele queira conversar com você.

Delia apertou o lenço de papel em cada olho.

— Eu não sou muito boa para essas coisas — disse Eliza, pondo a mão no ombro da irmã.

— Você é ótima. A culpa não é sua.

Sentiu-se entristecida de repente porque Eliza estava usando batom. (Um tom rosa adocicado e pálido em contraste com sua pele escura.) Em geral ela não se importava com maquiagem. Devia ter sentido necessidade de se armar para essa visita.

— Vou falar para Sam trazer umas roupas suas, está bem?

— Não, obrigada.

— Uns dois vestidos?

— Nada.

Eliza deixou a mão cair.

As duas saíram do quarto e desceram as escadas, Eliza na frente.

— Como vai sua *jardinagem?* — Delia perguntou, num tom forçado.

— Oh... — disse Eliza, chegando no corredor do andar térreo. — Você vai precisar de dinheiro.

— Não vou, não.

— Se eu tivesse imaginado que não ia voltar comigo... Não trouxe muito dinheiro, mas vou deixar o que tenho com você.

— Sinceramente, não quero nada. Estou ganhando um ótimo salário no escritório de advocacia. Nem podia acreditar quando meu chefe disse quanto me pagaria — disse, encaminhando Eliza para a porta. — E usei o dinheiro das férias. Quinhentos dólares. Me sinto mal quando penso nisso.

— Oh, nós nos arrumamos bem sem esse dinheiro — disse Eliza, olhando para o piso gasto da varanda.

Delia poderia ter levado Eliza até o carro, ou pelo menos até o escritório, mas isso prolongaria a partida dela. Por isso nem tinha trazido sua bolsa. Ficou na varanda com os braços cruzados, como se fosse entrar naquele minuto.

— Tenho certeza de que se *arrumaram* — disse para Eliza.
— Mas não é isso. É que eu me sinto mal por não ter começado aqui sem nada. Começado... não sei. No mesmo nível.

— No mesmo nível?

— No mesmo nível que os sem-teto ou alguma coisa assim. Não sei. Não sei o que eu quero dizer — Delia falou.

Eliza encostou o rosto no rosto de Delia.

— Você vai ficar bem. Esse descanso vai fazer milagres, creia em mim. Enquanto isso, Dee... — Estava quase indo embora, mas lembrou-se de uma última coisa. — Enquanto isso lembre-se do lema favorito do nosso tio-avô Roscoe.

— Qual era?

— Nunca faça nada que não possa desfazer.

— Vou me lembrar disso — disse Delia.

— O tio Roscoe podia ser mal-humorado mas tinha bom senso de vez em quando.

— Dirija com cuidado — Delia falou.

Ficou ali vendo Eliza afastar-se — aquela figura pequena, econômica e energética — depois voltou para casa para pegar sua bolsa.

Ao subir as escadas pensou, *Mas se a gente nunca fizer nada que não possa desfazer, acaba não fazendo nada na vida.* Teve vontade de sair correndo atrás de Eliza para lhe dizer isso, mas então teria de se despedir de novo.

# 8

Seu livro naquela noite era *O sol também se levanta*, mas ela não conseguiu terminar porque estava distraída. Era sexta-feira, início do fim de semana. O trânsito na rua estava mais animado e mais festivo, e as vozes dos passantes eram mais altas. "Eba! Aí vamos nós", gritou um adolescente. Por um instante Delia perdeu a concentração na leitura. Por volta de 8 horas alguém atravessou a varanda — não era Belle, era alguém com sapato de salto baixo, andando devagar, como se estivesse cansado ou triste. Ela abaixou o livro e ficou prestando atenção. A porta da frente abriu, alguém entrou na casa e os degraus das escadas rangeram, um de cada vez. A maçaneta da porta do outro lado do corredor foi girada, e ela percebeu que era o outro inquilino chegando.

Voltou ao seu livro mas a toda hora um barulho tirava sua concentração — uma tosse seca, cabides deslizando na vareta do armário. Quando ouviu a água correndo no banheiro, levantou-se e atravessou o quarto na ponta dos pés para ver se a porta estava trancada. Depois voltou para a cama e releu o parágrafo que tinha terminado.

Mais ou menos 1 hora depois Belle chegou com um homem. Delia ouviu a risada forte de alguém que ela não conhecia. "Fala

sério!" Belle dizia. Depois ligaram a televisão e fecharam a porta
da geladeira com uma batida seca.


O Sr. Lamb era um homem macilento de uns 40 anos, cabelo
castanho liso e olhos encovados. Delia topou com ele no corredor de cima quando ia fazer umas comprinhas na manhã seguinte. "Oi" disse, e foi passando, decidida a manter um mínimo
de intercâmbio possível. Mas nem precisava se preocupar. O Sr.
Lamb encostou-se na parede, olhou para baixo e deu um sorriso
infeliz, murmurando alguma coisa ininteligível. Talvez estivesse
tão infeliz quanto ela por ter de dividir o banheiro.

Delia foi procurar um banco que abrisse aos sábados para
descontar o cheque do pagamento da sexta-feira. O cheque era
do First Farmers', perto da praça, mas o banco estava fechado e
ela teve de ir ao Bay Borough Federal. O dia estava fresco, com
uma brisa, e nuvens escuras deixavam o céu lilás. Aquela parte
da cidade que ela não via desde o dia em que chegara lhe pareceu inteiramente diferente. Pareceu mais antiquada, com prédios
desbotados que nem uma fotografia antiga.

— Você poderia descontar este cheque para mim? — perguntou à moça do caixa do Bay Borough Federal.

A moça — de óculos de armação brilhante — mal olhou
para a assinatura.

— De Zeke Pomfret? Sem problema — disse.

Então Delia assinou o primeiro cheque de pagamento da sua
vida e recebeu umas notas. Ficou muito surpresa ao ver que o salário minguava muito depois de descontados todos os impostos.

Passou pela Weber Street e East Street de cabeça erguida, andando com determinação. Podia bem ser uma heroína de alguma
peça de teatro ou filme. E sua platéia era, naturalmente, Sam.

Não que estivesse ansiosa pela visita dele. Tinha horror a ter de se explicar, sabia que ele consideraria todas as suas razões falhas e contraditórias. Porém desde o dia anterior uma parte da sua cabeça fazia cálculos remotos. *Digamos que sejam 2 horas de Baltimore até aqui. Eliza teria chegado em casa por volta das 16h30, e Sam poderia estar aqui às 18h30. Talvez 19h. Ou talvez decidisse atender todos os clientes do dia antes de sair, ou tivesse de pôr gasolina no carro...* E à noite ficou pensando, *Sam deve estar esperando o fim de semana. Seria muito mais sensato.*

Imagine se ele aparecesse naquele minuto, quando ela estivesse indo à biblioteca pegar o livro para o sábado, ou estivesse olhando as canecas da Katy's Kitchenware, ou saindo da Pinchpenny com o vestido de malha azul-marinho na bolsa! Imagine se ele estivesse na varanda da sua casa e a visse aparecer na esquina da George Street, com aquele vestido cinza profissional, inteiramente à vontade na cidade onde ele nunca estivera antes! Decerto pensaria, *Será que aquela é Delia mesmo?*

Imagine se ela subisse as escadas e o encontrasse esperando na porta do seu quarto! "Oi, Sam", diria calmamente tirando as chaves da bolsa — do quarto e do escritório penduradas no chaveiro cromado — para abrir a porta, virando a cabeça de lado e convidando-o para entrar! Ou ele poderia já estar no seu quarto, depois de convencer Belle a abrir a porta, olhando pela janela e virando-se quando ela entrasse com seus embrulhos — o livro da biblioteca, a caneca de chá e o vestido novo. Diria então, "Deixe eu te ajudar com essas coisas", e ela diria "Obrigada, eu me ajeito sozinha".

Mas ele não estava lá e ela colocou as coisas na cama em silêncio total.

\*\*\*

Desceu para pagar o aluguel, pois sabia que Belle estava em casa. Ouviu um rangido por trás da porta do corredor, bateu e Belle mandou-a entrar. O rangido vinha de uma bicicleta ergométrica que Belle pedalava loucamente, muito vermelha e acalorada, com um conjunto de moletom rosa com lacinhos de cetim.

— Oi! — ela disse quando Delia entrou. Sua sala, como o resto da casa, parecia mobiliada com peças que os inquilinos anteriores tinham jogado fora. Um sofá fofo e encardido em frente à televisão, e uma mesa de centro toda manchada de rodelas de copos de água.

— Só queria pagar o aluguel — disse Delia.

— Obrigada — Belle falou, e sem parar de pedalar enfiou as notas dobradas em uma manga. — Está tudo bem?

— Muito bem.

— Que bom — Belle falou, curvando-se sobre o guidom da bicicleta quando Delia saiu e fechou a porta.

Delia pensou em ir até o Gobble-Up comprar umas coisas para o almoço, mas quando estava saindo de casa um rapaz de uniforme chegou na varanda. De início achou que fosse algum soldado, de uniforme cáqui e cabelo cortado bem rente.

— Srta. Grinstead? — ele perguntou.

— Sou eu.

— Meu nome é Chuck Akers, da Polies.

Ela levou um tempo para entender a que ele se referia.

— Posso dar uma palavrinha com a senhorita?

— É claro. — Quando ia fazê-lo entrar, percebeu que não tinha um lugar na casa para levá-lo. Seu quarto era fora de questão, e ela não poderia usar a sala de Belle. Então perguntou simplesmente: — Em que posso ajudar? — E os dois acabaram conversando na varanda mesmo.

— Seu nome é Cordelia F. Grinstead?

— É.
— Soube que veio para cá de livre e espontânea vontade.
— É verdade.
— Não foi seqüestrada nem coagida...
— Ninguém teve nada a ver com a minha vinda para cá.
— A senhorita deveria ter deixado isso claro antes de sair de casa.
— Desculpe, da próxima vez faço isso.
Da próxima vez!
Ficou imaginando quando seria isso.

Sábado, domingo. O elaborado preenchimento das horas vazias, a alegria ao fazer qualquer tarefa inconseqüente. Sábado à noite ela comeu em casa, comida chinesa pronta, e leu *Daisy Miller* até tarde da noite. No café-da-manhã de domingo tomou chá com uns bolinhos comprados, mas foi almoçar no Bay Arms Restaurant, um lugar sem graça com cortinas pesadas e chão acarpetado, onde todas as mesas eram ocupadas por famílias com roupas de domingo. Sua vontade era terminar de comer o mais rápido possível, mas forçou-se a pedir sopa, um prato principal e uma sobremesa, e serviu-se com toda a calma, fixando os olhos a meia distância.

Certa vez Susie anunciou, em uma fase particularmente feminista da sua vida, que toda mulher devia aprender a jantar sozinha em um restaurante formal sem um livro. Delia gostaria que ela estivesse ali para vê-la.

Aliás, talvez Sam trouxesse os filhos com ele quando viesse. Talvez fossem direto para o Bay Arms, onde a distinguiriam logo, com seu vestido novo azul-marinho da Pinchpenny muito apropriado para a ocasião. Pediu uma segunda xícara de café e ficou mais um pouco.

De repente, sem nenhuma razão, teve vontade de fumar, embora não fumasse desde os tempos de colégio.

Quando saiu do restaurante, foi até a biblioteca pegar um livro para a noite. Mas a porta estava trancada e as venezianas abaixadas. Devia saber que a biblioteca fechava aos domingos, agora teria de *comprar* um livro — investir dinheiro de verdade.

Na farmácia da George Street descobriu uma banca de jornal que vendia livros de mistério e alguns romances. Escolheu um romance chamado *Moon Above Wyndham Moor*. Na capa, uma mulher com um manto longo estava desmaiada nos braços de um homem de barba, que a segurava pela cintura com o braço esquerdo e brandia a espada com o direito. Delia pagou, escondeu o livro na bolsa e foi andando para a casa de Belle com passos firmes e rápidos para que todos que a observassem dissessem, *Aquela mulher parece absolutamente segura de si.*

Mas não havia ninguém observando.

Lembrou-se que quando era criança costumava se arrumar e postar-se no jardim da frente sempre que ia chegar visita. No dia em que estavam esperando o tio-avô Roscoe, colocou o berço da sua boneca no gramado e fez uma pose bonitinha quando o tio saiu do seu carro. "Olhem só quem está aqui. Lady Delia!", ele gritou, cheirando a pastilha amarga para a garganta. Ela achava que não se lembrava do tio Roscoe, e ficou surpresa ao vê-lo aparecer inesperadamente, passando a pasta de couro tradicional para a outra mão para poder apertar seu ombro quando entrou em casa. Mas que ocasião era aquela? Por que ele tinha ido lá com aquele terno preto surrado? Achou que preferiria não saber a razão daquela visita.

"Eu estava cantando para minha boneca dormir", tinha dito a ele em tom confidencial.

Delia foi sempre uma menina *falsa*, ávida para se ajustar aos pontos de vista dos adultos.

*Moon Above Wyndham Moor* foi uma decepção. Não era muito verossímil. Delia punha-o no colo a toda hora para contar quantas páginas faltavam. Olhava a esmo para os cantos mal iluminados do quarto, balançando a cabeça ao som do rádio do Sr. Lamb, que tocou durante todo o fim de semana, mas nunca alto o suficiente para ela poder entender as palavras do anunciante. Do lado de fora da varanda as gotas de chuva caíam uma a uma. As crianças da casa em frente não faziam barulho. Deviam estar com as janelas fechadas por causa do mau tempo.

*Será que ele não vem me ver?*

Na segunda-feira de manhã o Sr. Pomfret deu sinais de que sabia quem ela era.

— Estou vendo que esta de vestido novo, Sra. Grinstead — falou, olhando-a de forma significativa. Mas ela fingiu não entender e ao meio-dia ele voltou a tratá-la de senhorita. Não que ela se importasse. Sentia-se estranha e desanimada naquele dia. E a chuva não ajudava muito. Foi forçada a comprar um guarda-chuva na farmácia e na hora do almoço foi à loja de 1,99 e comprou um suéter cinza barato de fibra sintética. Os padrões da Srta. Grinstead estavam caindo, ao que parecia. Enfiou as mãos nas mangas em forma de tubo.

Devido à chuva não pôde almoçar no banco do parque como sempre, e como não estava a fim de comer no Rick-Rack's nem no Bay Arms, levou o copo de iogurte para o quarto. Abriu a porta da frente, passou por cima da correspondência e começou a subir as escadas. Mas de repente parou e olhou para um dos envelopes no chão.

Um envelope creme, ou melhor, cor de sorvete de creme. Conhecia bem aquela cor e o nome gravado em marrom no canto superior esquerdo: DR. SAMUEL G. GRINSTEAD.

Ele resolveria o assunto por carta?

Abaixou-se e pegou o envelope. *Sra. Delia Grinstead, George Street, casa com varanda ao lado do Gobble-Up. Bay Borough, Maryland.*

Deixou para abrir o envelope no quarto. O início da carta dizia: *Delia* (não querida Delia) *soube por Eliza que...*

A carta era escrita na máquina de datilografia do consultório que tinha um defeito no *e*, e ele não se preocupou em mudar as margens que ela usava para enviar as contas. O corpo da letra era de uns 10 centímetros de largura.

> *Delia, soube por Eliza que você pediu um tempo para ficar sozinha porque anda muito estressada, inclusive devido à morte recente do seu pai etc.*
>
> *Naturalmente, eu gostaria que você tivesse nos avisado. Você não pode imaginar a angústia que nos causou, saindo para caminhar pela praia e desaparecendo.* ~~Você tem idéia do que é~~
>
> *Não compreendo muito bem a razão desse seu "estresse". É claro que sei que você e seu pai eram muito ligados. Mas a morte dele, afinal de contas, já ocorreu há quatro meses e meio.* ~~e francamente sinto~~ *Talvez seja eu a causa*

*do seu estresse, o que é lamentável.* ~~eu sempre tentei ser um bom mar~~ *Quando eu era jovem me prometi que seria uma rocha para minha esposa e meus filhos, e ao que eu saiba cumpri essa promessa,* ~~e não compreendo o que~~ *mas se você tiver queixas de mim estarei disposto a ouvi-las.*

*Nesse meio tempo pode ficar tranqüila que não invadirei sua privacidade. xxxxxxxxxxxxxxxxxxxxxxxxxxxxxxxxxx xxxxxxxxxxxxxxxxxxxxxxx*

*Xxxxxxxxxxxxxxxxxxxxxxxxxxxxxxxxxxxxxxxxxxxxxx xxxxxxxxxxxxxxxxxxxx*

*xxxxxxxxxx.*

*Sam*

As quatro primeiras correções foram riscadas — fácil para Delia ler por baixo — mas a quinta não dava para ler nem pondo o papel contra a luz. Sem dúvida era melhor assim. Devia ser uma coisa ainda mais obtusa que as outras observações, que já eram obtusas o suficiente.

Não invadir sua privacidade! Ficar sentado e desistir dela, como se ela fosse um bichinho de estimação desaparecido, uma luva ou um centavo perdido!

Ela já devia saber. Tudo aquilo provava que teve razão de ir embora.

Seus dentes batiam, mesmo debaixo do suéter novo. Em vez de almoçar tirou os sapatos e deitou-se na cama. Ficou tremendo debaixo do cobertor, com o queixo do lado de fora e os braços em volta das costelas, como que se abraçando com força.

# 9

Não era de surpreender que ela não conseguisse imaginar o inverno em Bay Borough! Percebia agora que, inconscientemente, esperava que Sam fosse buscá-la antes disso. Ela parecia uma dessas crianças que fogem de casa, mas que por mais que se afastem não têm intenção de ficar longe para sempre.

De qualquer forma, ali estava ela. E todo o resto da sua vida lhe parecia vazio.


Sentava-se na cama de noite e ficava olhando para o vazio, sem pensar em nada. Pelo menos não eram pensamentos conscientes nem importantes. Em geral ficava olhando para o ar, como costumava fazer quando era criança, olhando durante horas as partículas multicores que invadem o ambiente. Na época, quando Linda explicou que eram partículas de poeira perdeu toda a graça. Quem queria saber de partículas de poeira? Mas agora achava que Linda estava errada. Ela ficava vendo uma infinidade de ar se reorganizando sem cessar, e quanto mais olhava mais calma se sentia, mais hipnotizada e mais em paz.

Estava aprendendo a valorizar a monotonia. Estava esvaziando a cabeça. Sempre soube que o corpo era apenas uma concha na qual ela vivia, mas lhe ocorria agora que a cabeça era outra concha — e nesse caso, quem era "ela"? Estava esvaziando a cabeça para ver o que restava. Talvez não houvesse mais nada.

Muitas vezes só começava a ler depois das 21h ou 21h30, e como não conseguia terminar um romance em uma noite, passou a ler contos. Lia um conto, ficava olhando para o ar, depois lia outro. Marcava as páginas com uma tira de papel da biblioteca e ficava ouvindo os sons da rua — carros passando, ruído dos insetos, vozes de crianças na casa em frente. Nas noites quentes as crianças mais velhas dormiam em uma varanda do segundo andar e conversavam o tempo todo até os pais intervirem. "Será que vou ter de *subir aí*?", o pai ameaçava. Isso as aquietava um pouco, mas só por um instante.

Delia não estava certa se Sam sabia das aulas de tênis de Carroll programadas para as duas semanas do meio do mês de julho. Não dava para confiar na memória de Carroll. E será que alguém se lembraria que era o mês do dentista? Provavelmente Eliza. Sem ela Delia não poderia ter largado a família com tanta facilidade.

Não sabia bem se isso era uma vantagem ou não.

O fato é que ela era dispensável. Era uma extra. Tinha vivido a vida de casada como se fosse uma criança brincando de casinha, sempre com um adulto ao lado pronto para assumir o comando — sua irmã, seu marido ou seu pai.

Em termos lógicos, deveria achar isso um conforto. (Ela tinha muito medo de morrer enquanto os filhos eram pequenos.) Mas, ao contrário, tinha laivos de ciúmes. Por que era para Sam, por exemplo, que todos se voltavam nos momentos de crises? Ele era sempre o sensato, o estável e aquele em quem se podia confiar, ela era uma figura meramente decorativa. Mas como isso tinha acontecido? Por onde ela andava enquanto as coisas caminhavam nesse sentido?

Leu outro conto que continha longas descrições da natureza. Ela gostava muito da natureza, mas aquilo era um pouco demais, pensou.

E quem estaria cuidando da saúde de Sam? Ultimamente ele andava exagerando nos exercícios. *Mas isso não é da minha conta,* Delia lembrou. A carta dele a liberara. Não precisava mais se preocupar com o colesterol, nem saber que no Gobble-Up vendiam maioneses sem gordura.

Lembrou-se de umas frases da carta: *Você não pode imaginar* e *Não compreendo muito bem.* Frases sem paixão, frases sem emoção. Decerto toda a vizinhança sabia que ele não tinha se casado por amor.

Mais uma vez viu as três irmãs casadoiras enfileiradas no sofá — a lembrança era de Sam, mas ela acabou incorporando-a. Viu seu pai na poltrona e Sam na cadeira de balanço discutindo sobre um novo remédio para combater a artrite, enquanto ela tomava xerez e olhava para as mãos de Sam — mãos hábeis, sábias, médicas. Talvez fosse aquele xerez não costumeiro que a tivesse deixado tão tonta.

Alguns momentos isolados, Delia pensou, conseguiam resumir sua vida. Cinco ou seis quadros que entravam e saíam da sua cabeça, como cartas de tarô constantemente reembaralhadas e redistribuídas. Um raio de sol no peitoril de uma janela onde um adulto esfregava suas mãos com uma toalhinha. Ela soletrando na escola primária, onde Eliza aparecia sem avisar e ela a via como uma estranha. O brilho do cabelo louro de Sam contrastando com a madeira escura da cadeira de balanço. Seu pai recostado em dois travesseiros, lutando para falar. E ela seguindo para o sul ao longo do oceano Atlântico.

Neste último quadro já estava usando o vestido cinza de secretária (nem todas as lembranças eram absolutamente exatas) e os sapatos pretos de couro comprados na Bassett Bros. As roupas eram erradas, mas o aspecto era certo — a firmeza, a decisão. Aquela era a imagem que a alentava.

"Sempre que ouço a palavra verão", dizia uma das três mocinhas casadoiras (Eliza, é claro), "sinto um cheiro de derretido, um cheiro amarelo quente e derretido." E Linda concordava, "Eliza é assim! Consegue sentir cheiro de noz-moscada da fábrica de temperos no centro da cidade. E de raiva também!" e Delia sorriu, tomando seu xerez. "Ah!", Sam murmurou pensativo. Será que ele percebera as intenções ocultas das três? Percebera que Eliza tentava parecer interessante, que Linda expunha a estranheza de Eliza, e que ela mostrava a covinha na sua bochecha direita?

O paninho de esfregar nas suas mãos era áspero e quente como a língua de uma mamãe gato. A mulher atarracada de ar infeliz que se aproximou da mesa da Srta. Sutherland transformou-se na irmã de Delia. "Eu gostaria que...", seu pai murmurou um dia, virando para o lado sem conseguir terminar a frase de tão rachados que estavam seus lábios. Na noite em que morreu ela tomou um comprimido para dormir. Era muito suscetível a remédios, não tinha hábito de tomar nem mesmo aspirina, e felizmente engoliu o comprimido que Sam lhe deu e dormiu a noite toda. Mas sonhou que tinha *cavado* a noite inteira, feito túneis com uma ferramenta sem corte e inadequada, como uma colher de sopa, e acordou de manhã confusa, cansada e com a sensação de que tinha perdido alguma coisa. Agora achava que era seu próprio sofrimento que tinha perdido. Por que aquela pressa de esquecer?, perguntou a si mesma. Por que a pressa de pular do sofrimento para o próximo estágio?

Ficou imaginando o que seu pai queria dizer naquele dia. Não foi capaz de saber na época, e talvez tivesse suposto que não se importava com isso. Seus olhos encheram-se de lágrimas e rolaram pelo seu rosto; ela não tentou detê-las.

Não acontecia com freqüência pais idosos morrerem exatamente quando os outros (marido e filhos adolescentes) deixavam de se entusiasmar com a sua presença? Seu pai estava sempre entusiasmado, sempre olhando para o seu rosto quando ela falava. Uma das muitas ironias da vida.

Pegou os lenços de papel e assoou o nariz. Sentiu alguma coisa dentro dela se soltando e achou que ia chorar a noite toda.

Na casa do outro lado da rua uma criança gritou, "Mamãe, Jerry está me chutando". Mas a voz era distante e vaga, e a resposta foi suave. "Ora, Jerry..." Pareceu que aos poucos as crianças caíram no sono. Os que permaneceram acordados faziam pausas cada vez mais longas entre as palavras, falando cada vez mais devagar, até finalmente a casa cair em silêncio absoluto.


O Dia da Independência passava quase despercebido em Bay Borough — sem parada, sem fogos de artifício, nada a não ser janelas decoradas de vermelho, branco e azul. Mas o Dia de Bay, era diferente. O Dia de Bay era a comemoração do aniversário do famoso sonho de George Pendle Bay. Era celebrado no primeiro sábado de agosto, com um jogo de beisebol e um piquenique na praça da cidade. Delia sabia disso tudo porque o Sr. Pomfret era o presidente do Comitê de Recreação. Ele tinha datilografado uma carta propondo que substituíssem o jogo de beisebol por um esporte que exigisse menos espaço — como por exemplo atirar ferraduras. A praça, ele argumentou, era muito pequena e muito arborizada. Mas o prefeito Frick, que era filho e neto de prefeitos anteriores e evidentemente mandava na cidade, respondeu que o jogo de beisebol era uma "tradição respeitada" e deveria continuar.

"Tradição", disse o Sr. Pomfret enraivecido, "Bill Frick não tem noção do que seja tradição. O jogo foi *sempre* de ferraduras. Depois que Ab Bennett perdeu o prestígio e voltou com o rabo entre as pernas, o pai de Bill Frick promoveu um jogo de beisebol para ele levantar o moral. Mas Ab não joga mais! Está muito velho. Agora tem uma barraca de limonada."

Delia não estava interessada no Dia de Bay. Sua intenção era fazer umas compras e manter-se longe da praça naquela manhã, mas descobriu que o comércio estava fechado. O tempo peculiar (uma névoa densa como aveia e quase palpável) animou-a a continuar caminhando e, quando ela chegou junto da multidão, sentia-se tão segura no seu manto de névoa que resolveu participar das festividades. As quatro ruas que rodeavam a praça estavam bloqueadas e cobertas de cobertores para piqueniques. Barracas de comidas enfileiravam-se nas calçadas e vendedores ambulantes vendiam flâmulas e balões. Mas Delia teve dificuldade de ver tudo isso devido à névoa. As feições das pessoas que se aproximavam pareciam se compor no último instante. Os garotos de skate tornavam-se um verdadeiro perigo — aproveitando as ruas fechadas, atravessavam a multidão sem cuidado, aparecendo e desaparecendo num abrir e fechar de olhos. Todos os sons eram abafados, como que almofadados, porém bem distintos. Até os cheiros eram mais distintos, cheiro de bergamotas penduradas em barracas onde duas senhoras de idade serviam chá em uma garrafa térmica.

— Delia! — alguém chamou.

Delia virou-se e viu Belle Flint desdobrando uma cadeira de praia de lona listada. Usava um macacão rosa-choque e diversas pulseiras, que tilintaram quando ela se sentou. Foi uma surpresa para Delia ver que Belle sabia seu nome.

— Oi, Belle — disse.

— Você conhece Vanessa? — Belle perguntou. A mulher a quem Delia estendeu a mão era a jovem mãe da praça. Estava sentada ao lado de Belle em uma colcha da cor da névoa, com o filhinho entre os joelhos. — Pode usar uma ponta da minha colcha — ela disse a Delia.

— Obrigada, mas... Tudo bem, acho que vou aceitar — e foi sentar-se junto dela.

— Veja as cestas de piquenique — Belle disse a Delia. — É uma espécie de concurso, vão distribuir prêmios. O que você trouxe?

— Não trouxe nada — Delia respondeu.

— Cada um traz o que quer — Belle explicou, chegando mais perto para cochichar. — Selma Frick trouxe uma variedade de canapés em cestinhas de bambu. Polly Pomfret trouxe alcachofras frescas e camarão com curry.

— Eu faço como os adolescentes — Vanessa disse, passando para o filho um biscoito em forma de bichinho. — Pego o que quero nas barracas quando fico com fome.

Ela lembrava as atrizes dos anos 1940, esguia, morena e bonitinha, com uma blusa estampada e short vermelho vivo, cabelo preto batendo nos ombros e batom vermelho forte. O menino estava arrumado demais, na opinião de Delia, coisa típica de primeiro filho. De calça cotelê e camisa de manga comprida, parecia irritado e desconfortável, com razão. Delia sentiu o calor da calçada subindo pela colcha.

— Que idade tem seu filho? — perguntou.

— Fez um ano e meio na sexta-feira passada.

Um ano e meio! Delia lembrou que nessa idade Ramsay costumava... e foi nessa idade que Susie aprendeu a...

Era uma tentação tentar falar dessas coisas — as dores do parto, a dentição das crianças, a época em que ela também diria a idade do seu bebê. Mas resistiu. Sorriu, encantada com o cabelo louro do menino e disse:

— Ele deve ter puxado ao pai com esse colorido.

— Provavelmente — disse Vanessa de forma natural.

— Vanessa é mãe solteira — Belle explicou.

— Ah!

— Não tenho idéia de como o pai de Greggie era nessa idade — disse Vanessa, limpando a boca do filho com um lenço de papel. — Ou melhor, tenho uma vaga idéia, mas não dá para calcular bem.

— Sei — disse Delia, virando-se para ver o jogo.

Não que visse muita coisa naquela névoa. Aparentemente a base do batedor ficava no outro canto. Era de lá que vinha o barulho da tacada. Só conseguia distinguir a segunda base, que era marcada por um banco do parque. Enquanto observava, um jogador veio correndo e sentou-se no banco, e o que já estava sentado levantou-se e pegou uma bola vinda não se sabe de onde e jogou-a de volta pela névoa. Depois sentou-se de novo. O jogador debruçou-se para a frente com os cotovelos nos joelhos e olhou na direção da base do batedor, embora Delia não imaginasse como ele podia ver alguma coisa àquela distância.

— Derek Ames — Belle informou. — Um dos nossos melhores batedores.

— Para mim a estátua fica no meio do caminho — Delia falou.

— Oh, George é o *shortstop* — Belle disse rindo. — Falando sério, existe uma regra. O batedor que acertar na estátua vai para a primeira base. Até Rick Rackley mudar-se para cá era uma contagem automática de um *home-run*. Mas você sabe como são os atletas profissionais, são excelentes em *qualquer* esporte. Toda vez que Rick batia pegava no Georgie.

— Rick Rackley é atleta profissional?

— Era, até ter problema no joelho. Onde você vive, em Marte? É claro que ele era um atleta profissional, ele jogava futebol, e os Blues têm sorte de ter Rick no time deles. É esse o jogo que estamos assistindo, se é que você não sabe: Blues *versus* Grays. Os Blues são os novos na cidade, os Grays são os moradores daqui. Puxa! Acho que fizeram um *homer*.

Outra tacada vinda do canto de lá. Delia olhou para cima mas só viu o ar esbranquiçado e opaco. Na segunda base, um jogador gritou para o outro:

— Para onde foi a bola?

— Sei lá — disse um outro, levando um susto quando a bola caiu na sua frente. — Peguei — falou.

— Está vendo a bola?

— Eu peguei.

— Já desceu?

— Já.

— Bobby pegou essa! — o primeiro homem gritou.

— O que você disse?

— Ele pegou a bola. O batedor está fora.

— Está o quê?

— Está fora!

— Onde está o batedor?

— *Quem* é o batedor?

Vanessa deu mais um biscoito para o filho.

— Essa neblina no Dia de Bay é quase uma regra aqui — explicou para Delia. — Acho que ninguém jamais conseguiu ver esse jogo direito. Então, Delia! Está gostando de trabalhar para Zeke Pomfret?

— Bom... estou. — Todos deviam saber a essa altura com quem ela trabalhava.

— Ele é um ótimo advogado. Se você decidir se divorciar mesmo, deve contratar o Zeke.

Delia piscou.

— Ele foi ótimo com meu ex-namorado — disse Belle. — E tirou o irmão de Vanessa, Jip, da cadeia quando ele foi preso por acaso.

— Eu ainda não pensei em divórcio — Delia falou.

— É claro! Não precisa ter pressa! Mas o caso do meu ex-namorado era totalmente diferente do seu.

Como elas imaginavam que seria seu caso? Achou melhor não perguntar.

Belle começou a mexer na bolsa e tirou de dentro uma garrafa verde e uma pilha de copos de papel.

— Querem um pouco de vinho? — perguntou às outras. — A tampa é de rosca. O caso de Norton foi muito simples. Ele estava casado só há um ano. Na verdade, nós nos conhecemos no seu primeiro aniversário de casamento. Num encontro de jogadores em Atlantic City, onde ele estava comemorando com a mulher. Nós nos apaixonamos de cara, sabe? — Passou um copo de vinho para Delia e continuou. — Ela só pensava em jogar naquelas máquinas caça-níqueis. Então num abrir e fechar de olhos eu me mudei para Bay Borough, alugamos um apartamentinho e Zeke Pomfret começou a trabalhar no divórcio de Norton.

O vinho deixava na boca um gosto metálico, como suco de grapefruit de lata. Delia pegou o copo com as duas mãos e disse:

— Não estou realmente planejando nada definitivo ainda.

— É claro que não.

— Estou realmente me sentindo meio... vazia agora. Sabe como é?

— É claro que está! — disseram as duas ao mesmo tempo.

O primeiro tempo do jogo na praça devia ter terminado. Os jogadores que tinham visto jogar não estavam mais por perto e outros chegavam aos poucos e sentavam-se no banco.

Delia sonhou que Sam estava dirigindo um caminhão pelo gramado da frente da casa em Baltimore e as crianças brincavam de esconde-esconde diretamente por onde ele ia passar. Eram ainda bem pequenas. Ela tentou avisá-las, mas sua voz falhou e foram todas atropeladas. Ramsay levantou-se, segurando o pulso, Sam saiu do caminhão e ele caiu de novo e tentou levantar-se. Ao ver isso Delia sentiu como se seu peito tivesse sido rasgado ao meio.

Quando acordou seu rosto estava molhado. Pensou que tivesse perdido o hábito de chorar à noite, mas seus olhos estavam coalhados de lágrimas e ela soluçava sem parar. Ficou gravada na sua cabeça a imagem de Ramsay com as sandálias marrons das quais ela nem se lembrava mais. Viu os filhos enfileirados no gramado, ainda pequenos, antes de se tornarem agressivos, antes de os meninos terem barba e de Susie comprar um diário com um fecho dourado impossível de abrir. Aqueles eram os filhos que lhe davam saudades.

Certa noite, em setembro, ao voltar do trabalho encontrou vários envelopes com seu nome espalhados pelo chão. Sabia que deviam ser cartões de aniversário — ia completar 41 anos no dia seguinte — e sabia que eram da sua família, por causa do endereço cheio de explicações (*casa com varanda...*). No primeiro cartão vinha um carrinho de mão cheio de margaridas. FELIZ ANIVERSÁRIO, dizia, *Amizade e saúde/ Risadas e alegria/ Hoje e também/ No próximo ano*. A assinatura era de Ramsay, com a ponta do Y cobrindo toda a página.

Levou o resto da correspondência para cima. Não fazia sentido abrir cartas em público.

No outro cartão vinha assinado *Susie* (*Calorosas felicitações e muitas felicidades*). Não havia nada de Carroll, embora ela tivesse procurado bem no meio dos outros envelopes. Era fácil imaginar que os cartões tinham sido idéia de Eliza, que devia ter forçado a família toda a escrever. "Só estou pedindo", provavelmente teria dito, ou "Ninguém deve passar o aniversário sem..." Mas Carroll, que era muito teimoso, teria se recusado terminantemente. E Sam? Delia abriu o envelope dele e viu dentro uma foto colorida de rosas em um vaso de porcelana azul e branco. *Montes de alegria/ Quilos de felicidades...* Assinado, Sam.

Havia também uma carta de Linda, de Michigan. *Quero que você saiba que te desejo sinceramente um feliz aniversário*, escreveu. *Não fiquei com raiva por você ter fugido dessa forma, só que as férias das gêmeas foram sacrificadas e é a única chance que elas têm por ano de ter contato com as suas origens. Mas de qualquer forma passe um bom dia.* Abaixo sua assinatura e as de Marie-Claire e de Thérèse — um risco fino e esmerado e uns garranchos feitos com a mão esquerda.

*Querida Delia*, Eliza escreveu em outro cartão.

*Estamos todos bem, mas esperamos que você volte logo para casa. Estou administrando o consultório por enquanto, e os três meninos já voltaram para o colégio.*

*Bootsy Fisher telefonou várias vezes e também uns vizinhos, e digo a todos que você está visitando uns parentes.*

*Espero que tenha um bom aniversário. Lembro da noite em que você nasceu como se fosse na semana passada. Linda e eu ficamos na sala de espera com os futuros pais, e quando a enfermeira apareceu, nos disse: "Parabéns, meninas, vocês podem formar um trio de cantoras agora e se apresentarem no Arthur Godfrey." Foi assim que soubemos que você era uma menina. Tenho sentido sua falta.*

*Beijos, Eliza.*

Delia guardou aquele cartão e jogou os outros fora, mas depois achou que devia jogar o de Eliza também. Depois sentou-se na cama durante longo tempo, apertando os lábios com as pontas dos dedos.

No dia do seu aniversário mesmo chegou um embrulho da mãe de Sam. Tinha o tamanho aproximado de um livro e era grosso demais para caber na abertura da caixa do correio, por isso foi jogado para dentro da porta telada, onde Delia encontrou-o ao voltar para casa. Suspirou quando reconheceu a letra. Eleanor era famosa pelos presentes extremamente práticos — por exemplo, uma fita métrica com conversor de medidas, ou um carregador de bateria, sempre embrulhados em papel amassado guardado do Natal anterior. Dessa vez, como Delia constatou ao levar o embrulho para cima, era uma lâmpada de leitura em miniatura para pendurar no pescoço. Bom... ela refletiu. Provavelmente funcionaria muito melhor que sua luminária. Enfiou o presente debaixo do travesseiro, ao lado do estoque de lenços de papel.

Havia uma carta também, no papel de carta acamurçado de Eleanor:

*Querida Delia*
*É só um presentinho que achei que lhe seria útil. Nas poucas ocasiões em que viajei, a luz para leitura era quase sempre horrível. Talvez você esteja tendo essa mesma experiência. Caso contrário, passe adiante para sua obra de caridade favorita. (Ultimamente ando muito pouco satisfeita com a Goodwill, mas continuo a achar que a Associação para Crianças Retardadas é uma boa organização.)*
*Meus melhores votos no seu aniversário.*
*Beijos, Eleanor.*

Delia virou o envelope mas só conseguiu ler nas costas PAPEL RECICLADO PAPEL RECICLADO PAPEL RECICLADO. Tinha esperado uma Eleanor indignada, ou pelo menos com umas repreensões.

Lembrou então que quando ficou noiva de Sam tinha acalentado grandes esperanças com relação a Eleanor. Finalmente teria uma mãe. Mas isso foi antes de se conhecerem. Eleanor foi jantar na casa dos Felson vindo diretamente da Casa das Mães Solteiras, onde trabalhava como voluntária duas vezes por semana dando aulas de datilografia. Depois das apresentações, mal olhou para Delia. Falou o tempo todo como era terrível a pobreza daquelas meninas perdidas, um contraste gritante com aquela refeição — aliás, um simples ensopado de carne misturado com sopa de cebola e salada de alface. "Eu perguntei à pobre menina", disse Eleanor, "Querida, sua família poderia comprar uma máquina de datilografia para você trabalhar em casa depois que o bebê chegar? Ela falou que sua família era tão pobre que não podia nem comprar xampu." Uma cesta com pãezinhos foi colocada na sua frente e Eleanor olhou-a muito intrigada e passou-a adiante. "Não sei por que ela escolheu esse exemplo, entre tantos outros. Xampu!"

(Por que todas aquelas vozes vinham à cabeça de Delia naqueles dias? Às vezes, quando caía no sono ouvia vozes falando incessantemente, como se todos que ela conhecesse na vida estivessem sentados à sua volta conversando. Como ocorre no quarto de um doente, pensou. Como ocorre em um leito de morte.)

Outro presente que Eleanor tinha lhe dado há muitos anos foi um pequeno ferro a vapor para passar roupas em viagens. Delia nem se lembrava mais o que tinha feito com aquilo. Ali em Bay Borough lhe teria sido muito útil. Poderia passar seus vestidos de trabalho que estavam pregueados nas costuras depois de várias lavagens. Seria certamente preferível a comprar um ferro e uma tábua de passar. Por que não tinha guardado aquele presente? Por que não o tinha trazido? Como podia ter sido tão pouco previdente e tão ingrata?

Não respondeu nenhum dos cartões de aniversário, mas a etiqueta exigia uma nota de agradecimento a Eleanor. *A luzinha foi muito conveniente*, escreveu. *Muito melhor que a luminária de braço curvo com que estava lendo até agora. Passei a luminária para a cômoda e não precisei mais acender a luz do teto, o que deixou o quarto com uma iluminação suave.* Dessa maneira conseguiu escrever em toda a área livre do cartão-postal sem dizer realmente nada.

Na manhã seguinte, quando foi jogar o cartão na caixa do correio perto do trabalho, lembrou-se de repente que Eleanor tinha trabalhado num escritório durante algum tempo. Conseguiu mandar o filho para a faculdade com um salário de professora de colégio — o que não era de desprezar, como Delia podia ver agora. Gostaria de ter mencionado seu trabalho no cartão de agradecimento, mas talvez Eliza tivesse contado alguma coisa. "Delia está trabalhando com um advogado", Eliza teria dito. "Cuida de todos os detalhes para ele. Você devia ver como se veste bem para trabalhar, se a encontrasse na rua não a reconheceria."

"É mesmo?", Sam diria. (Por algum motivo, o interlocutor tinha mudado de Eleanor para Sam.) "Cuida de tudo mesmo? Sem perder nenhum documento importante? Sem ficar sentada na sala de espera lendo romances de quinta categoria?"

Ela havia passado mais de metade da vida buscando aprovação de Sam. Decerto não poderia esperar que esse hábito fosse quebrado da noite para o dia.

Outubro chegou, a temperatura caiu e a praça ficou coberta de folhas secas. Em algumas noites Delia tinha de fechar as janelas. Comprou uma camisola de flanela e dois vestidos de manga comprida — um cinza de listras fininhas, outro verde — e começou a pensar em um bom casaco de segunda mão. O frio rigoroso ainda não tinha chegado, mas queria estar preparada.

Nos dias de chuva almoçava agora no Cue Stick'n'Cola na Bay Street. Pedia café e um sanduíche e ficava vendo o jogo de bilhar. Vanessa em geral levava o filho no carrinho para encontrar-se com ela. Enquanto Greggie andava entre as pernas da cadeira como um pião colorido, Vanessa dava a ficha dos jogadores para Delia. "Está vendo aquele sujeito ali? É Buck Baxter. Mudou-se para cá há oito ou dez anos. Baxter trabalha na Baxter

Janitorial Supplies, mas dizem que foi deserdado pelo pai. Não, Greggie, o homem não quer seu biscoito. Aquela eu não conheço", disse, referindo-se a uma moça baixinha de cabelo escuro debruçada sobre a mesa de bilhar, jogando na ponta dos pés, com a bolsa roxa de lona ainda pendurada no ombro. "Deve ser de fora. Deixe a moça *em paz*, Greggie. E o sujeito com bota de caubói é o ex-namorado de Belle, Norton Grove. Belle não devia ter se apaixonado por ele. Era um homem muito volúvel."

Delia tinha a impressão de que Bay Borough era uma cidade de desajustados. Quase todo o mundo ali tinha fugido ou sido *expulso* de algum lugar. A cidade não parecia mais tão idílica: Rick e Teensy Rackley eram tratados muito friamente por alguns cidadãos antigos; os únicos dois gays de quem tinha ouvido falar pareciam não conversar com ninguém a não ser entre si; falava-se muito de uso de drogas na rede de escolas públicas; e o escritório do Sr. Pomfret era cheio de gente brigando por demarcações de propriedades e prisões de motoristas alcoolizados.

Ainda assim ela sentia-se contente ali. Tinha sua rotina confortável, seu canto no esquema geral de coisas. Vivia entre o escritório e a biblioteca, a biblioteca e o café, achava que seu eu exterior comandava o eu interior, como alguém que fecha os olhos e finge dormir para persuadir o sono a chegar. Não que estivesse livre da tristeza, mas ela parecia deslizar em uma superfície mais suave, vários centímetros acima da tristeza. Descontava seu cheque todo sábado e jantava todo domingo no Bay Arms Restaurant. As pessoas a cumprimentavam agora quando a viam, o que considerava não só um cumprimento mas também uma confirmação. *Ali está a srta. Grinstead, exatamente no lugar que lhe é de direito.*

Mas muitas vezes alguma coisa a deixava triste. Uma música da fase Deadhead de Ramsay com seus "Knock-knock-knocking on heaven's door", por exemplo. Ou uma mãe e uma filhinha abraçando-se em frente à casa do outro lado da rua. "Ela está me abandonando", a mãe falou brincando em tom de queixa para Delia. "Está indo para sua primeira festa do pijama!"

Talvez Delia pudesse fingir para si mesma que estava de volta aos seus dias de solteira. Que não sentia falta dos filhos porque eles não tinham nascido ainda.

Mas, pensando bem, parecia que sentia falta deles mesmo então. Era possível ter havido um tempo em que ela não conhecia seus filhos?

*Querida Delia,* Eleanor escreveu. (Endereçou a carta dessa vez para George Street 14.)

*Fiquei contente de receber seu cartão-postal. É bom saber que meu presentinho foi útil e estou contente de ver que você anda lendo.*

*Acho impossível dormir se não ler pelo menos umas páginas, de preferência alguma coisa instrutiva, como biografia ou acontecimentos da atualidade. Por algum tempo, depois que o pai de Sam morreu, eu lia dicionários. Era a única coisa com divisões pequenas o suficiente para prender minha atenção. E as informações eram exatas.*

*Provavelmente Sam ficou marcado por ter perdido o pai tão cedo. Quis dizer isso no meu último cartão para você mas acho que não disse. O pai dele nunca teve uma personalidade forte. Era o tipo de homem que deixava toda a água do banho escorrer antes de sair da banheira. Sam talvez tivesse medo de poder ficar assim também quando crescesse.*

*Espero não ter me excedido.*

*Beijo, Eleanor*

Delia não sabia o que deduzir daquilo. Compreendeu melhor quando chegou o cartão seguinte, umas duas semanas depois. *Por favor me desculpe se usei um tom de sogra, talvez por isso você não tenha me respondido. Não tive intenção de justificar o meu filho. Sempre disse que ele já nasceu velho, e sei que não é fácil viver com ele.*

Delia comprou outro postal — esse com uma gravura e uma legenda dizendo "Dia de Bay em Bay Borough", deixando ainda menos espaço para escrever. *Querida Eleanor*, escreveu. *Não estou aqui só por causa de Sam. Estou aqui porque...*

Recostou-se na cama, sem saber como terminar a frase. Pensou em escrever outro cartão mas cartões-postais eram caros, então terminou finalmente. *... estou aqui porque quero começar tudo a partir do zero. Beijos, Delia.* No dia seguinte enviou o cartão quando ia para o trabalho.

Afinal de contas, não era essa a verdadeira razão? Mais verdadeira do que percebeu quando escreveu. Seu afastamento de casa tinha muito pouco a ver com qualquer pessoa específica.

Ao destrancar a porta do escritório, notou como sentia prazer no vazio daquela sala. Levantou as persianas brancas, virou a folha do calendário, sentou-se e colocou um papel na máquina de datilografia. Era possível passar em revista sua manhã inteira sem detectar um único passo em falso.

O Sr. Pomfret às vezes contratava um detetive chamado Pete Murphy. Ele não era o sujeito arrogante que Delia tinha imaginado, mas um rapaz gordinho de Easton. Parecia que era contratado com mais freqüência para *deixar* de localizar as pessoas que para localizar. Sempre que um testamento ou uma busca em livros públicos exigia seus serviços, Pete vinha caminhando pesadamente, assobiando, acenando para Delia com os dedos rechonchudos, e entrava no escritório do Sr. Pomfret. Nunca falava com ela, provavelmente nem sabia seu nome.

Mas numa manhã chuvosa chegou com uma coisa volumosa dentro do blusão impermeável.

— Tenho um presente para você — disse para Delia.

— Para mim?

— Encontrei na rua.

Abriu o zíper e um gatinho cinza e preto todo molhado caiu no chão e correu para o radiador.

— Oh! — disse Delia.

— Ei, volte para cá, seu diabinho — disse Pete.

Embaixo do radiador silêncio absoluto.

— Ele nunca vai sair dali se você mandar. Vai ter de se afastar um pouco, virar o rosto para o lado e fingir que não está olhando.

— Você fica encarregada disso — disse Pete. Tirou os pêlos do gato presos na manga e dirigiu-se para o escritório.

— Eu? Mas... espere! Eu não posso! — disse Delia, falando agora com o Sr. Pomfret que tinha ido até a porta ver o que estava acontecendo. — Ele trouxe um gato perdido! Eu não posso ficar com o gato!

— Ora, ora, tenho certeza de que vai conseguir dar um jeito nisso — falou o Sr. Pomfret. — A Srta. Grinstead foi uma gata na última encarnação, sabia? — disse a Pete.

— Verdade? — Pete falou, entrando no escritório seguido do Sr. Pomfret.

Na meia hora seguinte Delia trabalhou com um olho no radiador. Ficou espiando para ver o rabo cinza e preto tigrado aparecer por trás de um cano, já quase seco e fofo. Teve a sensação de estar sob vigilância.

Quanto Pete voltou, ela disse:

— Esse gato deve ser de alguém. Já pensou nisso?

— Duvido muito. Não vi nenhuma coleira nele — disse, acenando para ela e saindo. Quando a porta bateu, o gato mostrou a ponta do rabo.

Delia levantou-se e foi ao escritório.

— Com licença — falou.

— Hummmm? — disse o Sr. Pomfret, já na frente do computador. Naquela manhã tinha descoberto uma coisa chamada Localizar-e-Substituir, aparentemente muito interessante. Seus dedos batiam no teclado e ele esticava o pescoço para a tela.

— Sr. Pomfret, o gato continua debaixo do radiador e eu não posso levá-lo para lugar algum. Nem tenho carro!

— É melhor pegar uma caixa no armário de suprimentos. Droga! — Bateu em várias teclas ao mesmo tempo. — Veja só isso aqui, Srta. Grinstead. Preciso da sua ajuda.

— Eu moro em uma pensão! — Delia disse.

O Sr. Pomfret pegou o manual do computador e começou a folheá-lo.

— Quem escreveu essa porcaria? Não foi um ser humano, aposto. Por que a senhorita não sai mais cedo e leva o gatinho? Pode deixar que eu tranco o escritório. Está bem assim?

Delia deu um suspiro e foi para o armário de suprimentos.

Lembrou-se que a Pet Heaven poderia ajudar. Esvaziou uma caixa de papelão que continha envelopes pardos e levou-a para a outra sala. Ajoelhando-se diante do radiador colocou a palma da mão no chão.

— Psspsspss! — disse. E esperou. Depois de um minuto sentiu um friozinho no dedo médio. — Pssspsss! — repetiu. O gato olhou para ela, mostrando apenas o bigode e o focinho arredondado. Com cuidado, Delia curvou a mão em volta do corpo frágil e puxou-o para a frente.

Ele não passava de um gatinho — um gatinho esquelético com patas grandes e pernas compridas. O pêlo era incrivelmente macio, lembrava algodão do campo. Quando o acariciou, ele encolheu-se debaixo da sua mão mas parecia perceber que não tinha para onde fugir. Delia levantou-o, colocou-o na caixa de papelão e dobrou as bordas. Ele deu um miado fraquinho, depois ficou em silêncio.

A chuva ainda caía e, como ela não tinha uma mão livre para abrir o guarda-chuva, saiu correndo pela calçada desprotegida. A caixa balançava nos seus braços como se tivesse uma bola de boliche dentro. O gatinho era bem pesado para o seu tamanho.

Virou na esquina e deu em frente à Pet Heaven. Uma mulher grisalha estava por trás do balcão checando uma lista.

— A senhora por acaso sabe se existe uma Sociedade Protetora dos Animais aqui em Bay Borough? — Delia perguntou.

A mulher olhou-a por um instante, refocalizando os olhos azuis vagos, e disse:

— Não, a mais perto fica em Ashford.
— Ou algum outro lugar que cuide de animais perdidos?
— Sinto muito.
— Talvez a *senhora* queira um gato.
— Deus meu! Se eu levar para casa outro gato perdido, meu marido me mata.

Então Delia desistiu e comprou uma caixa de ração e um saquinho com areia para servir de lixo, do menor tamanho que tinham, só para uma noite. E carregou o gato para casa.

Belle tinha chegado antes dela e estava falando ao telefone da cozinha. Delia ouviu sua gargalhada. Subiu as escadas na ponta dos pés, destrancou a porta do quarto, colocou a caixa de papelão no chão e fechou a porta. Olhou no espelho e achou-se com cara de maluca, com mechas de cabelo molhado grudadas na testa. Os ombros do seu suéter estavam ensopados de chuva e a bolsa, toda manchada e riscada.

Ajoelhou-se na caixa e levantou as abas. Lá dentro o gatinho estava enrolado que nem um caracol, olhando para ela. Delia sentou-se na beira da cama e olhou em outra direção com determinação. Pouco depois o gatinho pulou para fora da caixa e começou a cheirar o assoalho. Delia ficou onde estava e ele enfiou-se debaixo da cômoda e voltou com os bigodes sujos de poeira. Depois aproximou-se da cama, olhando para todo lado. Delia virou a cabeça para o lado, e em seguida sentiu o colchão afundar ligeiramente onde ele caiu. Passou por trás dela, esfregando delicadamente o corpo nas suas costas como que por acaso. Delia não moveu um músculo e sentiu que os dois estavam dançando juntos, uma dança refinada, elaborada e digna.

Mas não poderia ficar com ele.

Então ouviu os saltos dos sapatos de Belle nas escadas. Belle quase nunca ia lá em cima, mas naquele dia resolveu ir. Delia olhou para o gato, como que pedindo que ele se escondesse, mas ele ficou imóvel e olhou fixo para a porta. Quando ouviu baterem, foi parar no meio do travesseiro com o rabo esticado na vertical. Impossível não ser visto nessas condições.

Delia pegou-o por baixo das pernas dianteiras e sentiu seu coração bater rápido.

— Só um instante — falou, correndo para a caixa de papelão. Mas Belle decerto não ouviu, pois foi entrando e falando.

— Delia, isso aqui... — Depois disse: — Ei!

— Estou tentando encontrar uma casa para ele — Delia falou, empertigando-se.

— Ah, que gracinha!

— Não se preocupe, não vou ficar com ele.

— E por que não? Quer dizer... ele é manso, não é?

— Todos os gatos são mansos. Pelo amor de Deus!

— Então, por que não ficar com essa coisinha tão fofa? Esse gatinho tão pequenininho? — Abaixou-se e esticou as unhas bem cuidadas para ele cheirar. — Ele tem o pêlo fofo e a cara zangada.

— O detetive do Sr. Pomfret encontrou-o andando na chuva — Delia explicou. — E sobrou para mim. Não pude fazer nada. Mas sabia que não podia ficar com ele. Onde iria pôr a caixa de areia, para começar?

— Que tal no banheiro? — disse Belle, coçando as orelhas do gatinho.

— Mas como ele sairia do quarto para usar a caixa?

— Você pode deixar a porta entreaberta para ele poder entrar e sair à vontade. Como ele é macio! Não sei por que você tem de trancar essa porta. Bay Borough é uma cidade pequena, quem vai querer te roubar? Quem vai entrar aqui e te violentar?

— Bom...

— Pode crer, o Sr. Lamb não vai conseguir esconder seu entusiasmo.

Belle fez um carinho no queixo do gato, ele virou a cabeça para trás todo feliz e começou a ronronar como o motor de um Ford bigode antigo.

— Não sei se quero complicar minha vida tanto assim — disse Delia.

— Mas ele é uma complicação? Uma grande preocupação?

Naquele momento Delia viu que ela estava trazendo um envelope, decerto foi por isso que subiu. Era a letra de Eleanor. Delia sentiu-se de repente sobrecarregada demais. As coisas estavam se avolumando dentro dela!

— Como é, vai ficar com o gatinho ou não? — Belle perguntou.

— Acho que vou.

— Que bom! O que acha de dar a ele o nome de Puffball?
— Hummm — Delia falou, fingindo considerar a idéia.

Ela não aprovava nomes engraçadinhos para gatos. Além do mais, já estava pensando nele como George.

Delia foi para a cama naquela noite antes de ler a carta de Eleanor. Era mais ou menos a mesma coisa: um agradecimento ao seu cartão-postal e notícias do seu trabalho voluntário na Meals on Wheels. *Posso me sentir solidária a você nesse seu desejo de começar de novo!* escreveu. (Aquela expressão cuidadosa, *me sentir solidária*, mostrava seu esforço para dizer exatamente a coisa certa.)

*Estou aliviada de ser essa a razão de você ter nos deixado. Pensei que o problema fosse Sam. Talvez ele quisesse uma esposa frívola, e nesse caso você não pode ser censurada por não ser.*

*Mas quando terminar de começar de novo, pensa em voltar ao presente e vir para casa? Estou só perguntando. Um beijo para você, querida*

*Eleanor*

Uma pata peluda puxou a folha e Delia pôs a carta de lado. O gato tinha encontrado um lugar para descansar ao lado dela, em cima dos cobertores. Tinha comido uma enorme refeição e ido duas vezes à caixa de areia no banheiro. Dava para ver que estava começando a se sentir em casa.

Delia pegou seu livro — Carson McCullers — e abriu a página onde tinha parado na noite anterior. Leu dois contos e começou um terceiro. Sentiu sono e pôs o livro no peitoril da janela, desligou a luzinha de leitura e colocou-a em cima do livro. Pela porta entreaberta vinha uma luz que dava um tom amarelado ao assoalho. Ela enfiou-se debaixo das cobertas com cuidado para não incomodar o gato, e ele encostou-se nas suas costas como se estivesse se movimentando por acaso, mas era um movimento intencional.

Pensando bem, como era estranho os animais dividirem seu espaço com os seres humanos! Se ela estivesse numa região agreste e uma criatura do mato chegasse assim tão perto, ficaria assustada.

Bocejou, fechou os olhos e puxou o cobertor até os ombros.

Um dos contos que tinha lido naquela noite chamava-se "Uma árvore, uma pedra, uma nuvem". Um homem nesse conto dizia que as pessoas deviam começar amando coisas mais fáceis antes de amar outra pessoa. Propunha que se começasse com uma coisa menos complexa. Como uma árvore. Ou uma pedra. Ou uma nuvem. Essas palavras ficaram batendo em ritmo na sua cabeça: árvores, pedra, nuvem.

Primeiro um tempo sozinha, depois umas duas amizades superficiais, depois um animal sem exigências. Ficou pensando no que viria em seguida, e onde terminaria.

# 10

No domingo antes no Dia de Ação de Graças, Belle esperou Delia embaixo da escada.

— Dee, o que você vai fazer no feriado?

— Hummmmm....

— Não quer almoçar aqui em casa?

— Eu adoraria — Delia disse.

— Vou fazer um jantar bem tradicional: peru recheado, molho, geléia de *cranberry*...

— Eu não sabia que você cozinhava.

— Eu não cozinho. É uma armadilha. Estou tentando parecer dona de casa para o cara com quem estou saindo.

Naquele momento Belle parecia tudo menos dona de casa. O domingo era sempre um dia movimentado na imobiliária e ela estava pronta para sair, com um casaco roxo grande e ombreiras imensas, parecendo uma roupa espacial de um alienígena, e calça lilás por baixo. Seu perfume, cheirando a fruta passada, infestava o ambiente.

— Vanessa vem com o Greggie. É boa idéia convidar uma criança, não acha? Vem também um casal de fora a quem acabei de vender uma casa, é sempre bom...

— Eu posso ajudar a fazer a comida — Delia disse.

— A comida vou comprar pronta, mas isso é um segredo entre mim e você. Talvez você possa dar um toque de classe, digamos assim, ao ambiente. Preciso que esse cara me veja como uma mulher digna e respeitável. Pode também me orientar quanto à decoração: escolher o centro de mesa e outros detalhes. Na certa fazia esse tipo de coisa em casa, não é? Por acaso você tem uma dessas cestas que parecem uma cornucópia?

— Não sou muito jeitosa, mas terei prazer em fazer o que puder.

— Ótimo — disse Belle tocando o gato, que tinha seguido Delia até lá embaixo, e abrindo a porta da frente. Lá fora estava um dia frio e cinzento. — O nome dele é Henry McIlwain, já disse? Estamos saindo juntos há várias semanas e gostaria que o namoro ficasse mais sério. Não quero que ele pense que sou só um passatempo! Talvez você possa fazer umas observações na frente dele. Alguma coisa como, "Belle, espero que você tenha feito seu famoso prato de couve-de-bruxelas".

— Você vai servir couve-de-bruxelas?

— Não tenho escolha. É a única verdura que o Copp Catering oferece que cabe no meu forno.

— Como você se arrumava com as refeições quando vivia com Norton?

— Nós comíamos fora. Mas dessa vez quero fazer as coisas de forma diferente. Talvez enquanto Henry esteja te ouvindo você possa me pedir uma de minhas receitas.

— Estou louca para saber o que você vai responder — disse Delia.

— O almoço é à 1h, mas pode descer um pouco antes para me ajudar a pôr a mesa, OK? E vista aquela sua roupa cinza listradinha. É tão... você sabe o que eu quero dizer.

* * *

No Dia de Ação de Graças Delia dormiu até mais tarde e ficou na cama tomando chá e lendo, com o gato enroscado ao seu lado. Do outro lado do corredor, no quarto do Sr. Lamb, uma voz de propaganda falava num tom monótono. Era um anúncio de televisão, Delia constatou, não de rádio. Agora que mantinha a porta entreaberta, podia ouvir a música aumentar e diminuir sem nenhuma razão aparente, respondendo a algum apelo visual; e naquele dia percebeu frases distintas toda vez que saía para pegar mais água para o chá. "A ursa mãe guia seus filhotes..." e "A aranha fêmea injeta nas suas vítimas..." Evidentemente o Sr. Lamb estava vendo programas sobre a natureza.

Logo depois do meio-dia resolveu se vestir. Era uma pena não ter um colar de pérolas para dar um toque festivo à roupa, pensou. Ou pelo menos uma echarpe. Ela não tinha uma estampada com vírgulas cinzentas nas bordas? Tinha sim, mas em Baltimore. Podia ver a echarpe dobrada na caixa de luvas de laca da sua avó.

Colocou uma camada de batom com brilho extra e foi ao espelho ajeitar o cabelo. Estava mais comprido agora, fazendo com que o ondulado ficasse mais uniforme e menos revolto — muito apropriado para a Srta. Grinstead. Mas quando deu um passo atrás para ver o efeito total, a pessoa que lhe veio à cabeça não foi a Srta. Grinstead e sim Rosemary Bly-Brice.

Saiu do espelho e pegou o vaso de flores de outono que tinha comprado na véspera.

O gato foi atrás dela. Desceu as escadas e ficou rodando em volta dos seus tornozelos quando ela bateu na porta da sala.

Como ninguém respondesse, tentou a outra porta, a da direita, e finalmente girou a maçaneta e enfiou a cabeça pela porta.

— Alguém em casa? — perguntou.

Meu Deus, Belle precisava mesmo dos seus serviços. A mesa — uma dessas peças compridas e estreitas imitando madeira que se vêem nos bazares de associações de pais e mestres — não tinha nem toalha ainda. Delia pôs as flores num canto e entrou na cozinha.

— Belle?

Belle estava debruçada na pia, com os braços aparecendo através de um avental branco de babados, as lágrimas escorrendo pelo rosto.

— Belle, o que aconteceu? — Delia perguntou.

— Ele não vem — ela respondeu laconicamente.

— Seu namorado?

— Ele voltou para a mulher.

— Eu não sabia que ele *tinha uma mulher*.

— Mas tem.

— Ah, sinto muito.

Na verdade estava chocada, mas tentou não demonstrar. Não era de surpreender que Belle quisesse tanto parecer respeitável! Delia lhe deu uma palmadinha no ombro, caso ela quisesse ser consolada. Belle virou-se e soluçou agarrada ao seu pescoço.

— Ele era perfeito para mim! Era exatamente o que eu queria! Mas hoje de manhã me telefonou e... oh, eu já devia saber pois estava falando baixinho, sussurrando com uma voz reservada, como se estivesse com medo de alguém ouvir...

Soltou-se de Delia para pegar um pedaço de papel-toalha do rolo que ficava debaixo da pia. Secando primeiro um olho, depois o outro, disse:

— Ele falou para mim que tinha acontecido uma coisa. E eu perguntei, "O que foi?" Pensei que talvez o carro dele não tivesse pegado ou que ele quisesse trazer um amigo. "É que parece que Pansy e eu vamos voltar a viver juntos", disse.

— Pansy é a mulher dele? — Delia arriscou.

— É, e o nome do bebê é Daffodil, dá para acreditar?

— Eles têm um bebê?

— E não foi um bebê de primavera. Ele nasceu em outubro.

— Você quer dizer... em outubro *deste ano*?

Belle fez que sim e assoou o nariz com estardalhaço.

— Então o bebê só tem um mês?

— Um mês e meio.

— Ah!

O avental de Belle era tão novo que os grampos da embalagem ainda estavam marcados no tecido. Seu penteado estava mais alto que nunca e pela primeira vez Delia a viu de vestido — devia ser um vestido, pois as pernas ficavam visíveis debaixo do avental, cobertas por meias de náilon de um branco lustroso. Mas seu rosto estava um desastre — batom borrado, rímel escorrendo dos olhos e lágrimas cobrindo-lhe o rosto.

— Você vai ter de telefonar para os outros convidados — ela disse, com a voz embargada. — Não tenho a menor condição de enfrentar esse almoço.

— Mas já está tudo pronto — Delia falou, notando as quentinhas em cima do balcão, travessas e talheres empilhados na mesa da cozinha e pratos vazios esperando para serem usados. Pelo vidro do forno iluminado viu o peru assado, embora não sentisse o cheiro, por alguma razão.

— O peru parece quase pronto — falou para Belle.

— Já chegou pronto. Está aquecendo porque ficou na geladeira desde ontem.

— Então por que não faz sua festa? Talvez consiga se animar um pouco.

— Nada pode me animar — disse Belle.

— Deixe comigo. Fique sentada aí que eu cuido de tudo.

— Eu queria estar morta e enterrada — Belle falou, puxando uma cadeira da cozinha, afundando-se nela e pegando o gato do chão. — Estou velha demais para levar um fora! Tenho 38 anos de idade. É *cansativo* viver arranjando namorado.

Delia não fez nenhum comentário, estava procurando uma toalha de mesa. Não dava para imaginar onde Belle guardava as toalhas. Sua cozinha era dessas com paredes brilhantes nuas, eletrodomésticos enormes e armários de metal branco com gavetas manchadas de ferrugem. Abriu todas as gavetas, mas a maioria estava vazia. Finalmente localizou um amontoado de panos debaixo da pia.

— Ah! — falou, sacudindo um toalha adamascada toda amarrotada. Levou-a para a sala de jantar e colocou-a na mesa com as flores que tinha trazido no centro. — Você deve ter castiçais em casa — disse.

— Nós nos conhecemos na primavera — disse Belle. — Fui eu que vendi a casa deles. Estavam se mudando para um lugar maior por causa do filho que ia nascer. Levei seis meses para vender a casa, com o mercado do jeito que anda.

Delia abriu todas as gavetas do aparador verde que servia de bufê na sala de jantar. Encontrou dois castiçais de metal amarelo no meio de um emaranhado de fios e colocou um de cada lado das flores. Enquanto isso, Belle, da cozinha, falava que tinha vendido a casa bem quando Daffodil nasceu. "A escritura foi feita dois dias antes do previsto e o bebê nasceu três dias depois. Então, naturalmente, fui ao hospital com um presentinho. Henry todo prosa, com um ar de pai, me levou para ver o bebê pelo vidro do berçário no corredor e falou que ele era uma gracinha e todas essas baboseiras. Eu estava apaixonada. Não ouvia uma palavra do que ele dizia, ficava só olhando sua boca se mexer, e de repente pensei, *Se eu lhe desse um beijo aqui, o que será que ele faria?"*

— Você tem velas?

— Procure no armário de vassouras. — Belle assoou o nariz com um barulho tão forte que o gato pulou do seu colo. — E ele nem era o meu tipo ideal de homem. Muito magro! E pálido! Siderado em computador! Mas fiquei lá pensando, *E se eu desabotoasse minha blusa bem em frente ao vidro do berçário, olhando para sua boca o tempo todo e passando a ponta da língua no meu lábio inferior?*

As velas não se encontravam no armário de vassouras mas em cima da geladeira, em uma caixa branca amarelada. Estavam amareladas e um pouco tortas, mas Delia ajeitou-as nos castiçais. Depois pegou os pratos e os talheres na mesa da cozinha e colocou tudo em cima da mesa da sala de jantar. Belle falou das cólicas do bebê, das brigas do casal, da sua boa vontade de ouvir tudo isso.

— Eu fiz todos os planos e esperei. Disse que minha porta estaria sempre aberta para ele. Às 2h, 3h, 4h da madrugada ele largava aquele ambiente cheirando a leite vomitado e fraldas sujas e me encontrava aqui de camisola da Victoria's Secret.

E pensar que tudo isso acontecia enquanto Delia dormia a sono solto! Ela verificou o peru, que parecia ter afundado em volta do osso do peito. Encontrou as couves-de-bruxelas nas quentinhas e colocou-as no forno a 350 graus. Havia uns biscoitos também, que achou melhor esquentar na última hora.

— Há duas semanas Pansy voltou para a casa da mãe — Belle continuou. — Levou Daffodil e foi embora. Fiquei felicíssima. Não notou como eu andava radiante ultimamente? Oh, Delia, como você agüenta viver sem um amor?

Segurando os guardanapos de papel estampado com pingüins, Delia parou e pensou na pergunta.

— Bom, eu sinto falta de *abraços*, acho. Mas hoje em dia quando penso em... no resto todo, fico meio perplexa. E penso, *Por que isso parecia tão importante antigamente?* Mas imagino que é só...

A campainha tocou.

— Oh, meu Deus, não cancelamos o almoço — disse Belle, como se não tivesse presenciado os preparativos de Delia. — Puxa! Não vou agüentar isso! Veja quem chegou, por favor, enquanto tento ajeitar minha cara.

Quando Delia atravessou a sala de jantar para abrir a porta, achou-se desbotada, magra e virginal, como uma tia solteirona cumprindo suas obrigações.

Era Vanessa de blazer de couro e jeans, com Greggie pendurado no quadril. Por trás dela, saindo do carro, Delia viu um homem e uma mulher que deviam ser o casal ao qual Belle se referiu. Mal teve tempo de cochichar para Vanessa que Henry McIlwain tinha voltado para a mulher, antes de o casal chegar na varanda. "Olhe só que garotão!", disse o marido para Greggie. Era um rapaz de seus 30 anos apenas mas grave como um homem de meia-idade, segundo Delia, com um tufo de cabelo preto na frente e já meio calvo, vestindo um sobretudo preto formal. Sua mulher era uma morena atraente e arrumadinha, com um conjunto vermelho de lã que lembrou a Delia a roupa da Barbie.

— Sou Delia Grinstead. Essa é Vanessa Linley, vocês se conhecem? E este é Greggie.

— Nós somos os Hawser — disse o marido pelos dois. — Donald e Melinda.

— Vamos entrar?

Pensou em levá-los para a sala de visita, mas quando se virou, viu Belle na porta da sala de jantar. Estava toda sorridente, ajeitando o enorme decote de um vestido florido abotoado na frente. — Feliz Dia de Ação de Graças! — disse. O jeito que tinha dado no rosto não ficou muito bom. Ainda se viam riscos cinzentos descendo pelas bochechas e os olhos estavam vermelhos e inchados. Mas ela falou: — Que bom que vocês vieram! Vamos entrar e sentar.

O único lugar para sentar era em volta da mesa.

— Donald, você se senta à minha direita e Vanessa à minha esquerda, com Greggie do lado. Se ele precisar ficar mais alto pode pegar os catálogos telefônicos que estão na cozinha. E Melinda fica do outro lado de Greggie.

Talvez fosse costume local servir diretamente a comida. Mas até mesmo Vanessa parecia surpresa. O marido (ainda de sobretudo) ficou parado no lugar antes de aproximar-se da cadeira.

— Estamos... atrasados? — perguntou para Belle.

— Atrasados? De maneira alguma! — respondeu, dando uma gargalhada sonora. — Delia, você se senta ao lado de...

— Oh, Delia, francamente!

— O que aconteceu? — Delia perguntou.

— Você pôs lugares demais!

Era verdade. Delia tinha colocado na mesa de jantar tudo que encontrou na mesa da cozinha, o que devia incluir o prato e os talheres de Henry McIlwain. Belle olhou para a cadeira da ponta, com os olhos marejados de lágrimas.

— Desculpe — disse Delia. — Nós podemos...

— Vá buscar o Sr. Lamb — Belle ordenou.

— O Sr. Lamb? Lá de cima?

— Depressa. Estamos todos esperando. Diga que vamos começar sem ele se não descer logo.

O que teriam comido, Delia não podia imaginar, pois não havia nem sombra de comida à vista. Mas Vanessa, voltando da cozinha com vários catálogos telefônicos, disse para Delia:

— Pode ir. Eu trago a comida.

Delia saiu no hall, que parecia muito quieto depois da confusão da sala de jantar. Seguida pelo gato, subiu as escadas e bateu na porta do Sr. Lamb. "Desesperadamente, os salmões se atiram contra a correnteza", dizia uma voz séria. A porta foi entreaberta, deixando ver o rosto ossudo do Sr. Lamb.

— Pois não! — disse. Mas naquele instante George conseguiu passar pela fresta da porta. — Oh! — falou o Sr. Lamb.

— Belle me pediu para convidar o senhor para o almoço do Dia de Ação de Graças, — Delia falou.

— Parece que o seu animal entrou no meu quarto!

— Desculpe. Venha aqui, George!

Fez menção de entrar para pegar o gato e o Sr. Lamb abriu de má vontade um pouco mais a porta. Sentiu o cheiro de avelã de roupas usadas e enfiadas nas gavetas sem lavar. A luz gelada da televisão brilhava no quarto mortiço. Pegou George e deu meia-volta.

— Eu estive pensando em falar sobre a caixa de areia debaixo da pia do banheiro — disse o Sr. Lamb.

— A...

— Seu gato não pode fazer as necessidades lá fora?

— Não no meio da noite — Delia respondeu, segurando George com mais força. — O senhor vai descer para almoçar ou não?

— A que horas?

— Hum... agora.

— Bom, creio que posso ir — disse o Sr. Lamb.

Olhou para sua roupa — uma camiseta velha, calça larga escura — e fechou a porta na cara dela.

Delia pensou como um homem que gostava tanto de programas sobre a natureza podia reclamar de um gato inofensivo.

Lá embaixo Vanessa tinha acabado de levar tudo para a mesa: o peru, a couve-de-bruxelas, geléia de cranberry, purê de batata-doce coberto com bolinhas de marshmallow, tudo nas quentinhas. Ainda vestida com o blazer de couro, tirava com a colher o recheio do peru. Greggie estava sentado na pilha de catálogos, chupando o dedo e observando a mãe com olhos pesados. Devia ser sua hora de dormir.

Belle falava sobre Henry com os Hawser.

— O que não consigo entender é quando tudo isso aconteceu. Na noite passada, por volta das 22 horas, tudo estava muito bem. Henry e eu jantamos em Ocean City, um jantar e tanto. E hoje ao meio-dia ele disse por telefone que tudo acabou. Está completamente mudado.

— Sua mulher decerto apareceu de manhã — disse Donald Hawser com prudência. Tinha pendurado o casaco nas costas da cadeira e acendia as velas com um isqueiro de prata. — Deve ter se levantado da cama de manhã e dito a si mesma, "Aqui estou eu, longe de casa em pleno Dia de Ação de Graças. Um feriado de família".

Delia pôs o gato no chão e sentou-se ao lado de Donald. *Um feriado de família*, pensou, *e aqui estou eu comendo um peru comprado pronto com estranhos*. Achou-se maluca e aventureira.

— "Aqui estou eu com minha mãe quando devia estar com meu marido", deve ter dito, fazendo a mala e voltando para ele. Mas ele só pôde avisar ao meio-dia porque não teve como fazer de outra forma, não podia se arriscar a começar a desculpar-se e ter de desligar o telefone na sua cara se ela entrasse no quarto de repente.

— Donald tem opinião formada sobre todos os assuntos — disse sua mulher com uma risada sem graça.

Ela estava sentada com ar muito tenso, coluna bem reta, mal encostando na cadeira. Seu cabelo era todo enrolado para cima nas pontas.

— Pode chamar isso de dom — Donald concordou, tranqüilo. — Eu sou capaz de imaginar cenas. Primeiro, ela se instalando na casa com o bebê, uma sacola de fraldas sem dúvida e o carrinho...

— Mas ele podia ter mandado a mulher embora! — Belle explodiu. — Ele nem ao menos a ama! Disse que não a amava!

— Bom, é claro que é o que diria — Donald falou, recostando-se na cadeira.

Àquela altura Vanessa estava trinchando o peru. Delia começou a passar as outras comidas e percebeu que a couve-de-bruxelas estava morna e as batatas-doces estavam frias, mas todos se serviram assim mesmo.

— Você tem razão! — Belle falou. — Quando é que vou aprender? Parece que isso me acontece quase toda semana. Norton Grove foi o único que realmente se divorciou da mulher por mim, e olhem como a coisa acabou!

— Acabou como? — Delia perguntou.

— Ele apaixonou-se por uma mulher que veio consertar nossa pia, que tinha problema nos canos.

Donald meneou a cabeça, mostrando que poderia ter previsto isso.

— É como Ann Landers diz na sua coluna. Diz que o homem que deixa a mulher provavelmente vai deixar você também em pouco tempo.

— Você deve procurar alguém que não *tenha* uma mulher — sugeriu Vanessa, passando para o filho uma asa de peru.

— É, mas acho que não tenho imaginação. Quer dizer, só consigo me imaginar casada com um homem depois de ver esse homem casado com outra. Então digo a mim mesma, "Ora, ele seria um bom marido para *mim!*"

A porta do corredor abriu e o Sr. Lamb apareceu no portal, com um terno preto brilhante que o deixava muito pálido.

— Oh, meu Deus, você tem convidados — disse.

— E o senhor é um deles, Sr. Lamb — Belle disse. — Donald Hawser, Melinda Hawser... e Vanessa e Greggie que o senhor já deve ter visto por aqui. Este é o Sr. Lamb — disse aos outros, mostrando a cadeira vazia. — Sente-se, por favor.

— Não vou poder ficar muito tempo.

— *Sente-se*, Sr. Lamb.

Ele entrou na sala com um barulho abafado e, ao olhar para baixo, Delia viu que ele usava esse tipo de chinelos sem calcanhar que dão em hospitais públicos.

— Esta tarde vão mostrar esportes, esportes e mais esportes — disse, sentando-se na cadeira. — Toda a programação está tomada por isso. Fui reduzido aos canais educacionais.

— Agora me diga — falou Donald. — Para quem o senhor vai torcer?

— Como? Nos dias de semana gosto de ver novelas. Confesso isso. Admito isso. Tento parar tudo para ver *All My Children* todo santo dia quando estou na estrada.

— Em que você trabalha, Horace? Posso chamá-lo de Horace?

— Eu vendo janelas duplas de inverno — disse o Sr. Lamb. Aceitou as batatas doces e ficou olhando para o prato. — Está com uma cara muito boa — disse. Seus dentes compridos da frente eram tão proeminentes que os lábios não fechavam bem. Levantou os olhos encovados para Belle e disse: — Infelizmente, tenho um estômago muito sensível.

— Pode comer, vai lhe fazer bem. Estamos falando de homens casados.

— Como?

— Outro problema que tenho é que quando olho para um homem casado não posso acreditar que ele não vai me achar irresistível.

— Irresistível?

— Estou falando para a mesa toda, Sr. Lamb. Coma sua comida. Vejo um homem com a mulher, uma mulher chata que nem tenta se manter bem, e penso, *Por que ele não iria me preferir? Sou muito mais divertida, e muito mais bonita.* Mas é como se as mulheres tivessem algum poder que eu não consigo desfazer. É um segredo? Um segredo que vocês todas passam adiante?

Olhava para Melinda Hawser, mas Melinda deu mais uma de suas risadas e começou a pegar migalhas de pão do seu prato.

— É isso? — perguntou a Delia.

— Oh, não — disse Delia. — É mais como... qual é mesmo a palavra? A palavra da aula de ciências. Momentum?

— Inércia — disse o Sr. Lamb.

— Certo — concordou, olhando para ele. — É uma questão das pessoas se manterem onde estão.

— Se for assim — disse Belle — como é que Katie O'Connell fugiu para o Havaí com Larry Watts? Deve ter descoberto o segredo. Quando Larry Watts morava aqui, nunca olhou para mim! Parecia até me evitar. Me tratou como se eu fosse uma mulher promíscua no dia em que o convidei para descer e tomar um drinque comigo!

Sua boca caiu para os lados e ela cobriu os olhos com a mão. Donald disse:

— Ora! Pare com isso!

E Vanessa falou:

— Belle, não chore.

E o Sr. Lamb ficou coçando o nariz furiosamente.

— Para ser franca — disse Melinda, com voz cristalina — não posso imaginar por que você quer um marido.

Fez-se silêncio, como se os outros convidados estivessem considerando a situação.

— Quem você acha que pensa primeiro em casamento? — Melinda perguntou, olhando para Greggie atracado a uma asa de peru bem melada. — Todo o mundo força a barra, especialmente as mulheres. Sua mãe, suas tias, suas amigas. Depois que você casa vê que o homem é cheio de si, está sempre falando de alguma coisa, tem teorias e faz pronunciamentos, está sempre se vangloriando do seu sucesso no trabalho. "Eu disse isso para eles, eu disse aquilo." Então você pergunta, "E como eles reagiram?" E ele diz, "*Você* sabe, mas então fui bem direto, falei com toda a franqueza, disse..." E se você mencionar isso para sua mãe e suas tias elas vão falar, "Mas o casamento é um inferno mesmo". Então eu pergunto, "Se vocês sabiam disso, por que não me disseram antes? Onde estavam quando anunciei meu noivado?"

— É — o marido reagiu, olhando em volta da mesa. — Mas eles vão pensar que você está falando do *nosso* casamento, querida.

Todos esperaram, mas Melinda serviu-se de uma couve-de-bruxelas.

— Não pensaríamos nunca isso — Belle assegurou, já refeita, as lágrimas secando no seu rosto. — Um homem maravilhoso como você? É claro que não pensaríamos. — Virou-se para os outros e disse: — Donald e Melinda são meus clientes. Compraram a antiga casa dos Meers, um lugar lindo. Donald é um executivo importante na fábrica de móveis.

Melinda comia a couve-de-bruxelas com grande barulho, ou talvez parecesse barulho porque a sala estava muito silenciosa.

— A *Sra.* Meers foi para uma casa de idosos, mas o Sr. Meers continuava morando lá. Ele mesmo nos mostrou a casa e nos ensinou a lidar com o compactador de lixo. "Aqui no freezer há 144 claras de ovo, grátis", disse.

— Gente que faz maionese em casa — o Sr. Lamb explicou.

Belle ia falar, mas parou e olhou para ele.

— Você estaria interessado em janelas duplas de inverno? — o Sr. Lamb disse para Donald.

— Realmente não — Donald disse, de olho na esposa.

— Achei mesmo que não.

— Aquela casa não precisa de absolutamente nada — Belle falou. — Os Meers cuidavam muito bem dela. E Donald, Don... percebeu isso desde que foi lá pela primeira vez — disse sorrindo para ele.

— Melinda e eu temos um *ótimo* casamento. Estamos casados há sete anos — Donald falou, ainda observando a esposa. — Éramos um desses casais famosos do campus da faculdade. Namoramos firme, ficamos noivos e tudo o mais.

— Eu conheço esse tipo de gente — disse Belle.

— Melinda me conhece há tanto tempo que ainda me chama de Hawk! Hawk Hawser — continuou, olhando dessa vez para Belle. — Como me chamavam no time de basquete. Eu era um astro, diziam, mas não tinha altura suficiente para ser profissional.

— É mesmo? — disse Belle.

— Hawk Hawser — ele repetiu devagar.

— Acho que ouvi falar de você.

— Talvez, se já esteve em Illinois. No Jerry Bingle College.

— Jerry Bingle. Hum....

— Eu era armador.

— Verdade?

— E no meio do meu último ano...

— Marshmallow — Greggie pediu.

Ele não tinha problema de pronunciar certas palavras, como outras crianças. Falava de forma correta e precisa.

— Mamãe, marshmallow.

Foi Delia, finalmente, que pescou um marshmallow nas batatas-doces e colocou no prato de Greggie. Todos estavam observando Belle. De boca aberta e ofegante, milagrosamente recuperada, Belle mexia no botão do alto do vestido com um movimento hipnótico e circular, fixando o olhar embevecido nos lábios de Donald.

# 11

Às vezes o Sr. Pomfret mandava Delia sair para colocar mais moedas no parquímetro para um cliente. Outras vezes estalava os dedos quando precisava dela. Um dia jogou sua capa de chuva em cima dela e mandou-a levar para a tinturaria que lavava em 1 hora. "Sim, Sr. Pomfret" — ela murmurou. Quando voltou, colocou o recibo na sua mão com a precisão de uma enfermeira passando um bisturi.

Mas agora começava a sentir uma certa rebeldia.

— Srta. Grinstead, não está vendo que estou *pesquisando* aqui? — ele dizia quando Delia trazia cartas para serem assinadas. Então ela falava "Desculpe, Sr. Pomfret", mas num tom neutro, com a expressão dura que nem granito. E de volta à sua mesa, imaginava-se retrucando. *O senhor e seu computador ordinário! O senhor e suas pesquisas, seu Procure-e-destrua, ou o que quer que seja.*

Numa sexta-feira no início de dezembro, um homem grisalho e encurvado, com um casaco de beisebol, chegou no escritório sem marcar hora.

— Meu nome é Leon Wesley — disse a Delia. — Estou com um problema com meu filho Juval. Será que o Sr. Pomfret teria um minuto para me atender?

A porta do escritório do Sr. Pomfret estava fechada — era cedo, hora reservada para ele folhear novos catálogos — mas quando Delia perguntou, ele disse:

— Leon? É claro, Leon foi quem recapeou a entrada de carro da minha casa. Mande-o entrar. E traga um bule de café para nós.

Era impossível deixar de ouvir o que o Sr. Wesley falava. Contou toda a história antes de sentar, enquanto ela moía o café, de modo que o Sr. Pomfret tinha de lhe pedir para repetir. Disse que Juval tinha sido recrutado para servir na Marinha logo depois do Natal. Seu futuro era altamente promissor e tinham ficado muito interessados nas suas qualificações, que pareciam incluir algum conhecimento técnico, que Delia não conseguiu ouvir. Na noite anterior, sem mais nem menos, ele foi preso por arrombamento e invasão de domicílio. Foi pego subindo pela janela da sala de jantar dos Hanff, às 10 horas da noite.

— Dos Hanff? — disse o Sr. Pomfret. Os Hanff eram donos da fábrica de móveis, o que até mesmo Delia sabia, a única fábrica da cidade. — Logo a casa de quem ele foi arrombar!

Delia foi ao armário de suprimentos buscar mais açúcar e quando voltou o Sr. Pomfret ainda estava estupefacto com a escolha das vítimas de Juval.

— Logo Reba Hanff, que é contra jóias, não possui nem uma peça de prata e dá todo o seu lucro para um líder lá da Índia... O que esse menino esperava roubar, pelo amor de Deus?

— É o que eu gostaria de saber — disse o Sr. Wesley. — É isso que não consigo entender. Ele precisava de dinheiro? Para quê? Juval não bebe, e muito menos usa drogas. E não tem uma namorada.

— Além de tudo, a casa dos Hanff é a única de toda Bay Borough equipada com alarme — continuou o Sr. Pomfret.

— E com uma ótima carreira pela frente! Aposto que foi tudo por água abaixo. Como é que ele pôde arruinar as coisas assim, bem na hora de ir embora? — comentou o Sr. Wesley.

— Talvez tenha sido isso — Delia falou, colocando duas canecas em uma bandeja.

— Como?

— Talvez ele tenha arruinado as coisas para não ter de ir embora.

O Sr. Wesley olhou para ela pasmo.

— Pode ir agora, Srta. Grinstead — disse o Sr. Pomfret.

— Sim, Sr. Pomfret.

— Feche a porta quando passar, por favor.

Ela fechou a porta com tanto cuidado que todas as peças da fechadura rincharam.

*Com relação à criação de um designado fundo,* datilografou. Nesse momento o Sr. Pomfret saiu do escritório enfiando os braços no sobretudo enquanto andava, seguido do Sr. Wesley.

— Cancele o compromisso das 10 horas — disse a Delia.

— Sim, Sr. Pomfret.

Abriu a porta de fora, fez o Sr. Wesley passar na frente, fechou a porta e voltou para a mesa de Delia.

— Srta. Grinstead, a partir de agora, por favor não faça nenhum comentário durante minhas consultas.

Delia olhou fixo para ele, com os olhos bem abertos e inocentes.

— A senhorita é paga por suas aptidões de secretária, não por suas opiniões.

— Sim, Sr. Pomfret.

E o Sr. Pomfret saiu.

Ela sabia que merecia aquilo, mas ainda assim sentiu uma certa raiva depois que ele se foi. Datilografou rapidamente e mal, puxando o carro com tanta força que a máquina ficou vibrando na mesa. Quando telefonou para cancelar o compromisso das 10 horas, sua voz tremia. E quando saiu do escritório na hora do almoço, pegou o *Bugle*, o jornal de Bay Borough, para procurar outro emprego.

Não que tivesse intenção de fazer isso, é claro. Só precisava fantasiar um pouco.

O tempo estava desolador e ela não tinha trazido nada para comer, mas foi até a praça mesmo assim. Os bancos do parque estavam vazios e a estátua parecia enroscada como um passarinho com todas as suas penas protegendo-o do frio. Enrolou o casaco em volta dos ombros e sentou-se na ponta de uma ripa fria e úmida.

Como seria bom apresentar sua demissão! "Lamento informar, Sr. Pomposo..." diria. Ele ficaria perdido. Não sabia nem ao menos onde ela guardava o papel carbono.

Abriu o *Bugle* e procurou na página de classificados. Em geral não lia o *Bugle*, que era pouco mais que uma publicação de anúncios — várias páginas de ofertas pela metade do preço e notícias locais, empilhadas semanalmente junto às vitrines de várias lojas. Viu um convite para o coral na véspera de Natal na praça, um anúncio de liquidação em uma loja de sapatos e uma reportagem sobre a Mitten Drive. Na penúltima página encontrou quatro ofertas de trabalho: babá, babá, operador de torno mecânico e governanta. Aquela cidade devia ter problemas de desemprego. Depois disso vinham os anúncios de venda. Uma pessoa chamada Dwayne queria vender duas alianças, a baixo preço. Seus olhos voltaram para a *governanta*.

> Pai sozinho precisa de ajuda com filho de 12 anos, vivo, brilhante e cativante. A governanta precisa acordar o me-

nino de manhã, servir café, despachar para a escola, fazer pequena limpeza, compras, ajudar com o dever de casa, levar ao dentista/médico/casa do avô/amigos, participar de reuniões de atletas & torcida organizada, fazer o jantar, mostrar entusiasmo por programas de esporte na televisão/videogames/livros de guerra, estar disponível à noite em caso de pesadelos/doença. É imprescindível ter carteira de motorista. Não é permitido fumar. Casa, comida, salário generoso. Livre nos fins de semana e durante a maior parte do dia a não ser nos feriados de colégio/por doença/ em dias de neve. Favor procurar Sr. Miller, na Underwood High, de 8h às 17h, de segunda a sexta.

Delia deu um risinho. Que audácia daquele homem! Algumas pessoas queriam a lua. Dobrou o jornal. Não dava para esperar que uma mera governanta assalariada servisse de mãe, como ele queria.

Levantou-se e colocou o *Bugle* na cesta de lixo.

Ao atravessar a West Street deu uma olhada nas lojas — a Debbi's, a loja de 1,99 e a florista. Que tal trabalhar de vendedora? Não, ela era muito parada para isso. Quanto a ser garçonete, esquecia o que sua própria família pedia para a sobremesa enquanto ia da sala para a cozinha. E sabia por suas conversas com a Sra. Lincoln da biblioteca que a cidade estava tendo dificuldade de pagar até mesmo uma bibliotecária.

Na verdade, pensou, depois que passou pelas venezianas brancas da manicure, uma governanta seria sob certos aspectos *melhor* que uma mãe — menos envolvimento emocional, menos possibilidade de causar sofrimento. E certamente menos probabilidade de sofrer. Quando o filho do patrão estivesse infeliz, a empregada nunca se sentiria pessoalmente responsável.

Virou na Value Vision e pegou outro *Bugle* da pilha junto da porta.

— Eu não queria que meu filho pensasse que está sendo espionado — disse o Sr. Miller. — Que está sendo vigiado para ver se atende aos padrões dos outros. Foi por isso que pedi para a senhorita vir quando ele estivesse fora. Se achar que está interessada no emprego, pode ficar para conhecê-lo. Ele está jantando com um amigo, mas vai voltar para casa dentro de uma meia hora.

Sentou-se na frente dela em uma poltrona de chintz que parecia diminuta naquela sala superdecorada da casa tipo rancho, na entrada da cidade. Para sua surpresa, ela já o conhecia. Joel Miller tinha procurado o Sr. Pomfret vários meses atrás para resolver um problema de visita da ex-mulher. Ela ficara admirada com sua calvície não disfarçada. Achava que homens que não usam o subterfúgio de ajeitar com cuidado os poucos fios de cabelo da cabeça demonstram uma segurança masculina. O Sr. Miller, com suas feições grandes e regulares, pele morena e terno cinza, parecia positivamente sereno. Mas por baixo ela detectou alguma tensão. Ele afirmou três vezes — contradizendo o ponto principal do seu anúncio — que seu filho ficaria no colégio grande parte do dia, na verdade o dia *todo*, e que mesmo que estivesse em casa precisava apenas saber que havia um adulto por perto. Delia teve a sensação de que ninguém tinha respondido o anúncio.

— Na verdade, ele janta com freqüência em casa de amigos — disse o Sr. Miller. — E no verão, não sei se mencionei isso, passa duas semanas fora em um acampamento. Tem também aulas de computador de dia, futebol...

— No verão! — Delia disse, balançando-se na cadeira de balanço forrada de chintz. O verão, com as tardes suaves e lânguidas, copos de limonada, crianças avermelhadas em roupas de banho! — Oh, Sr. Miller. A verdade é que no momento estou em uma fase de mudança de vida. Não tenho certeza se poderia me... comprometer assim.

— E no verão eu estou mais disponível — o Sr. Miller continuou, como se ela não tivesse dito nada. — Não o dia inteiro, um diretor não tem a mesma liberdade que os professores, mas bastante tempo.

— Eu provavelmente não devia ter vindo — disse Delia. — Um menino na idade do seu filho precisa de continuidade.

*Então por que veio?* ele poderia ter perguntado, mas o pobre homem prendeu-se à última frase dela.

— A senhorita parece experiente. Tem filhos, Srta. Grinstead? — Os cantos da sua boca caíram ligeiramente. — Desculpe. É claro que não.

— Tenho sim — ela respondeu.

— Então é *Sra.* Grinstead?

— Eu prefiro Srta.

— Entendi.

Ele refletiu sobre isso.

— Mas então é experiente — disse finalmente. — Isso é excelente. E a senhorita é daqui mesmo?

Evidentemente ele não compartilhava das fofocas de Bay Borough.

— Não sou, não.

— Não é.

Delia via que ele estava refletindo. Por mais desesperado que estivesse, não era imprudente. Não ia querer contratar uma expresidiária.

— Sou de Baltimore — ela disse finalmente. — Sou perfeitamente respeitável, creia, mas deixei essa parte da minha vida para trás.

— Ah!

Oh, meu Deus, agora ele estava imaginando algum drama. Observou-a com interesse, a cabeça um pouco caída para o lado.

— Mas, com relação ao emprego...

— Já sei, não está interessada — ele falou com tristeza.

— Não tem nada a ver com o emprego em si. Tenho certeza de que seu filho é um bom menino.

— Ele é mais que bom. É realmente uma ótima criança, Srta. Grinstead. É maravilhoso! Mas acho que superestimei a possibilidade de vivermos sozinhos. Pensei que se soubéssemos lidar com a máquina de lavar... Mas as coisas fugiram do meu alcance.

Fez um gesto com a mão mostrando a sala em geral, o que deixou Delia intrigada, pois o lugar parecia muito limpo. O sofá era coberto de almofadas fofas com botões no meio, todas dispostas em um cuidadoso ângulo. Revistas de moda brilhantes estavam matematicamente distribuídas em cima da mesa de centro. O Sr. Miller percebeu o olhar dela e disse:

— Da *superfície* eu consigo cuidar. Coloquei uma lista na cozinha com uma tarefa especial para cada dia. Essa tarde passamos o aspirador, ontem tiramos o pó da casa. Mas parece que há outros problemas. Na semana passada, por exemplo, ele perguntou se podíamos tomar sopa de moedas. "Sopa de moedas?" perguntei. A palavra me pareceu esquisita. Ele disse que sua mãe servia essa sopa no almoço quando ele era pequeno. Perguntei que sopa era e ele explicou que era uma sopa de legumes comum. Acho que falavam sopa de moedas porque era barata. Então eu disse, "Eu posso fazer *isso*". Esquentei uma lata de sopa Campbell, ele olhou, e o que fez? Começou a chorar. Doze anos de idade e desmontando assim, um menino que mal deu um pio no dia em que quebrou o braço. Aí eu perguntei, "E então? O que eu fiz de errado?" E ele disse que a sopa tinha de ser feita em casa. "Pelo amor de Deus, Noah!", falei. Bom, eu não sou burro. Sabia que essa sopa tinha um significado especial para ele. Peguei um livro de receitas e comecei a fazer uma sopa. Mas quando ele viu o que eu estava fazendo, disse: "Deixa para lá, esquece. Eu não estou com fome mesmo." E foi para o quarto, me deixando com uma pilha de cubinhos cortados de cenoura.

— Fatias de cenoura — disse Delia.

Ele levantou as sobrancelhas negras e retas.

— O senhor deveria ter *cortado em rodelas* as cenouras e também pepinos, abóbora, batatas; tudo em forma de moeda. É por isso que chamam de sopa de moedas. Não tem nada a ver com dinheiro. Duvido que o senhor encontre isso em livros de receitas, porque é uma... receita de mãe, sabe?

— Srta. Grinstead, vou mostrar seus cômodos caso a senhorita fique com o emprego.

— Não, realmente eu...

— É só para ver. É o quarto de hóspede, com banheiro privativo.

Delia levantou-se, pois queria ir embora. Como tinha feito uma coisa assim? Parecia sentir na ponta dos dedos a necessidade de cortar aqueles legumes como deviam ser cortados, colocar a sopa na frente do menino, virar-se de repente (12 anos era muita idade para ser acariciado) e fingir que não tinha notado as lágrimas dele.

— Tenho certeza de que o quarto é lindo. Alguém vai adorar! Uma pessoa jovem talvez que ainda tenha...

Foi seguindo o Sr. Miller por um corredor curto acarpetado, com várias portas abertas. Na última porta ele deu um passo atrás para ela poder ver dentro. Era o tipo de quarto próprio para se dormir uma ou duas noites no máximo. A cama de casal alta mal dava espaço para se passar dos dois lados. A mesa-de-cabeceira tinha um cuidadoso suprimento de leitura para hóspedes (revistas, dois livros que pareciam antologias). O panô emoldurado da parede dizia BEM-VINDO em seis idiomas.

— Um armário embutido grande. Banheiro privativo, como já tinha dito.

Em outra parte da casa ouviu-se uma porta bater e um menino chamar.

— Papai!

— Ah. Já vou. —Virou-se para Delia e disse: — Agora a senhorita vai conhecer o Noah.

Ela deu um passo atrás.

— Dê só um alô. Que mal há nisso?

Não teve escolha a não ser segui-lo pelo corredor de novo.

Na cozinha (armários cor de caramelo, papel de parede estampado), um menino magrinho tirava seu casaco vermelho. Tinha cabelo castanho grosso, rosto fino e sardento e olhos escuros como os do pai. Assim que entraram ele começou a falar.

— Ei, pai, imagine o que a mãe de Jack serviu no jantar? Cubinhos de carne que a gente embebe nessa... — Notou a presença de Delia, olhou-a bem e continuou... — embebe num pote e então...

— Noah, quero que você conheça a Srta. Grinstead — disse o pai. — Podemos chamar de Delia? — perguntou. Ela fez que sim, isso não importava. — Eu sou Joel, e ele é Noah. Meu filho.

— Oi — disse Noah, com o ar inexpressivo e reservado que as crianças assumem nas apresentações. — A panela é cheia de óleo quente, eu acho, e cada um de nós tinha...

— Fondue — disse o pai. — Você está dizendo que comeu fondue.

— Certo, e cada um de nós tinha seu próprio garfo para cozinhar a carne, com cabos de diferentes bichinhos para poder saber de quem era o garfo. O meu cabo era de girafa, e sabe como era o cabo da irmãzinha de Jack?

— Não posso imaginar — disse seu pai. — Filho, Delia veio aqui para...

— Um porco! — Noah gritou. — A irmãzinha dele ficou com o cabo de porco.

— Tudo bem.

— E ela chorou por causa disso, mas Carrie chora por qualquer coisa. De sobremesa ganhamos um saco de bolinhas de chocolate, mas eu não quis o meu. Mas fui educado. Fui para a mãe dele...

— Falei.

— Hein?

— Você *falou* para a mãe dele...

— É. "Obrigado, Sra. Newell, mas comi tanto que acho que não vou querer o chocolate."

— Pensei que você adorasse bolinhas de chocolate — disse o pai.

— Está brincando? Não depois do que eu soube — disse, virando-se para Delia. — Bolinhas de chocolate são cobertas com casca de besouro.

— Não! — ela disse.

— Não! — o Sr. Miller concordou. — De onde tirou *essa* informação? — perguntou ao filho.

— Kenny Moss me disse.

— Muito bem! Se Kenny Moss disse isso, como podemos duvidar?

— Estou falando sério! Quem disse a ele foi seu tio que trabalha nessa área.

— Que área? Jornais sensacionalistas?

— Hein?

— Não há casca de besouro nas bolinhas de chocolate. Pode acreditar na minha palavra. Não seria permitido pelas autoridades de saúde.

— E sabe o que põem nas batatas com sabor de milho? — Noah disse para Delia. — Naquelas batatas fritas amarelas? Cocô de gaivota.

— Eu nunca soube disso!

— Por isso são tão crocantes.

— Noah.... — o pai falou.

— É verdade, pai! Kenny Moss jura que é verdade!

— Noah, Delia veio conversar sobre a possibilidade de ficar cuidando da nossa casa.

Delia olhou para o Sr. Miller de cara amarrada. Ele parecia distraído, como se não tivesse idéia do que tinha feito.

— Na verdade, eu estava só... me informando — ela falou para Noah.

— Ela vai pensar no assunto — o Sr. Miller acrescentou.

— Seria ótimo! Tenho de preparar sozinho o lanche para levar para a escola.

— Um horror. Não conte isso para as autoridades que proíbem exploração de crianças.

— Como *você* se sentiria abrindo a lancheira e se perguntando, "Oba, qual será a surpresa para hoje?"

Delia riu.

— Preciso ir andando. Muito prazer em conhecer você, Noah.

— Até logo — disse, e inesperadamente esticou a mão. — Espero que decida vir.

Sua mão era pequena mas cheia de calos. Quando olhou para ela seus olhos pareciam dourados, como raios de sol filtrados através de água escura.

Do lado de fora da porta Delia disse ao pai dele:

— Pensei que o senhor não quisesse que ele se sentisse espionado.

— Ah. É mesmo.

— Pensei que estivesse tentando poupar seu filho! Mas o senhor disse a ele por que eu tinha vindo aqui.

— Acho que não devia ter feito isso — ele disse, passando a mão pela careca. — É que eu queria muito que a senhorita dissesse que ia ficar conosco.

— Mas o senhor nem viu minhas referências! Nem sabe nada sobre mim!

— Não, mas gostei do seu inglês.

— Inglês?

— Detesto ouvir Noah falando gíria. Fico louco de raiva.

— Francamente — disse Delia, virando-se para ir embora.

— Srta. Grinstead? Delia?

— O quê?

— Vai pelo menos pensar no assunto?

— É claro.

Mas sabia que não pensaria mais nisso.


Vanessa disse que tinha uma pena enorme de Joel Miller.

— Desde que a mulher dele foi embora, o sujeito tem muita dificuldade de viver.

— Não existe ninguém bem casado em Bay Borough? — Delia perguntou.

— Muita gente. Só que não são aqueles que escolhemos para sair.

As duas estavam sentadas na cozinha de Vanessa na manhã seguinte, num sábado frio e ensolarado. Na verdade era a cozinha da avó dela; Vanessa e os três irmãos viviam com a mãe do seu pai. Ela escrevia em rótulos ovais de papel cor de marfim, com letra bem fina e uma caneta-tinteiro antiquada — *Repelente de insetos muito eficiente*. Era uma receita antiga de família. Quando terminava sua cota diária de rótulos, o irmão mais novo os colava em frascos finos que continham vários raminhos e frutinhas secas misteriosamente submersos em um líquido. Delia achava difícil acreditar que se pudesse viver de uma coisa assim, mas evidentemente os Linley viviam bem. A casa era grande e confortável, e a avó viajava todo ano para a Disney World. Vanessa dizia que o importante era a planta aromática chamada *poejo*.

— Não espalhe isso, mas os insetos *desprezam* essa planta. As outras ervas são mais para enfeite.

No chão, Greggie construía uma torre com pilhas de rolhas. Quando Vanessa terminasse de preencher os rótulos, ela e Delia o levariam para ver o Papai Noel e depois Delia faria umas compras de Natal. Ou talvez não, ainda não se decidira. Ela não gostava de Natal, pois tinha medo de não atender às expectativas secretas da família, e nesse ano seria ainda pior. Não seria melhor esquecer essa data? Por que não havia um livro de etiqueta para esposas fugidas de casa?

Então voltou a comentar sobre o Sr. Miller.

— Alguém sabe por que a mulher o largou?

— Todos sabem. Eles estavam juntos há anos, tiveram o menino, tinham uma linda casa e um dia na primavera passada Ellie, é o nome dela, descobriu que tinha um caroço no seio. Foi ao médico e ele disse que parecia ser câncer. Então ela voltou para casa e disse ao marido, "Quero viver a vida da melhor forma possível no tempo que me resta. Quero fazer exatamente tudo que sonhei". E de noite já tinha aprontado as malas e ido embora. Esse era seu desejo maior e mais profundo, já ouviu falar de uma coisa assim?

— E onde ela está agora?

— É a moça do tempo da televisão em Kellerton. O caroço não era nada, foi retirado com anestesia local. Quando o Sr. Miller e Noah ligam a televisão, vêem Ellie toda noite. Talvez você a tenha visto no *Boardwalk Bulletin*. Fizeram o perfil dela em agosto passado. É uma loura muito bonita de cabelo liso que nem palha desfiada. É claro que não impressionou ninguém daqui, uma mulher que abandona o próprio filho.

Delia olhou para baixo.

— Todas as mulheres da cidade tentam ajudar o Sr. Miller. Levam para ele lasanha pronta e se oferecem para levar seu filho para o colégio. Mas acho que no verão ele percebeu que isso não bastava e foi então que resolveu pôr o anúncio no *Bugle*.

— O anúncio está no jornal desde o verão?

— Está, mas o vizinho dele me disse que as únicas respostas foram de adolescentes ainda no colégio. Toda garota da Dorothy Underwood tinha uma quedinha por ele. Eu também tive, todas as alunas de lá têm. Eu estava no último ano quando ele era diretor e o considerava o homem mais sexy que tinha visto. Mas é claro que ele não pode contratar uma cabeça de vento, então deixou o anúncio. Nunca passou pela minha cabeça que você talvez quisesse esse emprego.

— Na verdade não quero — disse Delia, vendo Greggie brincar com o trem de cortiça em cima do linóleo, com as mãozinhas parecendo biscoitos. Tinha esquecido de como era gostoso observar as crianças pequenas. — Só estou cansada do Sr. Pomfret. Você acha que eu conseguiria um emprego na fábrica de móveis?

— Na fábrica de móveis? Eles agora só precisam de operários para esfregar óleo nas pernas das cadeiras com aquelas luvas enormes.

— Mas devem ter cargos administrativos. Datilógrafa, arquivista...

— Por que não quer trabalhar com o Sr. Miller?

— Não quero... me meter na vida de um menino assim e um dia decidir ir embora.

— Você sempre entra e sai das coisas?

Delia não sabia qual era a intenção daquela pergunta e olhou intrigada para Vanessa.

— Não, nem sempre.

— Nunca ouvi você falar uma palavra contra Zeke Pomfret. E de repente quer se demitir.

— Ele é muito mandão. Muito paternalista. E o salário é ridículo. Só fui perceber como era ridículo depois que aceitei o emprego. E ele nem ao menos paga um seguro-saúde! E se eu ficar doente?

Vanessa recostou-se e observou-a.

— Bom — disse Delia — acho que entro e saio sim das coisas.

Enquanto falava viu uma figura solitária caminhando pela praia junto da água. Estranho o sentimento de afeição que a imagem invocava nela.


Para o Natal resolveu não comprar nada. A ida com Greggie para ver o Papai Noel deixara-a deprimida. Ele parecia entender o conceito antes de sair de casa, mas quando chegou lá começou a chorar e teve de ser carregado no colo. Vanessa ficou aflita e até mesmo o Papai Noel pareceu aflito. O passeio pelo shopping depois disso foi sem graça, Greggie soluçando, com lágrimas escorrendo pelo rosto, de mau humor, sentado no carrinho. Delia disse a Vanessa que achava melhor voltarem para casa.

— Preciso levar minhas roupas para lavar — disse, numa desculpa esfarrapada.

Ao chegar em casa Belle chamou-a da sala.

— Ligaram para você — disse.

— Para mim?

Seus joelhos pareceram vergar. Pensou primeiro nos filhos, depois no coração de Sam.

— O Sr. Miller do colégio. Pediu para você ligar de volta.

— Oh.

— Não sabia que você conhecia Joel Miller.

Delia não tinha mencionado o nome dele para Belle porque se fosse trabalhar lá teria de se mudar, e como poderia fazer isso? Aquela casa era perfeita. Até mesmo o Sr. Pomfret tinha suas qualidades. De alguma forma a visita ao Papai Noel lhe mostrara isso. Então anotou o número que Belle tinha rabiscado no canto de um cardápio. Melhor acabar logo com aquilo. Sentou-se no braço do sofá, pegou o telefone e discou. Belle ficou por ali, supostamente brincando com o gato.

— Que gatinho mais lindo. Você é uma gracinha.

Delia ouviu o telefone chamar do outro lado da linha e ficou olhando vagamente para as paredes brancas e o chão frio.

— Alô — disse Noah.

— Aqui é Delia Grinstead.

— Oi, preciso pedir desculpas a você.

— Desculpas? Por quê?

— O papai disse que não se deve falar de cocô de gaivotas na frente de senhoras.

— Bom...

Um homem falou no fundo.

— Mulheres — disse Noah.

— Como?

— Eu quis dizer mulheres, não senhoras.

Tudo pretexto, naturalmente. O Sr. Miller decerto não achou que ela ficara ofendida por causa do cocô de gaivota. *Nem* por causa da palavra "senhoras". Era uma mera estratégia. Mas o próprio Noah provavelmente não tinha percebido isso.

— Não faz mal — Delia disse.

— O tio de Kenny Moss tem um trailer de lanches, é por isso que Kenny sabe dessas coisas. Mas o papai diz que o tio dele está brincando comigo. "Até parece que a fábrica de batatas com sabor de milho tem tempo para mandar seus empregados levarem pás para cavar na praia", ele me disse.

Outro murmúrio no fundo.

— OK. Além disso ele falou, "Se usam cocô de gaivota, como é que não colocam isso na lista de ingredientes?!"

— Você conhece essas listas — disse Delia. — Muitos nomes científicos. Eles podem encobrir qualquer coisa com nomes que fazem lembrar combinações químicas.

— Podem?

— É claro! Provavelmente chamam isso de "diedroxiexime-xilene" ou coisa parecida.

Noah deu um risinho.

— Ei, papai — falou, num tom ligeiramente mais baixo. — Delia disse que provavelmente está na lista com o nome de diedroxi...

Belle tinha levado o gato para a janela e segurava-o junto da vidraça, quase opaca de tanta poeira. Acima das cortinas viam-se teias de aranha e o filodendro do parapeito da janela estava quebrado em vários pontos. A casa toda parecia desbotada, como se já pertencesse às lembranças remotas de Delia.

# 12

O Sr. Pomfret disse "Indo embora?" de forma tão inexpressiva que ela se sentiu parte do equipamento do escritório. Só pediu que ela ficasse até o final da semana para terminar alguma coisa que tivesse ficado por fazer. É claro que ela concordou, embora não tivesse nada com atraso, teria apenas de datilografar as cartas comerciais normais, atender os telefonemas que nem um robô e levar as pilhas de catálogos marcados para o Sr. Pomfret.

Ao que parecia, ele precisava com urgência de luvas de couro para dirigir, uma antena de rádio do tamanho e forma de um prato raso pequeno, e um *rack* de nogueira para guardar bolas de golfe como suvenir.

Quando entrou no escritório na sexta-feira à tarde, ele disse que ela talvez só fosse substituída depois do ano-novo.

— Dessa vez, acho que vou contratar um processador de texto, se conseguir encontrar.

Delia atrapalhou-se por um instante, imaginando uma máquina que informasse por telefone o tamanho da luva que ele usava! Ficou magoada, pegou a bolsa abruptamente e saiu sem se despedir.

❋ ❋ ❋

Todos os seus pertences cabiam facilmente em uma caixa de papelão do Rick-Rack's, só a luminária curva é que ficou com uma ponta de fora. Podia ter deixado assim mesmo (Belle ia lhe dar uma carona), mas queria que sua vida coubesse em uma única caixa compacta, então ajeitou tudo outra vez até a caixa fechar perfeitamente. Tirou o casaco e a bolsa da cama, pegou a caixa e saiu do quarto.

Não precisava olhar para trás. Sabia de cor cada detalhe daquele quarto — cada furo de prego e cada junção no papel de parede. O radiador de pés em garra parecia um animal sentado nas patas traseiras à meia-luz daquela manhã de sábado.

Colocou suas coisas ao pé da escada e vestiu o casaco. Podia ouvir Belle conversando com George na cozinha. Ele ia ficar ali mais umas duas semanas, até ela instalar-se. Achava que devia deixar seu cheiro permear a nova casa primeiro, senão o gato tentaria voltar para a casa antiga.

O Sr. Miller disse que George seria muito bem-vindo, e que ele próprio já tinha pensado em comprar um gato. (Usou a palavra "comprar", na certa sem perceber que quem gosta mesmo de animais não entra nunca em uma petshop.)

Ainda abotoando o casaco, atravessou a sala de jantar e bateu na porta da cozinha.

— Estou indo — disse Belle. Lá em cima o assoalho rinchava sob os passos do Sr. Lamb, e a televisão tinha sido ligada. Quando será que ele notaria sua ausência? Talvez nunca.

Ainda não era tarde demais para mudar de idéia.

— Dei uma lata de atum para o George — disse Belle aparecendo na porta. — Isso vai manter o bichinho ocupado.

— Oh, Belle, não mime tanto assim esse gato.

— Nada é bom demais para meu bichano! Espero que ele se recuse a me deixar quando chegar a hora. "Não, não, mamãe! Quero ficar aqui com a tia Belle!" — ela falou, com voz esganiçada.

Vestiu seu casaco de gola larga, afofou o cabelo e pegou as chaves do carro.

— Tudo pronto?

— Tudo pronto.

Foram andando para o seu enorme Ford velho. Delia ajeitou na mala a caixa de papelão entre um emaranhado de placas da imobiliária, as duas entraram no carro e Belle ligou o motor, com o alarme do cinto de segurança tocando insistentemente.

Fazia meses que Delia não andava de carro. A paisagem passava muito depressa e tão suavemente! Segurou a maçaneta da porta quando fizeram uma curva fechada na esquina e foi vendo passar o dentista, a loja de 1,99, o Potpourri Palace. Em pouco tempo estavam virando na Pendle Street e estacionando na entrada de cascalho da casa dos Miller — um trajeto que levaria pelo menos 10 minutos a pé.

— Meus pais moram em uma casa assim em um subúrbio de York, na Pensilvânia — disse Belle, olhando pelo pára-brisa as persianas decoradas com motivos rurais. — Dee, tem certeza de que quer fazer isso?

— Quero, sim — disse Delia com voz fraca.

— Você vai ser uma mera empregada!

— Melhor que ser datilógrafa — disse Delia.

— Bom, se pensa *assim*...

Delia saiu do carro e Belle saiu também para ajudá-la a tirar a caixa da mala.

— Obrigada. Você tem o número do meu telefone?

— Tenho.

— Telefono quando chegar a hora de trazer o gato.

— Ou antes disso. Talvez você queira se mudar de volta! Vou esperar uns dias antes de tentar alugar o seu quarto.

Continuariam naquele papo sem fim se Noah não tivesse aparecido na porta.

— Delia! Oi!

— Srta. Grinstead para *você* — disse Belle baixinho para Delia. — Não deixe que te tratem como um peão.

Delia despediu-se dela e foi entrando. Como os Miller a tratariam não a preocupava. A questão era como ela *os* trataria — que distância devia manter daquele menino de jeans e cabelo despenteado. Era muito fácil voltar a ser mãe de alguém! Sorriu quando ele pegou a caixa dos seus braços.

— Eu agüento levar isso.

— Mas o papai disse que eu *devo* carregar sua bagagem. É só isso? — Belle já estava dando a ré na entrada de cascalho para sair.

— Só.

— Papai está trabalhando no colégio, então eu é que vou ter de mostrar a casa. Seu quarto já está pronto. Mudamos os lençóis, apesar de estarem limpos.

— Então por que mudaram?

— Papai disse que se não tivessem cheiro de lavanderia você poderia pensar que alguém tinha dormido neles.

— Eu não pensaria isso — ela assegurou.

Os dois atravessaram a sala — as almofadas enfileiradas no sofá exatamente como na semana anterior e as revistas na mesma posição. Mas o tapete do corredor tinha sido aspirado, dava para ver as marcas na lã. Quando entraram no quarto de hóspedes Noah colocou a caixa em cima de uma banqueta dobrável que não estava lá antes.

— É nova — explicou, notando o olhar dela. — Compramos na Home'n'Hearth.

— É muito bonita.

— E olhe isso. — Em cima da cômoda havia uma televisão mínima. — TV colorida! Da Lawson Appliance. Papai disse que um hóspede precisa ter sua própria televisão.

— Oh, eu não preciso de...

— Um rádio-relógio, uma caixa decorada de lenços de papel...

O que a emocionou mais foi ver que eles tinham arrumado a colcha da cama no maior capricho.

— Não precisavam ter feito tudo isso. — Falava com sinceridade, pois estava começando a sentir-se em dívida para com eles.

Noah abriu o armário e mostrou os cabides.

— Três dúzias de cabides combinando, de plástico sólido, rosa. Nenhum de arame. Tivemos de escolher entre rosa, branco ou marrom.

— Rosa está perfeito — Delia disse a ele.

Três dúzias! Eles ficariam desapontados quando vissem como ela tinha pouca roupa.

— Agora vou deixar você à vontade. Vou estar no meu quarto, caso precise de alguma coisa.

— Obrigada, Noah.

— Sabe onde é o meu quarto?

— Eu encontro.

— É bom desfazer as malas e colocar suas coisas nas gavetas.

— Vou fazer isso.

Ao sair ele olhou para Delia com ar de dúvida, como que com medo que ela não seguisse suas instruções.

A caixa de papelão lhe pareceu muito gasta quando ela a colocou em cima da almofada da banqueta bordada em ponto de agulha. Levantou as bordas da caixa e sentiu o cheiro rançoso do quarto da pensão. Tirou o casaco e pendurou-o em um dos cabides, e a alça da bolsa em um gancho. Tirou a luminária curva da caixa mas não encontrou lugar algum para colocá-la, pois o quarto tinha dois abajures com cúpulas de cetim branco. Segurando a luminária (de metal verde-oliva, com a base amassada da noite em que o gato derrubou-a no chão), sentou-se com cuidado na beira da cama e teve de prender os pés na borda para não escorregar na coberta lisa. Era uma dessas camas de hotel com muito molejo mas ao mesmo tempo bem duras, e ela não sabia se conseguiria habituar-se a dormir ali.

Ouviu uma porta abrir, passos pesados e uma voz de homem chamando Noah. Teria de dar um jeito na cara para ir falar com eles. Mas ficou sentada ali, agarrada à luminária feiosa, juntando coragem.


No fundo da casa, separada da cozinha só por um balcão, ficava o que os Miller chamavam de sala íntima. Ali a decoração rebuscada tornava-se mais informal. Em frente à televisão havia um sofá comprido e baixo, uma mesa de trabalho encostada na parede e três poltronas agrupadas em um canto. Foi essa sala que veio a ser nas semanas seguintes o reduto de Delia. (Ela sempre quis ter uma casa mais moderna, sem recantos e cubículos.) De manhã, quando terminava de limpar tudo, sentava-se na mesa para preparar a lista de compras. Ficava fora de casa durante horas — em geral saía a pé, embora tivesse um carro à sua disposição — mas à tarde dividia-se entre a sala íntima e a cozinha, enquanto Noah fazia seus deveres de casa no sofá. À noite lia em uma das poltronas e Noah via televisão. Quando o Sr. Miller — ou Joel, como queria ser chamado — fazia companhia ao filho na televisão, ela ia ler no seu quarto. Não ficava muito à vontade com o Sr. Miller, ou melhor, Joel. Era um relacionamento esdrúxulo, meio profissional mas ao mesmo tempo necessariamente íntimo. Mas em geral ele tinha de ir a reuniões ou passava a noite na bancada de sua oficina na garagem. Para Delia, ele também achava a situação esdrúxula. Decerto não ficava tanto tempo fora quando ela não morava lá.

Eles gostavam de comida simples, preparada com simplicidade — rosbife, frango assado e hambúrgueres. Noah detestava legumes mas era obrigado a comer uma colherada toda noite. O Sr. Miller provavelmente também não gostava, mas forçava-se a comer de tudo e sempre dizia para Delia, "O jantar estava delicioso". Ela achava que qualquer prato que preparasse seria elogiado. Ele fazia várias perguntas gentis durante as refeições (se seu dia tinha sido bom, se ela tinha tudo de que precisava), mas dava a impressão de que não ouvia as respostas. Era um homem muito triste por baixo daquela couraça, e seu próprio filho dizia que ele ficava um instante em silêncio antes de responder.

— Sabe de uma coisa? — Noah dizia. — Kenny Moss acabou de ganhar um *golden retriever* bonitaço. Papai, nós também podemos ter um?

Depois de uma longa pausa veio finalmente a resposta:
— Essa palavra não existe: "bonitaço".
— É claro que existe, senão ele não teria usado.

E os dois começavam a discutir. Delia nunca conheceu ninguém tão preocupado com as palavras como Joel Miller. Ele desprezava todos os termos da moda, só aceitava a expressão "isso é legal", por exemplo, se fosse literalmente legal. Interrompia uma história animada de Noah para corrigir sua linguagem, mas sempre com bom humor, o que explicava por que Noah ainda se aventurava a abrir a boca.

Na porta do banheiro de Delia havia um espelho de corpo inteiro, o primeiro em que se via há seis meses — afora os provadores de roupa das lojas — e ficou surpresa com sua magreza. Os ossos do quadril estavam de fora e o alto do vestido parecia oco. Então começou a comer mais no jantar, a tomar o café da manhã com Noah, e quando almoçava no Rick-Rack's pedia todo dia um prato substancial — até mesmo bolo de siri, pois estava ganhando melhor e não tinha onde gastar.

Rick também servia costeleta de porco grelhada com molho avinagrado, que era um de seus pratos preferidos.

— Eu nunca tive chance de fazer uma refeição de verdade aqui. Sabia que você era bom cozinheiro, mas não pensei que fosse *tão bom*.

— E você continua almoçando aos domingos naquele Bay Arms?

Haveria alguma coisa sobre ela que a cidade toda não soubesse?

Depois do almoço atravessava a rua e ia visitar George, que tinha se zangado com a sua partida. Aparecia assim que ela entrava na casa mas depois virava as costas ostensivamente e saía. "George?", ela dizia. Nenhuma resposta. Ele ia para a sala de Belle e sumia. Delia esperava no corredor, e um instante depois via uns bigodes conhecidos perto porta. Um focinho, uma orelha, um olho verde revelador. "Meu menino!" Ele saía de mansinho, espanando a porta com seu pêlo e ia se aproximando para ser acariciado.

Por que seus próprios filhos não sentiam tanto sua falta?


Todas as ruas da cidade estavam decoradas com fios prateados e sininhos vermelhos. Na biblioteca havia uma guirlanda acima da mesa da Sra. Lincoln e no carrinho de Greggie, Vanessa tinha amarrado um laço vermelho.

A idéia de passar o Natal com os Miller enchia Delia de medo. Mas talvez eles não celebrassem o Natal. Talvez fossem judeus ou algum tipo de fundamentalistas que desprezavam os rituais pagãos. Na verdade, a uma semana do Natal não tinham dado nenhum sinal de que fossem comemorar alguma coisa.

Delia foi até a garagem falar com o Sr. Miller.

— Oi, Joel.

Ele estava medindo uma tábua na bancada, vestindo um pulôver preto surrado e calça cotelê desbotada. Delia esperou que ele a visse e disse:

— Queria falar com você sobre o Natal.

— Natal! — repetiu ele, enrolando a trena.

— Vocês comemoram essa data?

— Sim, normalmente sim.

"Normalmente" devia referir-se à época em que Joel ainda era casado. Aquele devia ser o primeiro Natal só dos dois. Delia percebeu em que ele estava pensando quando viu as linhas da sua boca meio caídas de lado.

— Vamos ver. Ah, você vai querer tirar o dia de folga, é claro. Noah vai passar com a mãe, e uns amigos meus de Wilmington me convidaram para passar com eles. Não haverá aulas até o ano-novo, se você precisar de mais tempo para ir a Baltimore...

— Eu não vou a Baltimore.

Ele parou de falar.

— Só queria saber como vocês celebram o Natal. Armam uma árvore? Quer que eu leve Noah para comprar uns presentes?

— Presentes!

— Alguma coisa para a mãe dele talvez?

— Oh, meu Deus — ele falou, sentando no tamborete alto e passando a mão na cabeça calva, seu gesto costumeiro de aflição.

— É claro, ele precisa comprar um presente para a mãe e também para Nat, o pai de Ellie. Ele e Noah são muito chegados. E um para mim, devemos encorajar esses hábitos. E eu tenho de comprar uma coisa para ele. Oh, meu Deus do céu.

— Eu posso sair com Noah amanhã — disse Delia, tentando acalmar o homem.

— Mas amanhã é sábado, seu dia de folga.

— Não faz mal.

Sentado no tamborete, o Sr. Miller ficava à altura dos olhos de Delia.

— Você não tem família por aqui para visitar nos fins de semana?

— Não.

Era um sinal de isolamento ele aparentemente não ter ouvido nada sobre seu passado. Como se ela tivesse caído do céu. É claro que ele ainda gostaria de perguntar alguma coisa, mas acabou dizendo apenas:

— Obrigado, Delia. Quanto à árvore, acho que como Noah não vai estar aqui nesse dia não precisamos nos preocupar.

Delia se preocuparia de qualquer modo, se dependesse dela, mas não discutiu. Quando saiu o Sr. Miller continuou no seu tamborete, olhando para a trena nas mãos.

Ela e Noah fizeram todas as compras de Natal na loja de ferragens — a Brent Hardware escura e antiquada, de piso de madeira, em frente à casa de Belle. Delia constatou que Noah tinha idéias bem definidas. Para a mãe escolheu uma chave de fenda com várias larguras, pois ela morava sozinha agora e precisaria fazer seus próprios consertos. Para o avô, que tinha dificuldade de se abaixar, comprou um instrumento em forma de língua que o ajudaria a pegar objetos que deixasse cair no chão. E para o pai, um dispositivo para manter o prego em posição quando ele estivesse martelando.

— Papai martela o polegar a toda hora — disse a Delia. — Não é dos melhores carpinteiros.

— O que ele está construindo, exatamente? — Delia perguntou.

— Caixas de sombras.

— Caixas de sombras?

Por um instante imaginou Charlie Chaplin criando sombra em baús grandes.

— Aquelas com várias divisões de madeira. Sabe como é? Para pendurar na parede.

— Ah, sei.

— Porque minha mãe coleciona miniaturas, tipo utensílios de cozinha, móveis mínimos e outras coisas, e ele costumava fazer essas caixas de sombra para ela colocar tudo lá.

E agora? Delia teve vontade de perguntar.

Como se Noah tivesse lido seus pensamentos, disse:

— Agora ele empilha as caixas por trás dos pneus da garagem.

— Entendi.

Não dava para saber pelo tom de voz como ele se sentia com relação à separação dos pais. Mencionava a mãe só de passagem e aquela visita à mãe seria a primeira desde que Delia estava lá.

— Quero escolher mais uma coisa, mas você vai ter de esperar lá fora.

Então ele ia lhe comprar um presente também. Gostaria que não comprasse, porque senão teria de mostrar que tinha gostado, teria de usar o presente e, além do mais, teria de comprar alguma coisa para *ele* que não fosse nem mais nem menos séria do que ele comprara. Oh, como ela tinha entrado nessa? Devia ter ficado na casa de Belle, que já conhecia bem.

Mas Noah estava tão contente quando a levou até a porta que ela não pôde deixar de sorrir.

— Está precisando de dinheiro? — perguntou.

— Eu economizei minha mesada.

Fechou a porta depois que ela passou e fez uma careta pelo vidro.

Ela esperou na calçada, observando os passantes. Era difícil resistir a entrar no espírito natalino. Todos carregavam sacolas de compras e embrulhos brilhantes e bonitos. Do Rick-Rack's Café ao lado, o cheiro de bacon e panquecas quentes impregnava o ar frio. Quando Noah voltou, segurando sua sacola, ela disse:

— Que tal tomarmos um refrigerante no Rick-Rack's?

— Você vai anotar isso no caderno, não é? — ele perguntou hesitante.

Estava se referindo ao caderno de anotações que o Sr. Miller lhe dera para registrar as despesas reembolsáveis, e Noah tinha medo de que ela pudesse sair perdendo. (Ele a via como uma pessoa *menos privilegiada*, o que de certa forma a divertia mas a deixava um tanto humilhada.)

— Hoje por minha conta — ela disse com firmeza. Quando ele abriu a boca para protestar, ela empurrou-o para dentro do café.

Rick acenou com a espátula à guisa de cumprimento, pois estava ocupado na grelha. Mas Teensy fez uma grande manifestação.

— É a Delia com o filho do Sr. Miller! Olhe lá, Pop — falou, virando-se para um senhor sentado no balcão. — É Delia Grinstead! Ela morava do outro lado da rua! Meu pai, Sr. Bragg — disse para Delia. — Ele veio ficar um tempo conosco.

Delia se lembrava que o pai de Teensy tinha sido ríspido e deselegante com o genro, portanto não estava preparada para ver uma pessoa com aquela expressão tímida e humilde e postura curva. Quando ela disse "Oi", ele teve de mexer a boca um minuto antes de formar as palavras.

— Estou tomando chocolate — foi o que disse finalmente.
— Que bom!

A voz dela soou tão falsa quanto a voz de Teensy.

— É seu filho?— ele perguntou.

— Esse é... Noah — falou, sem se preocupar em explicar muito.

— Sente aqui, meu menino.

— É melhor pegarmos um banco, estamos carregados de compras — disse Delia, mostrando as sacolas de Noah. O cabo do presente do avô dele era longo e ficava para fora do embrulho.

No banco dos fundos viu o Sr. Lamb, tendo à sua frente uma tigela de cereais. Duas adolescentes estavam na mesa da janela — provavelmente alunas da Underwood, pois se ouriçaram todas ao ver Noah. (Ela já tinha dispensado várias secamente quando levavam pratos de doce de chocolate feito em casa e fingiu não notar que olhavam por cima do seu ombro à procura de Joel.)

Uma delas falou:

— Oi, Noah! — Noah revirou os olhos para Delia.
— O que vão querer? — Teensy perguntou, ao lado da mesa.
— Café, por favor — Noah respondeu.
— Café!
— Não posso? — perguntou a Delia. — Papai me deixa tomar, em ocasiões especiais.
— Tudo bem então. Dois cafés — disse Delia para Teensy.
— Já anotei — Teensy falou, aproximando-se tanto que Delia podia sentir o cheiro do seu avental engomado. — Quando sair daqui, pode dar um adeus bem alto para Rick de modo que meu pai ouça? — pediu.
— É claro.
— Pop é muito grosso com Rick às vezes.

— Eu daria adeus de qualquer forma, você sabe disso.

— Sei, mas... — Teensy fez um gesto na direção do pai. Ele continuava parecendo inofensivo, com o X dos suspensórios curvos nas costas.

Noah era dessas pessoas que gostavam de olhar as compras antes de chegar em casa. Tirou da sacola a chave de fenda e guardou-a de novo no fundo, depois espiou o outro presente e deu um olhar matreiro para Delia. Quando ela esticou o pescoço, fingindo que também queria dar uma espiada, ele riu todo encantado e fechou a sacola. Seus dois dentes da frente ainda eram novos e pareciam grandes demais para a boca.

Ao ver aquele cabelo grosso e pesado, ligeiramente brilhante, caindo-lhe nos olhos, Delia teve vontade de esfregá-lo na palma da mão. Olhou para a ponta levantadinha do seu nariz e as verrugas que apareceram na dobra do dedo indicador quando ele pegou a caneca que Teensy lhe trouxe. A gola do seu casaco estava enrugada, a camisa de malha que usava por baixo estava manchada de tinta de caneta esferográfica e o jeans era cortado nos joelhos. O tênis muito sofisticado, fofo na ponta, parecia próprio para caminhar na lua.

Noah começou a contar o sonho que teve — uma história chata e impossível de acompanhar. Seu professor se transformara em cachorro e esse cachorro foi visitá-lo em casa, que mais parecia o auditório da escola. Delia entendia o que ele queria dizer?

Ela fez que sim, sorriu e dobrou as mãos com força para resistir à vontade de tocar nele. Quando saíram, deu adeus a Rick com tanta veemência que a voz saiu rouca.


Belle disse que o gato estava com problema alimentar. Entregou-o para Delia em uma caixa de papelão na segunda-feira de manhã, para que ele pudesse adaptar-se à casa enquanto ela estava sozinha. Ainda dentro da caixa, foi levado diretamente ao quarto de Delia e colocado no chão.

— Ele está parecendo bulímico — Belle disse, sentando-se na beira da cama para vê-lo sair da caixa. — Esvazia metade do prato e pede mais. Juro que não sabia que um gato podia planejar coisas de antemão. Quando come tudo, faz um drama assim que eu entro em casa depois do trabalho. Grita e torce as patas, e quando encho seu prato ele vem andando em ziguezague para comer, faz um barulho esquisito e vomita tudo em um canto 10 minutos depois.

— Oh, George, você fez isso? — disse Delia. Ele estava investigando o quarto, farejando com cuidado a banqueta.

— Umas seis vezes por dia vai até o armário e fica olhando o saco de ração, como que checando para ver se ainda há bastante.

— Durante toda a vida eu fui uma dona ideal de gatos — disse Delia. — Morava em um mesmo lugar, tinha uma rotina. Na verdade, não me movimentava muito. Agora ando por aí como uma.... Ele deve sentir-se muito inseguro.

Abaixou-se para acariciar o M preto da testa dele, enquanto Belle olhava em volta.

— O quarto é muito pequeno, não é? Seu quarto antigo era bem maior.

— Para mim está bom — disse Delia, tentando levar George para o banheiro. — Está vendo sua caixa de areia? Foi comprada em uma loja, não é de papelão.

— O que você vai fazer no Natal, Delia? — Belle perguntou.
— Vou ficar aqui.
— Vai passar o Natal com estranhos?
— Eles vão sair, pelo menos nesse dia.

— Pior ainda — Belle falou.

— Estou precisando ficar um pouco sozinha.

George entrou na caixa de areia e saiu de novo, como que demonstrando que sabia o que era.

— Venha passar o Natal comigo na casa da minha família. Eles vão gostar de te receber.

— Não, obrigada.

— Ou então peça a Vanessa para te convidar para a casa da avó dela.

— Ela já convidou, mas não aceitei.

— Bom, lá é meio confuso mesmo. Eu ando aborrecida com a Vanessa.

— Por quê?

— Sabe o que ela teve coragem de me dizer? — Belle levantou-se e seguiu Delia pelo corredor, para buscarem na cozinha a ração de gato. George foi atrás, com ar indeciso. — Eu estava me queixando da minha vida amorosa, dizendo que não encontro um homem para salvar minha alma, e ela perguntou por que eu nunca tinha pensado no Sr. Lamb.

— O Sr. Lamb!

— Pode imaginar? Aquele homem lúgubre e deprimido, aquele... horror! Então eu disse, "Vanessa, que idéia você faz de mim? Acha mesmo que eu poderia sair com um homem que passou toda a vida em quartos alugados?" Ninguém jamais o chama pelo primeiro nome, já notou? Aliás, diga rápido, qual é o primeiro nome do Sr. Lamb?

— Hum...

— Horace — disse Belle, amargurada, encostando-se na mesa da cozinha. — Eu posso ser solteira, mas não sou suicida! O que é aquilo ali em cima da geladeira?

Referia-se ao mapa da distribuição da casa do Sr. Miller.

— É para manter as coisas da sala como a Sra. Miller deixou. Ele registrou todas as coisas exatamente onde ela costumava colocá-las.

Belle chegou mais perto para olhar. No retângulo referente à lareira vinha escrito em pequenas letras de fôrma *vaso azul, vela verde em cone, foto da caixa de areia, relógio.*

— É patético — disse. — E por que ele precisa disso? Será que acha que essas coisas podem se perder por aí? Pelo amor de Deus!

— Você não perguntaria se o visse arrumando a casa — Delia falou. — Ele é incrivelmente... trapalhão. Um grande incompetente. Tudo está em ordem superficialmente, mas por trás dos armários há panelas com fundo queimado que nunca serão limpas, panos de prato com buracos enormes...

Belle examinava o diagrama da mesa de centro. *Peso de papel grande, peso de papel pequeno, revistas.*

— Ele guarda as revistas que ainda chegam em nome dela, sobre moda, celulite e coisas no gênero.

— Ellie Miller nunca teve uma celulite na vida — disse Belle.

— Quando chega uma revista nova, põe no lugar da velha e joga a velha fora.

— É nisso que dá adorar uma pessoa. Pobre homem! Ela era meio bobinha, mas você sabe que homens inteligentes ficam às vezes gagás quando gostam de uma mulher burra. Convidei Joel para um piquenique depois que ela foi embora e ele disse, "Acho que eu não conheceria ninguém, mas mesmo assim muito obrigado". Logo ele, o diretor da escola! Deve conhecer a cidade toda! Mas sempre dependeu de Ellie para tudo. Ellie era muito extrovertida e sociável, dava festas com temas como luau no Havaí, churrasco no Velho Oeste... e o chá das mães do colégio, no outono, mas ele não manteve isso. Deixou de lado as mães do colégio, quando todas as mulheres da cidade morriam de vontade de ajudá-lo.

— Eu gostaria... — Delia começou a dizer.

Gostaria que Sam Grinstead tivesse sido assim com ela, ia dizer. Mas achou melhor não dizer nada.

— Tenho certeza de que ele vai deixar *você* ajudar — disse Belle. — Se for fazendo as coisas aos pouquinhos, em breve será indispensável.

— É claro.

Até aí ela já tinha chegado. Em apenas dez dias de trabalho o Sr. Miller lhe pedira outro dos "seus" bolos de carne, deixara num canto da casa, sem dizer nada, uma camisa sem botão, e não fazia mais as listas compulsivas de instruções na mesa do café-da-manhã.

Mas não era estranho ela ter chegado a isso? Parecia ser uma outra pessoa — uma mulher procurada automaticamente como um apoio de vida.

O gato enroscou-se nos seus tornozelos, ronronando.

— Está vendo? — Delia disse a Belle. — George não tem um problema alimentar. Só comeu um pouco da ração para ser gentil.

— Você é incrível, Delia — disse Belle.


Belle trouxe também a correspondência de Delia — um embrulho de Eleanor e uma carta de Eliza. No embrulho vinha um suéter de tricô para ler na cama e a carta de Eliza dizia que ela convidara os Allingham para o almoço de Natal. *Não quero pressioná-la mas você sabe que será bem-vinda também*, escreveu, passando depois a dar notícias de Linda. *Ela disse que as gêmeas estão numa idade em que querem passar as férias em casa, então acho que seremos só os Allingham, nós e Eleanor, é claro...* O papel de carta exalava aquele leve cheiro de cravos (para pensamentos positivos) que impregnava o quarto de Eliza.

Noah ficou muito animado com o gato. Veio direto do colégio para casa naquele dia, jogou os livros no chão e saiu correndo e gritando, "George, George", que estava escondido. Delia teve de explicar a Noah como os gatos funcionavam — não deviam ser perseguidos nem olhados de frente, tudo tinha de ser feito indiretamente com o gato.

— Sente-se na mesma altura que ele — disse, quando George finalmente apareceu —, olhe-o de lado e fale em voz baixa.

— O que devo dizer a ele?

— Diga que ele é bonito, os gatos adoram a palavra "bonito". Acho que deve ser alguma coisa ligada ao tom com que se fala, então é bom pronunciar o *i* num tom bem longo e fino...

— Bo-niiiiiii-to — disse Noah, e no mesmo instante George apertou os olhos e deu um sorriso satisfeito.

•

Na véspera de Natal Delia buscou Noah no colégio e levou-o à casa da sua mãe. O carro dos Miller era um Fusca. Ela não estava familiarizada com aquele tipo de mudança, então foi andando aos solavancos. Noah teve a gentileza de não comentar nada. Sentou-se na frente e ficou atento ao desvio para Kellerton.

— Em geral a mamãe vem me buscar, mas seu carro está no conserto. Ela bateu cinco vezes nos últimos nove meses.

— Cinco?

— Nada por culpa dela.

— Ah, bom.

— Foi falta de sorte. Dessa última vez o sujeito deu uma ré e bateu no carro quando ela procurava uma vaga. É aqui que você vira.

Delia sinalizou para virar à direita e pegou uma estrada irregular que passava por um campo cheio de mato congelado. Era uma região plana, portanto as marchas não tinham de ser passadas a toda hora. Estavam indo na direção das praias e levariam uma meia hora até lá, segundo informação do Sr. Miller.

— Hoje às 6h da tarde você deve assistir ao noticiário do tempo — disse Noah. — Não que eu vá aparecer, mas pelo menos você sabe que vou estar na estação de televisão.

Devia ser estranho ver a mãe ausente falar sobre o tempo toda noite. Mas Noah nunca via, ao que Delia soubesse. Às seis horas da tarde o Sr. Miller via outro noticiário, o *The MacNeil/Leher NewsHour*.

Depois dos campos passaram por lanchonetes, estacionamentos de carros usados e lojas de bebida, o que indicava que estavam próximos de uma cidade. Mas Delia logo percebeu que ali *já era* a cidade — uns poucos prédios espalhados pelas áreas de fazendas. Noah mostrou a estação de televisão abaixo na torre, o cabeleireiro e o lugar onde a mãe fazia compras de casa. Dois quarteirões depois chegaram em um prédio de apartamentos baixo de tijolo bege.

— Quer que eu entre com você? — Delia perguntou, estacionando o carro.

— Não, eu tenho a chave caso ela não esteja em casa.

Delia ficou desapontada, mas não disse nada.

— Quando acordar amanhã — Noah disse quando ela destrancou a mala — procure seu presente no meu armário.

— E quando *você* acordar, olhe no bolso interno da sua mochila.

Ele deu um risinho e pegou a mochila.

— OK. Até logo então.

— Feliz Natal.

Em vez de abraçá-lo, ela fez uma festinha no seu cabelo. Queria fazer isso há muito tempo.

Quando voltou para casa o Sr. Miller esperava-a junto à janela da frente. Os dois mal se falaram — ele abriu a mão para receber as chaves do carro, desejou-lhe um feliz Natal, disse que estaria de volta com Noah na noite seguinte e saiu. O gato miou ansiosamente e seguiu Delia até seu quarto.

Em cima da sua cômoda encontrou um cartão de Natal com um cheque de 100 dólares. O cartão, escrito pelo Sr. Miller em letra de fôrma, dizia: *Só uma lembrança de agradecimento por ter organizado nossa vida. Muito gratos, Joel e Noah.*

Foi muita gentileza dele, Delia pensou. E também teve a sensibilidade de sair logo de casa, pois seria difícil ficarem os dois sozinhos ali.

Passou a tarde toda no sofá, lendo um livro muito grosso da biblioteca: *Doutor Jivago*. O vento jogava pequenas folhas nas paredes. George dormia enroscado aos seus pés. A noite foi caindo e sua lâmpada de leitura foi criando uma luz cor de mel.

Pouco antes das seis ela pegou o controle remoto na ponta da mesa e ligou a televisão. Antes do noticiário apareceu um pirata caolho anunciando terrenos à beira-mar, depois uma dona de casa usando um spray de aerossol na sala. Finalmente entrou a equipe do noticiário — um negro barbudo, um branco de rosto rosado e uma loura glamourosa de terninho de executiva. Delia pensou a princípio que a loura fosse Ellie Miller, mas o barbudo chamou-a de Doris. Doris informou que um ladrão vestido de Papai Noel tinha roubado um banco em Ocean City. Pronunciava as palavras de forma que o batom nunca tocasse nos seus dentes.

Delia ficou atrapalhada com a velocidade das imagens. Decerto tinha perdido o hábito de ver televisão. Sentiu os olhos cansados e durante os comerciais desviou-os da tela.

— Agora, Ellie com o tempo — disse o negro barbudo. — Diga, Ellie, há alguma chance de termos um Natal com neve?

— Nem pensar — disse Ellie naquele tom falso coloquial usado pelo pessoal de televisão. Mas seu rosto não combinava com a voz, era suave demais — rosto bonito tons de ruge rosa, boca vermelha e grande, olhos azuis. O cabelo era fofo e prateado. O suéter branco decotado de lã angorá parecia repuxado nas bordas.

Delia levantou-se para ficar na frente da TV. Ellie mostrava mapas do tempo em quadros que se alternavam. Noah estaria sentado em algum lugar atrás daquele pano de fundo pintado, mas no momento Delia não pensava nele. Examinava Ellie, tentando ver o que havia debaixo daquele olhar azul cor do céu.

— O frio continua... com rajadas de vento... — Delia ouvia com a cabeça levantada e o rosto apoiado nas mãos.

Quando começaram a noticiar os esportes, saiu da sala, atravessou a cozinha e o corredor e foi até o quarto de casal. Abriu a porta do armário e analisou as roupas penduradas lá dentro. Os ternos do Sr. Miller ficavam de um lado e à direita havia um espaço vazio. A prateleira de cima da direita também estava vazia. Ellie, ao contrário de Rosemary Bly-Brice, parecia ter levado tudo quando foi embora. Mesmo assim Delia abriu todas as gavetas da sua cômoda e só encontrou um botão preso em uma linha azul.

Voltou à saleta para ouvir as notícias nacionais. Fazia meses que não ouvia noticiários, mas achou que não tinha perdido muita coisa: o planeta continuava caminhando para o desastre. Desligou a televisão no meio de uma frase e foi preparar seu jantar.

* * *

Quando acordou na manhã seguinte, viu que o dia estava ensolarado. Alguma coisa naquela luz forte e brilhante lhe dizia que o frio era grande. George estava aninhado debaixo do seu braço, o que não fazia num tempo mais quente.

Só quando foi tomar chá é que lembrou que era dia de Natal. Sozinha num dia de Natal! Muita gente acharia isso trágico, mas ela sentiu-se bem. Gostou de andar pela casa silenciosa com a xícara de chá na mão, ainda de camisola e robe, cantarolando sem ser ouvida por ninguém. No quarto de Noah tirou da gaveta de cima umas meias de lã para usar como chinelo. Depois lembrou que ele tinha lhe deixado um presente e pegou-o na prateleira do armário — um embrulho quadrado, enrolado em papel de alumínio vermelho. O cartão dizia, *Porque você não tem roupa de ficar em casa*, e ela ficou intrigada. Rasgou o papel e viu um avental de carpinteiro de lona com bolsos na frente. Sorriu e passou a tira atrás do pescoço. Até então estava usando o avental de coquetel que encontrara entre os panos de prato, que não protegiam quase nada.

Seu presente para Noah era um kit de sobrevivência da Kemp's Kamping. Meninos pareciam gostar dessas coisas e o kit que ela comprou era interessante — pouco maior que um cartão de crédito, com vários apetrechos dobrados, inclusive uma lupa para fazer fogo.

Deu comida para George, vestiu-se e foi deitar no sofá de novo com o *Doutor Jivago*. De vez em quando largava o livro e olhava em volta da sala. A luz do sol de inverno, quase branca, batia no tapete. O gato banhava-se nos raios de sol em cima da poltrona azul. Tudo tinha um ar simples e agradável, como em uma pintura.

Na sua casa deviam estar abrindo os presentes naquela hora. Não era mais como antigamente, quando acordavam de madrugada. Agora desciam no meio da manhã e distribuíam os presentes com calma, um de cada vez. O menu do almoço era sempre composto de ganso, uma contribuição dos pacientes de Sam que caçavam. De sobremesa tinham pudim de ameixa com calda e sempre reclamavam que era pesado demais, porém comiam assim mesmo e passavam o resto da tarde gemendo e apertando o estômago.

Ela ficava pasma ao pensar como sua família aceitara sua ausência tão bem.

Mas *parecia* aceitável, pensando bem. Parecia quase inevitável. Quase... preordenado. Em retrospectiva, via todos os acontecimentos do ano anterior — a morte do seu pai, a doença de Sam, o encontro com Adrian — como ondas passando, uma após a outra. Achava que sua mudança para a casa dos Miller decerto representava uma espécie de progresso.

Tinha imaginado que seu feriado não seria longo o suficiente, mas quando Joel e Noah apareceram ao cair da noite, ela já estava olhando pela janela. Fechou a cortina assim que viu as luzes do carro e correu para abrir a porta e lhes dar as boas-vindas.

# 13

Uma vez por semana, em geral nas tardes de quarta-feira, Delia levava Noah para visitar o avô, a alguns quilômetros da rodovia 50. O velho vivia em um lugar chamado Senior City — um prédio de quatro andares de tijolo vermelho, um centro de idosos, localizado na extremidade de um campo de golfe. Delia deixava Noah na porta da frente e voltava para o trânsito de gigantescos Buicks e Cadillacs. Ia buscá-lo 1 hora depois. Era um tempo de espera inconveniente, curto demais para voltar para Bay Borough, então habituou-se a esperar em um shopping center próximo. Lá entrava em uma livraria e ficava folheando os livros, ou comprava alguma coisa especial para o jantar na delicatessen.

Estava deixando Noah numa quarta-feira no meio de janeiro quando ele pediu para ela subir com ele.

— Eu? Para quê?

— Meu avô quer te conhecer.

— Mas...

Olhou para suas roupas. Por baixo do casaco usava um vestido caseiro de algodão estampado escuro, comprado em uma liquidação depois do Natal.

— Que tal na semana que vem?

— Ele me pediu para levar você hoje. Eu é que esqueci de dar o recado.

Ela parou no estacionamento para visitas.

— Se você tivesse avisado, eu teria me vestido melhor.

— É só o vovô que vai estar lá.

— Mas minha roupa está um horror! Como é o nome dele?

— Nat.

— E o sobrenome? — perguntou, saindo do carro. Depois de anos de experiência tinha aprendido a não confiar em apresentações formais das crianças. — Eu preciso chamar seu avô de Sr. *Alguma coisa.*

— Todo o mundo chama o vovô de Nat.

Ela desistiu e seguiu Noah por uma fileira de carros para deficientes físicos.

— Ele quer me ver por alguma razão especial?

— Disse que não consegue fazer uma idéia sua quando eu falo de você.

Os dois aproximaram-se das portas duplas, que se abriram para eles passarem. O saguão era acarpetado com um material duro e encaroçado, provavelmente em razão das cadeiras de rodas. O carpete rinchava debaixo dos pés. À direita havia uma loja de presentes envidraçada e à esquerda Delia viu uma cafeteria, deserta àquela hora mas ainda com o aroma inconfundível de café. Várias velhinhas esperavam o elevador. Uma delas tinha um carrinho motorizado e duas apoiavam-se em andadores. Era como visitar uma zona de guerra, Delia pensou. Mas as velhinhas estavam bem penteadas e bem vestidas, e quando viram Noah, abriram um sorriso. Sorriso *valente*, na opinião de Delia. Ela tinha experiência com idosos, depois de tanto tempo de convivência com os pacientes de Sam.

A porta do elevador abriu e apareceu uma senhora magra de cabelo azulado, elegantemente vestida.

— Desculpe! Estou descendo! — disse ela.

— Você já *está* no térreo, Pooky — disse a mulher do carrinho motorizado.

— Bom, então vamos todas dar uma volta de elevador porque eu apertei o 1.

— Nós *estamos* no 1, Pooky.

As outras nem discutiram. Entraram com dificuldade, apoiando-se no que encontravam pela frente. Noah e Delia entraram por último. A porta fechou e começaram a subir. Nesse meio tempo todas olharam para Noah — até Pooky, que parecia não se preocupar por não estarem descendo. No segundo andar saiu uma senhora com uma sacola de compras. No terceiro Noah disse "É aqui", e ele e Delia se viram em um longo corredor. Várias senhoras desceram também, com ruídos metálicos das cadeiras de rodas. Mas Pooky permaneceu no elevador, olhando para a frente quando a porta fechou.

— Ela sobe e desce o dia inteiro às vezes — Noah explicou a Delia.

Nada ali parecia diferente de um prédio de apartamentos normal, a não ser o corrimão ao longo das duas paredes. Em intervalos regulares, havia umas portas com um visor na altura dos olhos. Noah parou na quarta porta à direita. *Nathaniel A. Moffat, Fotógrafo*, dizia um cartão de visita, com o endereço de Cambridge, Maryland, riscado. Quando Noah tocou a campainha, ouviram um único toque lá dentro.

— É meu neto favorito? — gritou um homem.

— É, sim — disse Noah.

— Sou o *único* neto dele — explicou para Delia com um risinho.

A porta abriu, mas em lugar do homem que Delia esperava apareceu uma mulher baixa e atarracada sorrindo para eles. Não devia ter mais que 30 anos. Seu rosto redondo era cor de damasco, o cabelo crespo era pintado, e ela usava um vestido laranja com decote em V. Os sapatos também eram laranja — escarpins pequenos, abertos nos dedos. Delia esperava ver sapatos de enfermeiras para explicar a presença dela ali.

— Oi, eu sou Binky — disse para Delia. — Noah, vamos entrar.

A sala de estar onde entraram devia ser tão moderna quanto o resto do prédio, mas Delia só conseguiu distinguir os móveis antigos escuros e pesadões. Um excesso de móveis, muito juntos uns dos outros, como se tivessem vindo de salas maiores. Por um instante Delia teve dificuldade em localizar o avô de Noah, que estava se levantando de uma cadeira de veludo marrom com braços de vime. Tinha ao seu lado uma bengala de metal, mas veio andando sem ela para cumprimentar os dois.

— Você é Delia, e eu sou Nat.

Era um desses homens que ficam mais bonitos quando envelhecem — barba branca aparada, rosto avermelhado, corpo esguio e vigoroso. Usava um casaco de *tweed* esportivo e calça cinza. Seu aperto de mão era forte e enérgico.

— Obrigado por vir aqui — disse a Delia. — Eu queria ver essa pessoa com quem meu neto está tão encantado.

— Obrigada por me convidar.

— Não quer dar seu casaco para Binky?

Delia ia dizer que preferia não tirar o casaco, que só podia ficar um pouco, mas percebeu que a mesa em frente ao sofá estava posta para o chá. Pratos de bolos, quatro xícaras de porcelana com pires e um bule com chá já pronto, coberto por um tecido cor de marfim. Graças a Deus Noah se lembrara de convidá-la.

Entregou o casaco a Binky e sentou-se onde Nat indicou, na ponta do sofá. Ele sentou-se na sua cadeira e Noah na pequena cadeira de balanço ao lado. Binky, depois de pendurar o casaco no armário, sentou-se na outra ponta do sofá e abaixou-se para destampar o bule.

— Noah prefere chá com hortelã em vez de chá puro — disse para Delia. — Espero que não se importe.

— De modo algum.

Então Noah tomava chá toda vez que ia lá? Delia pensou que ele ficasse jogando damas ou coisa parecida. Olhou para o avô, que meneou a cabeça com gravidade.

— Noah toma chá comigo desde a época em que usava canequinha de criança. Ele é o único menino da família! Nós homens temos de nos unir.

Binky passou a xícara a Delia e disse:

— Então, está gostando de trabalhar para o pai de Noah, Delia?

— Estou gostando muito.

— Joel é um bom homem — disse Nat placidamente. — Faço questão de não tomar partido nos problemas conjugais das minhas filhas — disse para Delia. — Quando elas eram ainda pequenas, jurei para mim mesmo que aprovaria qualquer casamento que fizessem.

Houve uma pausa depois dessas palavras e Delia sentiu-se forçada a perguntar:

— E hoje aprova?

— Totalmente — disse, dando um risinho por trás da barba. — Eu adoro meus genros! E eles me acham maravilhoso.

— E você *é* maravilhoso mesmo — Binky falou com firmeza. Ele fez uma reverência.

— Obrigado, madame.

— Mas talvez não tão maravilhoso quanto eles imaginam...
Fez uma careta e deu uma piscada para Delia.

Binky seria uma dessas acompanhantes pagas, ou uma das filhas? Mas aquele rosto risonho não se parecia nada com o de Nat. E ela não parecia tão ligada ao neto dele.

— Ponha um pouco de manteiga — disse a Noah, sem notar que ele não tinha nada no prato para comer.

— Ponha um pouco de "margarina vegetal com baixo colesterol" — Nat corrigiu. — Daí eu digo, "Nem parece que não é manteiga" — falou para Delia. — Depois, quando vou lavar o cabelo, "Nossa, seu cabelo está incrível".

Delia não entendeu a observação, mas Noah abafou o riso. O avô olhou para ele com os lábios torcidos como que fazendo força para não rir. Depois virou-se para Delia.

— Ouvi dizer que você é de Baltimore.

— Sou, sim.

— Tem família lá?

— Tenho.

Ele levantou as sobrancelhas, mas ela não deu mais informação.

— Noventa por cento das pessoas deste prédio são de Baltimore — falou finalmente.

— É mesmo?

— Gente rica que ao se aposentar prefere morar na Costa Leste. Gente de Roland Park ou Guilford.

Delia não deu nenhum sinal de que já tinha ouvido falar de Roland Park ou Guilford.

— Vê-se logo que essas senhoras elegantes não são locais. É claro que não. Eu mesmo não estaria aqui se não tivesse me casado com uma Murray. Os Murray da empresa Murray Crab Spice. Um fotógrafo qualquer desconhecido nunca poderia pagar esses preços exorbitantes.

— Ouvi dizer que vão aumentar os preços de novo em julho — disse Binky para ele.

Delia olhava em volta da sala. A palavra fotógrafo chamou sua atenção para as fotos grandes penduradas por todo lado — em branco e preto, com moldura profissional.

— Esses trabalhos são todos seus? — perguntou.

— Meus? Antes fossem.

Levantou-se, dessa vez apoiado na bengala.

— Foram tirados por mestres — disse, indicando um estudo de um pimentão verde voluptuoso. — São de Edward Weston, Margaret Bourke-White... — Deu meia-volta para olhar a foto à sua esquerda, chaminés de fábrica enfileiradas como notas musicais. — Eu fotografava noivas. Quarenta e dois anos de noivas. Alguns casais comemorando bodas de ouro apareciam de vez em quando. Depois comecei a ter recaídas ou *"flashbacks"*, como costumo dizer. — Olhou para baixo, como que indicando alguma coisa, mas Delia pensou que estivesse mostrando o tapete. — A poliomielite que tive na infância voltou a me afetar. Thelma, minha esposa, já era falecida nessa época, mas tinha colocado nossos nomes na lista de espera quando começaram a planejar a Senior City. Por que não sei, pois ela nunca quis arredar pé do nosso casarão antigo mesmo depois das filhas terem se casado. Dizia sempre que poderiam querer voltar para lá por alguma razão. É claro que as quatro voltavam correndo a cada pequeno problema conjugal, pois tinham um lugar para ficar, se quer saber minha opinião. "Meu Deus, Thel", eu lhe dizia, "não podemos cuidar dessas meninas a vida inteira! Os gatos criam os gatinhos e quando eles são desmamados tornam-se verdadeiros estranhos; não se reconheceriam caso se encontrassem em uma viela poucos meses depois. Você acha que os seres humanos devem ser diferentes?"

— É claro que são diferentes! — Binky protestou, dando um sorriso para Delia.

Mas Nat fez um ar de escárnio.

— Besteira! — disse para Noah, que lambia o dedo sujo de glacê de bolo. — Bom, eu comecei a ter essas recaídas. Às vezes uma perna emperrava no final do dia e muitas vezes eu mal conseguia subir as escadas de noite. Sabia que não podia continuar a morar naquele lugar. Então telefonei para o pessoal daqui e disse, "Minha esposa não pôs nossos nomes na lista de espera de vocês?" E foi assim que vim parar em Senior City. Cidade dos Idosos, meu Deus! Que nome abominável!

— Mas parece um lugar muito... organizado — disse Delia.

— Exatamente. Organizado. Essa é a palavra! — Deu mais uma volta na sala (havia alguma coisa explosiva, mal contida, nos seus movimentos dolorosos) e voltou para a cadeira. — Como fichas dentro de um fichário — continuou, sentando-se aos poucos. — Somos organizados na vertical. Quanto mais fracos ficamos, mais no alto moramos. O andar abaixo do meu é o dos mais saudáveis. Algumas pessoas de lá ainda trabalham, usam o campo de golfe e as mesas de pingue-pongue, viajam para o sul no Natal. O meu andar é para os moderadamente... prejudicados. Os que precisam de cadeiras de rodas ou talvez de um pouco de ajuda para andar. O quarto andar é dos doentes. Com enfermeiras, camas de grade.... Todos esperam morrer antes de serem mandados para o quarto andar.

— Não esperam, não! — disse Binky indignada. — É ótimo o quarto andar. Coma um bolinho, Noah.

— Ótimo não é bem a palavra que vem à *minha* cabeça — disse Nat a Delia. — Não que eu não aprove a Senior City em teoria, veja bem. É certamente melhor do que ser um fardo para os filhos. Mas, para mim, alguma coisa em todo esse esquema é desconfortavelmente simbólica, digamos assim. Sempre imaginei a vida como uma dessas escadas que existem nos escorregas dos playgrounds, uma espécie de escada dos anos, onde você sobe cada vez mais alto e de repente cai e outros tomam o seu lugar. E eu me pergunto: será que Thelma descobriu um lugar para nós com mais níveis?

Delia riu e Nat recostou-se na cadeira e sorriu para ela.

— Bom, não vou ficar divagando. Estou contente de finalmente ter lhe conhecido, Delia. Noah me disse como você tem ajudado os dois.

Ela percebeu a indireta.

— Foi bom conhecer você também — disse, levantando-se logo.

— De hoje em diante, por que não entra para tomar chá sempre que trouxer Noah aqui?

— Vou fazer isso — prometeu.

Enfiou os braços no casaco que Binky lhe trouxe e Noah vestiu o casaco.

— Dirija com cuidado — disse Binky abrindo a porta. O decote da sua roupa deixava ver um pouco a linha rosada entre os seios apertados. Foi isso ou foi a lembrança do risinho matreiro de Nat que fez com que Delia pensasse de repente que Binky era na verdade sua namorada?

Joel disse que não tinha idéia de quem Binky era. Nem sabia que ela existia.

— Binky? Quem é Binky? Que nome é esse?

Estavam jantando na cozinha, só os dois. Noah tinha aceitado um convite de última hora para jantar nos Moss. De início

Delia ficou de pé a maior parte do tempo, mas Joel disse para ela se sentar, num tom muito gentil.

— Diga como acha que Noah vai indo.

A pergunta levou uns três segundos. (Noah estava indo bem.) Depois tiveram de encontrar outro assunto, e foi por isso que Delia mencionou Binky.

— Que idade ela tem, você sabe?

— Uns 35, 36...

— Jovem demais para ser uma médica estagiária. E duvido que Nat precise de uma enfermeira. O que Noah falou sobre ela?

— Disse que ela "fica por ali". Perguntei quem ela era e ele disse, "Não sei, alguém que está sempre por ali".

— Hum...

— Bom, isso não é da minha conta. Nem sei por que toquei nesse assunto.

Só então lembrou que tinha perguntado sobre Binky para acabar com o silêncio constrangedor.

— A esposa dele era um exemplo de virtude — disse Joel enquanto ela o servia de mais um bolinho de carne. — A avó de Noah.

— É mesmo?

— Pelo menos era o que *ela* pensava.

— Ah!

— Eu nunca suportei aquela mulher. Sempre interferindo, se metendo na nossa vida. Perguntando sobre o destino dos presentes que nos dava. "Você usa tal e tal coisa?" "Por que nunca vi você usando isso ou aquilo?"

Delia riu.

— Então, se essa Binky for amante de Nat — disse Joel, deixando Delia chocada com a palavra crua que ele usou — melhor para ele. Nat merece um pouco de felicidade.

— Eu não quis dizer...

— Por que não? Ele tem só 67 anos. Se não fosse por aquelas malditas recaídas, ainda estaria velejando no seu barco.

Delia não sabia que Nat velejava, mas podia imaginar aquela figura espigada andando pelo convés.

— Ela gostava de dizer que estava "sempre ali" para os outros — lembrou Joel. Devia estar falando de novo da avó de Noah. — A primeira pessoa que eu ouvi dizer isso, mas tornou-se uma expressão comum mais tarde. "Estou sempre *ali* para minhas filhas" — caçoou. — Dava vontade de perguntar, "Ali onde, exatamente?" É uma das expressões que mais me irritam.

Delia esperava nunca ter usado essa expressão.

— Isso e "sobrevivente". A não ser que seja um sobrevivente em sentido literal.

— Sobrevivente?

— Hoje em dia você é um sobrevivente se tudo que fez foi sobreviver à infância.

— Ah!

— Outra palavra que eu detesto é...

Que bom Joel ter tantas opiniões fortes, assim ela não precisaria puxar conversa. Ficou observando sua boca, aquela boca firme e fina com um sulco marcante no lábio superior, e achou que para alguém tão interessado em questões de linguagem ele certamente não revelava muita coisa.

Agora, quando Delia ia à delicatessen depois de deixar Noah nas tardes de quarta-feira, comprava mais alguma coisa — pepinos franceses ácidos e geléia de pimenta — e pagava com seu próprio dinheiro e levava para o chá na casa de Nat.

— Como adivinhou que eu gosto dessas coisas? — Nat perguntava. — A maioria das pessoas me traz chocolates. Compotas de frutas. Coisas doces.

Ela não dizia que era porque seu pai também gostava de comidas picantes, além do mais o modo galante e ligeiramente malicioso de Nat sugeria que ele não se sentia tão velho. Muitas vezes fazia piadas sobre Senior City, como que para provar que realmente não pertencia àquele lugar. "Casa dos Mortos-Vivos", como dizia. Dizia que acreditava que as gaivotas que sobrevoavam o prédio eram urubus, e falava com ironia dos "pobrezinhos" do quarto andar. E havia também seu romance com Binky.

Binky *era* sua namorada, Delia não tinha mais dúvida disso. Três vezes ela chegou para o chá e encontrou-a afundada no sofá dele, como se fosse a dona da casa. Na quarta vez, quando não a viu lá, Nat achou necessário explicar que Binky tinha recebido um telefonema imprevisto. Seu filho tinha quebrado um dente.

— Binky tem um filho? — Delia perguntou.

— Na verdade, dois filhos.

— Eu não sabia.

— Então Noah é quem está fazendo as honras da casa hoje.

Delia sentou-se no sofá com o casaco em cima do braço e ficou observando Noah servir o chá muito desajeitado.

— Eu nem sabia que ela era casada.

Escolheu as palavras com cuidado, não disse *tinha sido casada*, pois podia ser que Binky ainda fosse casada. A resposta de Nat deixou-a na mesma.

— Oh, sim, casada com um dentista — foi só o que disse.

— Bom, então o dente quebrado não devia ser problema — ela insistiu.

— Ah, é — disse Nat, olhando-a por baixo das sobrancelhas grossas grisalhas. — Se ela não se importasse de pegar um avião para levar o filho a um consultório em Wyoming.

— Ah...

— Eles são divorciados.

— Entendi.

— Divorciados *à custa de muita briga* — disse Nat com certa satisfação. — Meses de processos, advogados e advogados substitutos, 40 mil dólares gastos para ganhar 5 mil... dá para imaginar?

— Que pena!

— Ela acabou sem um centavo, teve de vir trabalhar em Senior City na loja de presentes.

— Binky trabalha na loja de presentes?

— Por enquanto.

Olhou para Noah, que passava um prato de brownies com dificuldade.

— O fato é que Binky e eu vamos nos casar.

O prato de brownies quase virou.

— Oh, meus parabéns! — disse Delia, inclinando-se para pegar um brownie caído no tapete.

— É verdade? — Noah perguntou ao avô.

— É verdade. Mas não mencione nada para as meninas ainda, está bem? Eu devia ter contado à sua mãe e suas tias em primeiro lugar.

— Então você vai se mudar daqui? — Noah perguntou.

— Acho que não, filho — respondeu, olhando para Delia. — Noah gostava mais da minha antiga casa.

— A outra casa tinha uma casa na árvore muito legal — Noah disse a ela.

— Mas não tinha elevador. Nem uma barra acima da banheira para eu me apoiar. Nem uma sala de fisioterapia para velhos excêntricos.

— Você não é um velho excêntrico! — disse Noah.

— Além do mais, há o pequeno detalhe do meu contrato com a Senior City. Vou ter um problema com a diretoria, como você pode imaginar. Todas as minhas economias estão afundadas neste apartamento, mas a idade mínima para entrar aqui é 65 anos. E Binky tem 38.

— E os filhos dela? — Delia perguntou.

— Isso *teria* sido um drama! Rock na cafeteria, skates nos corredores... Mas os filhos vão ficar com os pais dela. Um já está na faculdade, e o outro quase. Mesmo assim a diretoria está criando problema, e algumas vizinhas estão com raiva de mim porque homens são raros aqui. Pensavam que eu me casaria com uma das moradoras, não com uma vendedorazinha da loja de presentes.

— Acho que fez uma escolha perfeita — disse Delia.

Estava sendo honesta. Tinha aprendido a gostar de Binky, que seguia todas as conversas deles com murmúrios de admiração e observações encorajadoras.

Quando Delia chegou na semana seguinte, fez questão de dizer a Binky que Nat era um homem de sorte.

— Obrigada — disse Binky, radiante.

— Vocês já marcaram uma data?

— Estamos pensando em junho.

— Ou março — Nat corrigiu.

Binky fez uma careta cômica para Delia. Março era perto demais, já estavam no meio de fevereiro.

— Ele não tem idéia do que essas coisas implicam.

— Está pensando em fazer um grande casamento?

— Não *tão* grande, mas... Na primeira vez, fugi de casa para me casar. Era caloura no Washington College e me casei com a mesma roupa que tinha usado na aula naquele dia. Dessa vez quero tudo a que tenho direito.

— Eu vou ser o padrinho — Noah disse a Delia.
— Vai mesmo?
— Vou ter de segurar o anel.
— Você também vai, não é, Delia? — Nat perguntou.
— Se for convidada, é claro que vou.
— Você vai ser convidada — Binky falou, dando uma palmadinha na mão de Delia e um sorriso com a covinha do rosto.
Mas quando estavam voltando para casa, Noah disse a Delia que Binky tinha chorado quando ele chegou lá.
— Chorado? Por quê?
— Não sei, mas seus olhos estavam vermelhos. Fingiu que não era nada, mas eu sabia. E quando foi para a cozinha o telefone tocou e o vovô gritou, "Não atenda!" Ela não atendeu e nem ele, e o telefone ficou tocando sem parar. Finalmente eu disse, "Quer que eu atenda?", mas ele disse, "Não precisa. É provavelmente Dudi".
— Quem é Dudi?
— Uma das minhas tias.
— Ah, mas por que ele não queria falar com a filha?
Noah deu de ombros.
— Não faço idéia! É bom prestar atenção no velocímetro, Delia.
— Obrigada.
Ela tinha recebido duas multas nas três últimas semanas. Devia ser por causa daquele campo aberto. A velocidade tomava conta dela aos poucos, e quando via já estava voando.

Quando chegaram em Bay Borough, Joel já estava em casa esperando para ouvir as novidades. Ficou muito interessado nos planos de casamento de Nat.
— Noah vai ser o padrinho — Delia contou, pendurando seu casaco.

— Você está brincando! — E virou-se para Noah. — Onde vai ser a despedida de solteiro?

— Despedida de solteiro?

— Já pensou no seu discurso?

— Discurso?

— Não ligue para ele — disse Delia, vendo que Noah estava preocupado.

Ocorreu-lhe então que ia conhecer Ellie no casamento. Incrível que ainda não tivessem se encontrado antes, pois Delia cuidava do seu filho. Que tipo de mãe entregaria o filho a uma pessoa estranha?

Umas duas semanas antes, passando pelo quarto de Noah para usar seu banheiro, Delia notou uma foto colorida das filhas de Nat sobre a cômoda. Pelo menos imaginou que fossem todas filhas dele — Ellie e três outras moças louras, de braços dados e rindo. Ellie era a mais animada, a primeira para quem se olhava. Usava um vestido creme estampado de morangos que combinava com sua boca vermelha. Mas os sapatos não eram muito bonitos. Sapatilhas de bailarina, *pretas*, baratas e esquisitas, deixando ver os calos dos dedos. E fazendo os tornozelos parecerem grossos.

Por que Delia achou isso tão gratificante? Não tinha nada contra Ellie, nem ao menos a conhecia. Chegou mais perto da foto e passou vários minutos procurando por outros defeitos nela. Não que fosse encontrá-los. E não que fosse apontá-los para Joel.

# 14

Numa sexta-feira de manhã, no final de fevereiro — um dia ensolarado e de temperatura tão amena que dava a impressão de já ser primavera, se Delia não conhecesse as manhas do inverno — ela foi até a Young Mister Shop trocar uns pijamas que tinha comprado para Noah (que por alguma razão preferia os de outra marca). Como o dia estava agradável e não seria preciso usar mais que um suéter, decidiu ir até a biblioteca e fazer uma visita à Sra. Lincoln. Atravessou a praça e subiu a West Street. Na vitrine da florista parou para admirar um vaso de flores brancas e, ao passar pela janela do Sr. Pomfret, deu uma olhadela para tentar ver a cara da nova secretária dele. Diziam que estava fazendo uma experiência com a sobrinha da sua mulher, que não sabia nem datilografar muito menos usar o computador. Mas para ver alguma coisa lá dentro, devido ao reflexo da luz na vidraça, teria de chegar mais perto. Mas só conseguiu perceber sua própria silhueta e outra logo atrás, ambas entremeadas com a nova planta que a sobrinha devia ter colocado no peitoril da janela. Apertou o passo e atravessou a George Street.

A vitrine da Pinchpenny expunha vestidos de meninas naquela semana, e as duas silhuetas refletidas no vidro foram rodeadas de roupinhas de xadrez e floreadas. Delia notou que a segunda silhueta era comprida e desengonçada como um menino adolescente. Como Carroll.

Virou-se e deu de cara com o próprio Carroll, que pareceu ainda mais assustado que ela, se isso fosse possível. Ele fechou a cara e deu um passo atrás, com as mãos enfiadas nos bolsos do blusão.

— Carroll? — ela disse.

— Que foi?

— Oh, *Carroll* — gritou, tomada de um sentimento tão violento que compreendeu pela primeira vez como tinha sentido a falta dele. O rosto dele podia ser seu próprio rosto, não tanto pela semelhança mas devido aos mesmos detalhes absorvidos ao longo dos últimos 15 anos — sardas espalhadas em volta do nariz delicado, olheiras que aumentavam em certos momentos. (Naquele momento estavam quase roxas.) Ele levantou o queixo numa expressão de desafio e Delia esticou a mão e colocou-a no braço dele em vez de beijá-lo.

— Estou feliz de lhe ver! Como chegou até aqui?

— Arranjei uma carona.

Ela havia se esquecido de que a voz dele mudara, e teve de adaptar-se a isso de novo.

— O que está fazendo na West Street?

— Tentei encontrar você naquela pensão mas ninguém atendeu, então a vi atravessando a praça.

Pelo visto, ele não tinha dito à família que ia lá. (Ela enviara seu novo endereço para Eliza há semanas.)

— Algum problema em casa? Você está bem? Hoje é dia de colégio — ela disse.

— Está tudo bem.

Ele tentou soltar o braço de mansinho, pois ficou sem jeito com os olhares dos passantes. A contragosto, Delia baixou a mão.

— Vamos... você não quer almoçar?

— Almoçar? Eu acabei de tomar meu café.

É mesmo, ainda era de manhã. Ela estava tonta e desorientada, quase bêbada.

— Quer tomar uma Coca ou alguma outra coisa?

— Tudo bem.

Ao virar na direção do Rick-Rack's ela teve um pretexto de tocar nele de novo. Como era gostoso aquele braço forte. Tinha certeza que era Carroll quem finalmente iria procurá-la! (O filho mais ligado a ela, em termos gerais, o mais querido, o mais próximo. Embora ela provavelmente pensasse o mesmo se um dos outros dois estivesse ali.)

— Quero saber todas as novidades. Como vai o colégio?

Ele deu de ombros.

— Seu pai teve mais dor no peito?

— Que eu saiba, não.

— Ramsay e Susie vão bem?

— É claro.

*Então o que era aquilo?*, teve vontade de perguntar. Já sentia de novo aquela maneira velada e dúbia dos filhos adolescentes. Levou-o até a George Street, quase arfando.

— Ramsay ainda está saindo com aquela moça divorciada? Velma? — perguntou.

Carroll deu de ombros de novo. Obviamente estava.

— E a Susie?

— O que tem a Susie?

— Já descobriu o que quer fazer depois que se formar?

— Hein? — ele disse, olhando um pôster de Bon Jovi na loja de discos.

Não tinha perdido o hábito de pôr a mão na boca como se fosse bocejar toda vez que falava, um hábito irritante. Delia tentou ser paciente. Passaram pela Shearson Liquors, pela Brent Hardware e entraram no Rick-Rack's.

— Este é meu filho Carroll, e este é Rick Rackley.
— Seu filho! Que legal! — disse Rick.

Carroll parecia aturdido e Delia ficou meio sem jeito. Será que ele não podia ser um pouco mais delicado?

— Vamos sentar em um banco ali — disse bruscamente.

Teensy não estava à vista, então Delia pegou dois cardápios de cima de um tamborete e assim que se sentaram passou um para Carroll.

— Eu sei que é cedo, mas talvez você queira experimentar o sanduíche de pernil grelhado. É do tipo da Carolina do Norte, nada doce ou...
— Mãe — disse Carroll baixinho.
— Que foi?
— Mãe, aquele é o Rick-Rack?
— O que?
— Rick Rackley, o jogador de futebol?
— É, acho que sim.

Carroll olhou para Rick, que servia café para o sogro, e sussurrou para Delia:

— Você conhece o Rick-Rack em pessoa? E ele te conhece?

As coisas estavam saindo melhor do que ela esperava.

— É claro que sim — disse, com naturalidade. Depois, querendo se mostrar, perguntou: — Onde está a Teensy, Rick? — perguntou.
— Foi ao cabeleireiro — ele respondeu, pondo a cafeteira de volta no fogo. — Vocês vão ter de fazer os pedidos diretamente para mim.

— Está cedo demais para um sanduíche de pernil?
— Não, posso preparar para você.
Carroll disse:
— Eu acabei de tomar café da manhã. Já disse.
— É, mas você não pode perder isso. Nem uma gota de molho de tomate! Vem com batatas fritas de verdade e salada de repolho cru feita em casa.

Delia não sabia por que falava tanto daquilo. Carroll não estava com fome e olhava para Rick. Mas mesmo assim ela pediu:
— Dois sanduíches, por favor, Rick. E duas Cocas grandes.
— É pra já.

O Sr. Bragg girou o tamborete para olhar para eles. O cabelo branco cortado rente estava de pé, como se ele estivesse espantado.
— Ora! O que aconteceu com esse *menino*?
Delia olhou para Carroll alarmada.
— Como ele cresceu rápido! Como ficou comprido de repente!

O velho, sem perceber sua aflição, continuou:
— No Natal passado ele era desse tamaninho.
— Ah, o senhor está falando de Noah.

Era do conhecimento de todos que o Sr. Bragg estava esclerosado, por isso Rick e Teensy não podiam mandá-lo embora.
— Quem é Noah? — foi sua próxima pergunta.
— Quem é Noah? — Carroll também perguntou.
— É o menino que... — Sentiu-se acuada, como se tivesse agido de forma desleal. — É o filho do meu patrão. Então, Carroll? Conte como vão as coisas lá em casa. Tem comido muitas tortas de maçã?
— Você não perguntou da tia Liza — Carroll falou.
— Eliza? Ela vai bem?

— Vai *bem*, acho eu.

— O que está tentando dizer? Eliza está doente?

— Não, não está doente.

— No Natal você era um garotinho de nada — insistiu o Sr. Bragg. — Você e ela estavam tomando café aqui, olhando os presentes que tinham comprado.

— Eliza ainda está cuidando da casa, não é? — Delia continuou.

Mas Carroll parecia mais interessado no que o Sr. Bragg dizia.

— De quem ele está falando?

— Já disse, do filho do meu patrão.

— É por isso que está carregando essa sacola? "Roupas de bom gosto para o jovem inteligente?" Você compra as roupas desse garoto? Vocês se divertem juntos? E que vestido é esse que está usando, pelo amor de Deus?

Delia olhou para suas roupas. Não eram nada esquisitas — o suéter Srta. Grinstead e o vestido de casa estampadinho azul-marinho.

— Usando? — perguntou.

— Você está tão, como vou dizer, tão apagadinha!

Dois pratos apareceram diante deles, na mesa de fórmica.

— Alguém quer ketchup? — Rick perguntou.

— Não, obrigada — Delia falou. — Querido, eu...

— Eu quero ketchup — Carroll respondeu, num tom beligerante.

— Desculpe. Por favor, Rick.

— Já esqueceu que tem um filho que põe ketchup até nas batatas fritas? — Carroll disse.

— Meu bem, eu nunca me esqueceria. Bom, talvez sobre o ketchup, mas nunca sobre...

Rick trouxe uma bisnaga de plástico e as Cocas em copos altos de papel.

— Obrigada, Rick — disse Delia.

Esperou ele afastar-se, esticou a mão sobre a mesa e pegou a mão de Carroll. Os nós dos dedos dele estavam ásperos como couro. Os lábios estavam rachados. Havia alguma coisa dura nele, ela estava habituada ao Carroll suave dos seus devaneios.

— Eu nunca esqueceria que tenho filhos — disse a ele.

— Claro, por isso saiu andando pela praia sem pensar neles.

— Delia? — alguém chamou.

Ela levou um susto. Duas adolescentes aproximaram-se da sua mesa — Kim Brewster e Marietta alguma coisa. Schwartz? Schmidt? (A que tinha levado o chocolate feito em casa para Joel, tão doce que rilhava nos dentes).

— Oi — disse Delia.

— Você não vai dizer ao Sr. Miller que nos viu aqui, vai? — Kim perguntou. Ela era uma das alunas de recuperação de Delia, que agora dava aulas de matemática na escola. — Ele nos mataria se descobrisse!

— Nós estamos matando aula — Marietta acrescentou. — Vimos você aqui e pensamos em lhe pedir isso. Você deve saber que o aniversário dele está chegando.

Delia não sabia, mas assentiu. Qualquer coisa valia para livrar-se das meninas.

— Estamos fazendo uma vaquinha para comprar um presente e pensamos que talvez você soubesse o que poderíamos dar.

— Bom...

— Você conhece o Sr. Miller melhor do que ninguém. Ele não fuma, não é? Muitos presentes são para quem fuma.

— Ele não fuma — disse Delia.

— Nem cachimbo?

— Nem cachimbo.

— Ele é tão, vamos dizer, tão distinto, deve ficar muito bem com um cachimbo na boca. Talvez a gente pudesse dar um para ele.

— Acho que ele detestaria ganhar um cachimbo — disse Delia com firmeza. — Foi um prazer ver vocês.

Mas Kim observava Carroll por baixo dos longos cílios.

— *Você* não tem cara de estudar na Dorothy Underwood — disse.

— Dorothy Underwood? — Carroll perguntou

— O nome do nosso colégio — ela respondeu, estalando o chiclete na boca. — Você deve ser de outra cidade.

Delia começou a comer a salada sem olhar para a cara de Carroll. Ele pegou o ketchup e espremeu a bisnaga metodicamente em cima de cada batata frita.

— Bom... — disse Kim finalmente. E as duas foram se sentar no banco vazio, ainda falando com ela. — Obrigada, Delia... Se tiver alguma sugestão...

Delia tomou um gole de Coca-Cola.

— Quem é esse sujeito? — Carroll perguntou, pondo o ketchup na mesa.

Confusa, ela olhou em volta.

— O sujeito do cachimbo, mãe. O sujeito tão distinto que você conhece tão extremamente bem.

— Não é o que você está pensando! É o meu patrão — ela respondeu rindo, sem naturalidade.

— Certo.

Empurrou o prato e disse:

— Agora estou entendendo. Não é de admirar que você não tenha ido para casa no Dia do Trabalho.

— Dia do Trabalho?

— O papai disse que você estaria de volta nessa data, mas está bem claro agora por que você não foi.

— O pai de vocês disse que eu voltaria no Dia do Trabalho? — ela perguntou, olhando fixo para o filho.

— Disse que você precisava de um tempo e que voltaria para casa no final do verão. Estávamos contando com isso. Ele prometeu. Susie achou que devíamos vir te buscar, mas ele disse, "Não, deixe sua mãe em paz. Mas garanto que ela estará aqui para o piquenique do Dia do Trabalho". E olhe o que aconteceu, você não cumpriu sua palavra.

— *Minha* palavra! — Delia gritou. — A palavra foi *dele*! Eu não tive nada a ver com isso! E que direito ele tinha de dizer isso, posso saber? Quem é ele para garantir quando vou voltar para casa?

— Calma, mãe — disse Carroll num tom mais baixo, olhando furtivamente para Rick. — Não vamos criar um caso por causa disso, OK? Tente se acalmar.

— Não diga para eu me acalmar! — ela gritou, imaginando quantas vezes tinha dito essa mesma frase antes. *Não diga para eu me acalmar!* Ou, *estou completamente fria e calma*. Só que tinha dito para Sam, não para Carroll. Tudo lhe veio à cabeça então: a sensação de ser uma pessoa ineficiente, instável, avoada e nervosa. (E quanto mais protestava, é claro que mais nervosa parecia.) Segurou-se nas bordas da mesa com ambas as mãos e disse: — Estou completamente fria e calma.

— Muito bem. Que bom saber disso — disse Carroll, pegando uma batatinha frita ensopada de ketchup e enfiando-a na boca com elaborada indiferença.

*Que bom saber disso* era uma das respostas favoritas de Sam. E também *Já que você está dizendo, Dee*, e *Faça como quiser*. Depois que falava virava serenamente a página do livro que estava lendo ou começava a falar com os meninos sobre alguma outra coisa. Sempre seguro de que tinha razão, e o pior é que em geral *tinha* mesmo. Quando criticava alguém das suas relações, ela de repente notava os erros dessa pessoa; e quando a criticava, via a si mesma logo como a menina bobinha que ele acreditava que ela fosse. Como agora, por exemplo. Sam tinha prometido que ela estaria em casa no final do verão, e a imagem desse retorno era tão convincente que ela quase acreditou que acontecera. Não podia nem ao menos *fugir* direito!

Mas na verdade ela não tinha voltado para casa. Nem no final do verão nem depois. Nem naquele dia. Tinha construído uma vida em uma cidade com a qual Sam não tinha nada a ver.

Belle entrou no café e chamou-a:

— Oi, Dee, *achei* que era você. — Delia fez questão de levantar-se e lhe dar um abraço efusivo.

— Belle! — gritou, e Belle abraçou-a também.

— Quem é o garoto? — perguntou.

— É o meu filho Carroll. Esta é Belle Flint — disse a Carroll, passando o braço na cintura de Belle. — Como *está indo*, Belle?

— Você não vai acreditar, nem em um milhão de anos.

— O que foi? — Delia perguntou, um pouco entusiasmada demais.

— Jura que não vai contar para Vanessa? Fica só entre nós duas.

Mas toda aquela demonstração não serviu de nada, pois naquele momento Carroll levantou-se e murmurou, de cabeça baixa:

— Até mais.

— Carroll?

Soltou a mão da cintura de Belle.

— Convidei Horace Lamb para ir ao cinema comigo amanhã à noite — Belle dizia.

Horace Lamb? Delia ficou surpresa, mas saiu correndo do café atrás de Carroll.

— Carroll, meu bem! — disse.

Teensy vinha na direção deles com a cabeleira vermelha toda cacheada. Carroll quase deu um encontrão nela. Teensy disse "Oh!" e deu um passo atrás, pondo a mão na cabeça para proteger o penteado.

— Delia, diga com sinceridade. Você acha mesmo que estou parecendo uma boba?

— Nem um pouquinho — disse Delia. — Carroll, espere!

Carroll foi andando, de cara amarrada.

— Não esquenta comigo, vá conversar com seus amigos! A órfã Annie aqui, e o Sr. Distinto, o garoto inteligente e a Varanda ou quem quer...

*Vanessa*, Delia quase disse, mas atrás dela Teensy perguntou:

— Delia? Está tudo bem? — E Belle, na porta, disse: — Adolescente. Mas acho que são todos assim mesmo.

— Eu *ia* fazer um favor para você — disse Carroll.

— Que favor, meu bem?

— *Ia* contar o que está acontecendo lá em casa, mas não faz mal. Não tem importância agora.

Mesmo assim ele não foi embora. Parecia em suspenso, oscilando sobre as solas de borracha do tênis. Delia achou melhor não aproximar-se. Manteve uma distância de uns 3 metros, tentando parecer bem suave.

— O que está acontecendo lá em casa? — perguntou.

— Nada. Nada demais! Só que sua própria irmã está cantando seu marido.

— Eliza?

— O papai está por fora e ri quando dizemos isso para ele. Mas nós todos notamos, eu, Susie e Ramsay notamos claramente, e já sabemos como vai acabar também.

— Eliza nunca faria uma coisa dessas — disse Delia, mas já acreditando enquanto falava. Lembrou-se do sofá da sala com as irmãs casadoiras enfileiradas. *Sempre que ouço a palavra "verão" sinto cheiro de coisa derretida.* Agora talvez Sam prestasse atenção em Eliza, lhe desse uma olhada rápida, alerta, de admiração, que não tinha dado na vida real. Não era impossível, Delia pensou.

Mas mesmo assim disse a Carroll:

— Você deve estar imaginando coisas.

— E *você* nem se importa — Carroll explodiu, dando meia-volta de novo e correndo na direção da West Street.

— Carroll, não vá embora!

Seguiu-o com passos rápidos. (Até onde ele podia ir, afinal de contas?) Carroll atravessou a George Street, parando para um caminhão do correio passar, e desapareceu na esquina. Delia apertou o passo. Na West Street viu-o passar pelo escritório do Sr. Pomfret, que estava na porta conversando com um homem do serviço de entregas em domicílio. Saiu correndo e passou por ele com o rosto de lado. Só faltava agora ter de falar com mais um conhecido. Perdeu Carroll de vista por um instante e então avistou-o na florista. Subia e descia no meio-fio, esperando uma chance para atravessar. Evidentemente estava indo para a praça. Eles bem que podiam se sentar juntos em um dos bancos. Descansar um pouco e conversar.

Mas ele atravessou a rua e parou ao lado de um dos carros estacionados. Um Plymouth cinza, o *seu* Plymouth. Com Ramsay ao volante. Ela reconheceu seu querido perfil. Abriu a porta do carona e entrou. Ramsay ligou o motor e pegou o fluxo do trânsito.

Mesmo agora ela poderia ter corrido atrás deles, o carro estava indo devagar. Mas manteve-se onde estava, parada na calçada com a mão na garganta.

Ramsay estava ali na cidade. Tinha dirigido quilômetros e nem se importou em ir vê-la. Susie talvez estivesse também, mas Delia distinguira apenas duas cabeças no Plymouth.

Ela merecia isso, é claro. Não havia como negar.

Virou-se e voltou para o Rick-Rack's, sem saber bem para onde estava indo.

Muita coisa tinha lhe acontecido, mas quando chegou no café Belle e Teensy ainda conversavam lá fora, Kim e Marietta soltavam círculos de fumaça com o cigarro, e Rick enfiava sua conta debaixo da bisnaga de ketchup. Contou seu dinheiro em câmara lenta e pagou, sem esquecer de deixar uma gorjeta na mesa. Pegou a bolsa e a sacola de compra e saiu, sentindo o cheiro da química no cabelo de Teensy e ouvindo a conversa de Belle. "Você já reparou que Horace Lamb lembra um pouquinho Abraham Lincoln?"

Na esquina mudou de rumo. O relógio na vitrine da ótica dizia 11h30 — quase hora do almoço, e ela lamentou não ter comido o sanduíche de pernil. A salada estava divina. Uma salada cremosa, com bastante sementes de aipo. Uma semente ainda estava presa na sua boca e fragmentou-se quando ela mordeu. Saboreou o gosto na língua e sentiu uma fome espantosa de repente. Como se estivesse absolutamente esvaziada, como se não comesse há anos.

# 15

Durante algum tempo, depois da visita de Carroll, Delia parecia sentir a presença dele em alguns pontos da cidade. A vitrine onde o viu pela primeira vez, o banco onde se sentaram no Rick-Rack's, a varanda da frente da casa de Belle onde ele decerto tinha esperado uns minutos para alguém abrir a porta. (Será que tinha notado a pintura descascada? O piso da varanda todo gasto?) Na sua opinião ele não parecia mal-humorado e sim triste, aquele comportamento ríspido era um simples sinal de suas mágoas. Ela devia ter trazido Carroll quando saiu de casa. Mas nesse caso teria de trazer Susie e Ramsay também, senão seria uma prova de favoritismo. Imaginou-se andando à beira da água com seu séquito — os meninos segurando-a pela mão e Susie andando rápido para acompanhá-los. *Aonde vamos, mãe? Não perguntem, estamos fugindo de casa.*

Mas acontece que ela estava fugindo em parte dos próprios filhos.

Então lembrou que Carroll não parecia tão desesperado com a sua partida. Tinha sobrevivido muito bem, assim como o irmão e a irmã. Segundo a filosofia de Nat, devemos nos esquecer dos filhos adultos, como fazem os gatos com a maior naturalidade. Delia sorriu para si mesma. Talvez não fosse assim *tão* simples.

Na verdade, nos últimos anos seus filhos tinham se tornado quase como estranhos, até mesmo o caçula. Ela não era mais a pessoa mais importante da vida deles, e eles também eram agora um pouco menos importantes para ela.

Sentou-se calada, olhando para o espaço, imaginando há quanto tempo percebia isso.

Quando sentiu que os filhos estavam se libertando, voltou-se para o que lhe restava: o marido.

Se é que restava.

Imaginou Sam tomando o café-da-manhã servido por Eliza, com seu vestido tipo safári e até mesmo um pouco de ruge. Eliza tinha seus atrativos, sob certos ângulos. Uma pele macia e amarelada que não envelhecia com o passar do tempo, e olhos escuros brilhantes e vivos valorizados pelo ruge que usava. Ela se insinuaria na rotina de Sam, organizaria suas fichas médicas e suas contas, prepararia refeições quentes para ele e cuidaria da casa com todo o esmero. "Obrigado, Eliza", Sam diria com sinceridade. Os homens tão muito ingênuos às vezes! E ele tinha mais coisas em comum com ela do que se imaginaria. Apesar de Eliza dizer que viveria a vida várias vezes até acertar e Sam declarar que pretendia acertar na vida da primeira vez, ambos supunham que fosse possível "acertar". Já a própria Delia tinha mais ou menos desistido de tentar.

Além do mais, Eliza era sua irmã. Tinha a mesma compleição pequena, ossos leves, dentes maravilhosos, a tendência de descontrolar-se depois de comer açúcar e de deixar as frases pelo meio sem concluir. Amar Eliza seria tão natural para Sam quanto apreciar uma música que já tivesse ouvido uma vez.

Sentiu um impulso de entrar no carro e voltar para Baltimore, mas sabia que isso seria uma vulgaridade — querer um homem de volta só porque outra pessoa o queria. Manteve-se sentada, dizendo a si mesma, *Foi você que criou essa situação.*

Um marido e um filho postiço, aquela nova casa tipo rancho de paredes finas como papelão, aquela cidadezinha de interior, plana e descolorada como papel.

Um dia, pouco antes de amanhecer, Delia acordou de repente, talvez perturbada por algum pesadelo, embora não lembrasse de nada. Ficou na cama lembrando, por alguma razão, do primeiro jantar que dera depois que ela e Sam se casaram. Ele queria convidar dois ex-colegas seus com as esposas. Durante dias ela pensou em vários possíveis menus. Recusou a ajuda das irmãs e fez com que prometessem que não apareceriam durante toda a noite. Era essencial provar que ela era uma adulta. Porém assim que o primeiro casal chegou, sentiu-se voltando à infância. "Oi, Grin", disse o marido para Sam. Grin! Será que ela algum dia teria a liberdade de chamar Sam assim?, pensou, torcendo a barra da saia. "Oi, Joe!", disse Sam. "Delia, quero que você conheça Joe e Amy Guggles." Delia não tinha sido informada do sobrenome deles a tempo, e nunca ouvira esse nome Guggles em toda a vida. Achou muito engraçado e começou a rir. Deu tantas gargalhadas que acabou soltando uns guinchos, com os olhos cheios de lágrimas e as bochechas doendo. Tinha a sensação de que estava na escola primária de novo. Riu a mais não poder, observada pelo casal, enquanto Sam dizia, "Delia? Meu bem?"

"Desculpem", disse a eles encabulada, quando finalmente conseguiu se conter. "Desculpem, realmente não sei o que..."

Àquela altura o segundo casal chegou. "Que ótimo ver vocês!", disse Sam aliviado. "Meu bem, esses são meus amigos mais antigos, Frank e Mia Mewmew.

Oh, meu Deus.

Sam foi muito compreensivo. Terminado o jantar, passou os braços em volta dela e disse, com voz calorosa, que essas coisas podiam acontecer com qualquer um.

Como ele era jovem naquela época! Mas Delia não percebia. Considerava-o completamente formado, imune a dúvidas, um homem invulnerável e autoconfiante que ia tirá-la da sua eterna infantilidade. Em volta dos seus olhos já surgiam umas ligeiras rugas, que ela achava charmosas e ao mesmo tempo alarmantes. *Se ele morrer primeiro, não quero continuar a viver*, pensava. *Deve haver alguma coisa no armário do papai que seja um veneno mortal.* Naquele tempo podia dizer essas coisas, pois não tinha filhos ainda. Costumava imaginar toda sorte de catástrofes naquela época. E, para ser franca, mais tarde também. Sempre foi uma pessoa medrosa, cheia de pressentimentos e previsões. Mas na noite em que Sam teve dores no peito, não teve a menor premonição. Estava sentada lendo *O amante de Lucinda*, absolutamente imóvel, quando o telefone tocou.

Levou um choque ao receber a notícia. Ao ouvir as palavras diplomáticas da enfermeira tinha pensado, *Ah, sim, é claro. Primeiro o papai e agora Sam*, e uma sensação pesada de confirmação cresceu dentro dela. Ele morreria e seria enterrado no Cemitério Cow Hill, e ficaria ali sozinho até Delia ir lhe fazer companhia. Como naquelas noites em que ela ficava acordada vendo algum filme bobo, depois subia as escadas, enfiava-se debaixo das cobertas e passava um braço pelo peito dele, que continuava a dormir profundamente.

Recostou-se na cabeceira da cama, empurrou o gato e ligou o rádio-relógio. Estavam tocando jazz àquela hora, clarinetas melancólicas e solos de piano. Depois de cada música diziam onde e quando a música fora gravada: em um bar de Nova York em uma noite de agosto de 1955, em um hotel em Chicago, no Réveillon de 1949. Ficou pensando em como as pessoas suportavam viver em um mundo onde a passagem do tempo era tão poderosa.

Nat e Binky não se casariam em junho, afinal. Seria em um sábado do mês de março. Nat disse que tinha exercido sua prerrogativa de idoso.

— Usei aquela abordagem básica do quanto-tempo-ainda-me-resta — confidenciou para Noah e Delia. — A abordagem do tenha-dó-de-um-pobre-velhinho.

Binky ficou contente com a mudança de planos.

— Dessa forma vou ser a Sra. Nathaniel Moffat três meses antes, só isso. Não faz mal se cortarmos umas detalhes da cerimônia. Não são tão importante assim — disse para Delia, mexendo em uns livros de receita na cozinha de Nat. (O bolo do casamento confeitado era um dos detalhes que ia cortar.) — E quero ser chamada de Sra. Moffat, da forma tradicional. Nat foi o primeiro homem que conheci que me amou totalmente. — A pele em volta dos seus olhos ficou rosada como se ela fosse chorar e virou-se depressa para o livro de cozinha.

— Nesse caso, você devia se casar com ele imediatamente — disse Delia.

— Espero que as filhas concordem com o casamento. Você soube que Dudi cortou todo o cabelo?

— Cortou todo o cabelo?

— Teve um ataque quando Nat anunciou nosso noivado, correu para o banheiro dele, pegou a tesoura com que ele apara a barba e cortou o cabelo todo.

— Meu Deus!

— Pat e Donna recusam-se a ir ao casamento, e quando convidei Ellie para ser testemunha, só por gentileza pois já tinha convidado minha irmã e minhas sobrinhas, ela disse que talvez também não viesse, não tinha certeza, talvez sim talvez não, seria melhor dizer logo que não vem. E falou com Nat que ele devia pedir ao seu advogado para fazer um contrato pré-nupcial. Acho que todas pensam que eu sou uma espécie de... caça-dotes. Não lhes ocorreu que estão insultando o pai quando não acreditam que uma mulher possa amá-lo pelo que ele é.

— Acho que só estão um pouco surpresas. Depois se acostumam.

Binky sacudiu a cabeça, alisando uma página do livro de cozinha com a palma da mão.

— Elas ligaram para Nat e a primeira coisa que perguntaram foi, *"Ela* está aí?" Só me chamam de "ela", não usam meu nome se puderem evitar. Quase nunca vêm visitar o pai. Donna diz que é porque eu estou aqui. Diz que eu não deixo que elas fiquem sozinhas nem um minuto com ele, mas eu tento. Mas a verdade é que...

Parou de falar e enrubesceu. Delia ficou imaginando por que até ela concluir a frase.

— É que já estou meio morando aqui.

— É claro. O que elas esperavam? — Delia apressou-se em dizer.

— Eu não queria te incomodar com meus problemas. Sabe por que gosto de conversar com você, Delia? Você nunca interrompe os outros para falar de *suas* experiências. Não é de admirar que seja tão popular!

— Eu sou tão popular?

— Não seja modesta. Noah contou que você já fez amizade com metade de Bay Borough.

— Meu Deus! Eu mal conheço as pessoas daqui.

Mas ela própria estava espantada de ver como o número de amizades suas estava aumentando.

— Você não fica contando os minutos enquanto eu falo — Binky disse. — Não fica se preparando para entrar em campo e contar a história da sua vida.

— Bom, talvez eu não entre em campo por não ter tanta história para contar.

No jantar da semana anterior Joel tinha perguntado de que parte de Baltimore ela era.

— Daqui e dali — ela disse, tentando mudar de assunto.

Mas depois ele continuou:

— Estranho, não é? Quando uma pessoa não fala sobre seu passado, automaticamente supõe-se que ela *tenha* um passado mais rico e exótico que o habitual.

— É mesmo? — Delia falou num tom neutro. Achou a teoria interessante, e estava considerando-a quando notou o silêncio. Ao levantar os olhos viu que ele olhava para ela. — O que foi? — perguntou.

— Nada.

Então Noah passou entre eles para pegar o sal e o momento difícil acabou.

Quando estava indo para o casamento, Delia não parava de olhar-se pelo espelho retrovisor. Temia ter usado muita maquiagem.

— Você acha que meu batom está bom? — perguntou a Noah.

— Está sim — respondeu ele, sem nem olhar.

Tinha suas próprias preocupações. A toda hora enfiava os dedos no bolso do casaco de inverno para ver se a aliança estava ali.

— Tem certeza de que não está muito forte?
— Humm?
— Meu batom, Noah.
— Não, está legal.
— *Você* está bonito — ela disse.
— Não sei por que tenho de usar uma roupa tão chique.
— Chique! Você chama de chique uma camisa sem gravata?
— Pareço um desses bobocas que cantam no coro da escola.
— Você devia agradecer por Nat não te obrigar a comprar um terno.
— E se eu deixar cair a aliança? Você sabe que minha mão vai tremer. Vou deixar a aliança cair, vai fazer barulho, ela vai rolar pelo chão e escorregar para dentro de um bueiro! E nunca mais será encontrada.
— Eu gostaria de estar com uma roupa mais bonita. Pareço uma tia velha solteirona ou coisa assim. Ou pelo menos um colar, um medalhão ou um cordão com pedras. — Usava apenas seu vestido cinza riscadinho debaixo do casaco.
— Você está bem.

Na caixa de jóias em Baltimore ela tinha um colar de pérolas de quatro voltas. Falso, é claro, mas teria ficado perfeito com aquele vestido.

Em quanto tempo suas coisas de Baltimore estariam fora de moda, estragadas ou desgastadas mesmo que ela não tivesse ido embora? Quando as coisas que tinha aqui seriam suas *de verdade*?

Ligou a seta do carro e fez uma curva para entrar na rodovia 50.

— Oiiiiiiii! — disse Noah, segurando-se na maçaneta da porta.
— Desculpe! — falou, diminuindo a marcha. — Então, acho que vou conhecer sua mãe finalmente.
— É.

— Ela decidiu vir, não é?

— Ouvi dizer que sim.

Delia encontrara recentemente um artigo do *Boardwalk Bulletin* no fundo do armário de Noah. (*Quem é aquela linda moça do tempo da WKMD?*, começava o artigo.) Mas olhando para ele ninguém diria que ele tinha algum interesse pela mãe. Estava bocejando e espiando pela janela, vendo o que sobrara da terrível tempestade de neve da última semana. A vegetação era uma garatuja preta contra o branco, como uma fotografia artística.

*A previsão de neve ou de furacão pode ser uma questão de vida ou morte*, dizia Ellie ao entrevistador. *Me arrepio toda só de saber que estou dando uma contribuição à minha comunidade.*

Delia imaginou o que Joel acharia de "me arrepio toda".

O prédio de tijolos vermelhos de Senior City surgiu diante deles. Delia ligou a seta de novo e entrou no estacionamento.

— E se quiserem que eu faça um discurso? — Noah perguntou.

— Você não vai ter de fazer discurso.

— E se alguém desmaiar ou coisa assim? Eu vou ter de ajudar.

— Creia em mim, tudo vai dar certo.

Os dois saíram do carro e atravessaram o estacionamento, que não estava tão bem aplainado como devia. Delia, que não usava botas, teve de se apoiar no braço de Noah quando passaram por uma parte coberta de gelo.

— Está vendo? Você já está ajudando!

O braço dele era fino mas bem forte, como uma barra de aço.

No saguão perguntaram a um senhor idoso onde ficava a capela.

— Sigam em frente e virem à esquerda no final do corredor. Vocês devem estar indo para o casamento, não é?

Eles assentiram.

— Eu também vou para lá, não tem erro. Todos do prédio foram convidados.

Delia agradeceu e os dois seguiram pelo corredor. Ao passarem pelos elevadores de portas de metal brilhante, ela conferiu seu reflexo. Achou-se pálida e malcuidada, com um casaco horrível, cheio de pontas e muito curto.

*Roupas são o meu maior ponto fraco*, Ellie dissera no *Boardwalk Bulletin. Mas felizmente tudo cai bem no meu corpo, então não preciso gastar uma fortuna para me vestir.*

No final do corredor viraram à esquerda e entraram pela porta lateral de uma capelinha acarpetada de ponta a ponta, com fileiras de bancos claros e brilhantes. Quase todos os bancos estavam ocupados por senhoras idosas e três ou quatro homens volumosos. A maioria das senhoras vestia-se com elegância, mas algumas usavam roupões de banho. Várias em cadeiras de rodas formavam uma fileira extra nos fundos. Delia e Noah olharam em volta, até que um rapaz moreno de terno aproximou-se e ofereceu o braço a Delia.

— Estamos nos sentando todos de qualquer jeito. Onde pudermos encontrar lugar.

— Noah não precisa de lugar. Ele é o padrinho.

— Oi, Noah. Eu sou Peter. Filho da noiva. — Ele não herdara as feições miúdas da mãe nem seu colorido, só seu modo agradável de falar. — Você deve entrar por aquela porta lá na frente. Seu avô já está esperando.

Noah deu um último olhar de súplica para Delia, e ela sorriu e tirou o cabelo da testa dele.

— Boa sorte — disse.

Deixou-se escoltar por Peter até um dos lugares ainda vazios, entre uma mulher de vestido marrom e branco e um senhor que ajeitava seu aparelho auditivo. O velho estava sentado na ponta do banco, junto do corredor, e virou de lado os joelhos ossudos para ela poder passar. Foi a mulher que a ajudou a tirar o casaco.

— Não é incrível? — disse para Delia. Seu rosto era sardento e enrugado, com uma expressão graciosa, cabelo frisado pintado de laranja, que devia ter sido vermelho. — É o primeiro casamento em Senior City! Sem contar Paul e Ginny Mellors, que fugiram para casar. Você é parente dos noivos?

— Só amiga.

— A diretoria está em polvorosa. Querem cobrar mais de Binky porque ela não é idosa, pois têm medo que gente de menos idade comece a invadir Senior City por causa da segurança e o serviço de saúde daqui. A propósito, meu nome é Aileen.

— E o meu é Delia.

— Prazer em conhecê-la, Delia. Na minha opinião Binky é uma dádiva, acho que devíamos *pagar* a ela! Vai ser uma ótima aquisição para nossos encontros sociais de domingo.

Nesse momento Ellie apareceu na entrada lateral.

Delia soube imediatamente que era ela, pelo cabelo dourado e a boca vermelha. Usava um casaco longo creme pouco mais claro que sua pele e ficou parada olhando em volta até o mestre-de-cerimônia aproximar-se. Dessa vez era o irmão de Peter, igualmente moreno porém mais atarracado. Ellie pegou seu braço e foi caminhando para a frente, a bainha do casaco balançando de forma clássica. Mas onde encontraria um lugar? Todos os bancos estavam entupidos de gente. Ao que parecia, o mestre-de-cerimônia a informava disso e ela ouvia com as sobrancelhas franzidas. Estavam passando em frente ao púlpito agora. Do outro lado, várias pessoas — a maioria da equipe da cozinha, de aventais — estavam encostadas nas paredes, e Ellie foi levada para junto delas. Que pena, Delia pensou, que a única filha que apareceu tivesse de ficar de pé!

Mas outra filha estava lá também — uma mulher pálida como um fantasma, que saiu de onde estava, passando por vários joelhos, para ficar perto de Ellie. Era loura também, mas com cabelo tão curto que em alguns lugares aparecia o couro cabeludo. Por trás das mãos em concha cochichou alguma coisa para Ellie e ambas viraram e olharam para Delia.

Sentindo-se culpada, Delia baixou os olhos. Devia ter dado um sorriso, mas fingiu não ter notado pois conversava com Aileen.

— A organista é Mary Lou Simms — dizia Aileen. Delia não tinha percebido que *havia* um órgão até tocarem baixinho "Blessed Assurance". Ouviu uma espécie de assobio vindo do velho à sua direita, provavelmente do aparelho auditivo. — E aquele é o reverendo Merrill. Ele não é notável?

O reverendo Merrill não lhe pareceu tão notável assim, mas usava a toga preta com certa dignidade. Foi andando para o púlpito, balançando a Bíblia na mão. Por trás vinham Nat e Noah — Nat muito ereto, sem a ajuda da bengala. Noah estava ficando bem alto, depois que se posicionou ao lado de Nat é que Delia notou como tinha espichado naqueles poucos meses.

O órgão passou a tocar a "Marcha nupcial" e todos olharam para o fundo da capela.

Primeiro veio uma versão mais forte e mais feia de Binky — a dama de honra, de vestido longo azul, cabelo curto e grisalho e rosto largo e simpático. Depois a própria Binky, muito linda. Levava umas rosas cor-de-rosa e sorria muito feliz desfilando pela igrejinha. As duas sobrinhas, fortes como a mãe, vinham atrás segurando a cauda da noiva.

— Que coisa linda! — disse Aileen. — Você já viu alguma coisa mais encantadora? — O vizinho de Delia tentava desesperadamente abrir um pacote de baterias. Junto da parede, o rosto branco de Ellie olhava fixo mas não para Binky.

O cortejo nupcial chegou no altar e Nat, sério e orgulhoso, ofereceu o braço a Binky e virou-se para o ministro.

Foi uma cerimônia rápida — com os votos solenes e a troca de alianças. Noah saiu-se bem. Entregou a aliança no momento certo, sem deixar cair no chão. Tudo isso Delia observava com metade da sua atenção apenas, com a outra metade — a interior, cautelosa e tensa — tinha consciência do olhar fixo de Ellie Miller na sua direção.


Todos foram convidados para subir até o apartamento de Nat depois do casamento. Muitos corpos frágeis acotovelavam-se na saída da capela. Delia ofereceu ajuda àqueles braços murchos como bolas de ar esvaziadas. Acompanhou aos elevadores mulheres com roupas cheirando a naftalina e, uma vez chegando no apartamento, acomodou mais gente do que imaginou que caberia entre as almofadas fofas do sofá de Nat. Estavam todas loucas para ver o bolo de Binky. Ao que parecia, *preferiam* bolo feito em casa e ficaram contentes de ela não ter tido tempo de encomendar o pagode chinês com o qual sonhara. "Nós comemos bolos comprados prontos o tempo todo", disse uma mulher a Delia. "Da padaria Brinhart's. Têm gosto de band-aid."

Delia procurou Ellie mas não viu nem Dudi nem ela. Se bem que no meio daquele monte de gente era fácil perdê-las de vista.

Foi atrás de Binky, que cortava fatias de bolo com a cauda do vestido sobre o braço.

— Saiu tudo bem? — perguntou, grinalda de flores caindo de um lado da cabeça.

— Tudo perfeito — Delia respondeu, distribuindo o bolo.

Nat, por sua vez, enchia os copos com champanhe e os dois filhos e as sobrinhas de Binky serviam pela sala. Todas as taças foram usadas e foi preciso recorrer aos copos de papel.

Quando todos estavam servidos, Nat propôs um brinde: "À minha linda, linda noiva." Fez um breve discurso, dizendo que a vida não era uma linha reta — nem para cima nem para baixo — era irregular, um ziguezague, um saca-rolha ou mesmo uma garatuja. "Às vezes chegamos onde parece ser o fim e descobrimos que é um novo começo." Levantou a taça para Binky e os olhos dela encheram-se de um brilho matreiro.

Uma das mulheres do sofá disse que Binky devia ter até ralado o limão para fazer o suco. "Sei logo quando é suco de limão fresco. Não adianta substituir por bebida engarrafada." Lambeu os farelos de bolo do garfo de forma contemplativa. Seu rosto velho parecia agora formado de partículas desintegradas, sem uma única demarcação clara. Delia ficou imaginando se quem sobrevivia a todos os amigos acabaria acreditando que poderia escapar da morte.

Pegou a faca de bolo de Binky e cortou mais fatias, passando uma travessa para aqueles que desejassem repetir. No quarto, uma jovem vestida de enfermeira discursava sobre vários hospitais, referindo-se com familiaridade ao "Saint Joe" e "Holy Trin" e um grupo de moradores ouvia fascinado. Dois homens jogavam xadrez em um canto e um deles perguntou a Delia se podia levar um pedaço de bolo para a esposa no quarto andar. Aileen, a vizinha de Delia na capela, meneava a cabeça e sorria, e uma mulher de estola de pele descrevia outros casamentos dos quais participara. "Lois foi uma felizarda! Casou com um homem que tinha tudo quanto era eletrodoméstico, até mesmo um forno de cozimento rápido."

Noah entrou com uma taça de champanhe que tentou esconder quando viu Delia.

— Passe isso para mim — ela falou.
— Puxa, Delia.

Ela tirou a taça da mão dele e colocou-a em uma bandeja.

— A propósito, onde está sua mãe?
— Não sei.
— Ela não subiu?

Ele deu de ombros.

— Talvez tenha outro compromisso — ele disse, dando meia-volta e saindo da sala para não ouvir nenhum comentário, mas Delia não teria essa falta de tato.

A irmã de Binky, que segurava a bandeja, cochichou.

— Eu vi a mãe dele saindo logo depois da cerimônia. Ela e a irmã. Dudu, como dizem.
— Dudi.
— Tanta onda por parte da família *dele!* E a nossa? Podíamos ter dito muita coisa, afinal ela está se casando com um homem com idade para ser seu pai.
— Estou contente de Binky e Nat terem se encontrado.
— É mesmo — disse a irmã suspirando.

Nesse momento Nat cutucou o cotovelo de Delia.

— Já conheceu minha cunhada? Esta é Bernice, minha nova cunhada. Pode imaginar uma pessoa da minha idade ganhando uma cunhada nova em folha? — Ele estava exultante, com o rosto tão firme e brilhante que parecia um homem se *fingindo* de velho em uma peça de colégio. Se notou o sumiço das suas filhas, isso não empanou sua felicidade.

Na volta para casa Delia disse a Noah que tinha achado sua mãe muito bonita. Aliás, era a expressão da verdade. Ela concluíra que o grande contraste do colorido de Ellie aparecia melhor

na televisão que em pessoa. Em resposta ao comentário, Noah olhou para fora da janela tamborilando os dedos e disse apenas:
— É.
— E você também estava muito bonito — disse Delia.
— Ah, sei.
— Não acredita? Olhe só — disse brincando — o próximo casamento que acontecer talvez seja o seu próprio.

Ele deu um sorriso sem graça.
— Sem chance.
— Então não quer se casar?
— Eu e o papai desistimos das mulheres — disse num tom taciturno. — Elas devem ter alguma coisa que não entendemos.

Em outras circunstâncias Delia acharia isso divertido, mas dessa vez sentiu-se tocada e virou-se para ele. Noah continuava olhando pela janela. Deu-lhe uma palmadinha no joelho e continuaram a viagem sem mais uma palavra.

# 16

— Se $x$ é a idade de Jenny hoje e $y$ é a idade que tinha quando foi para a Califórnia... — disse Delia.

T.J. Renfro apoiou a cabeça na mesa da cozinha.

— Ora, T.J., não é tão difícil assim! Nós sabemos que ela era três anos mais velha que a amiga que foi visitar na Califórnia, e sabemos que quando a amiga tinha...

— Isso não vai me ajudar em nada na vida real — T.J. informou com uma voz abafada.

Seu corte de cabelo parecia inacabado — meio comprido no alto e mechas oleosas longas e pretas caindo nas costas. Os dois braços eram tatuados com pulseiras de arame farpado e a jaqueta preta de couro tinha mais zíperes do que se acharia em um guarda-roupa inteiro. Ao contrário dos outros alunos de Delia, que tinham aula na sala de aconselhamento do colégio, T.J. ia à casa dela. Fora suspenso até 1º de maio e não podia pôr os pés no colégio, então aparecia na porta dos Miller toda quinta-feira às 15 horas. Delia não queria saber o motivo da sua suspensão.

— A vida real é cheia de problemas como esse! Muitas vezes na vida você vai ter de encontrar valores desconhecidos — Delia disse.

— Imagine eu chegando para uma gatinha e perguntando quantos anos ela tem e ela respondendo, "Há dez anos eu tinha o dobro da idade que minha prima tinha quando..." — disse T.J. levantando a cabeça.

— Você não está entendendo.

— E como essa Jenny iria visitar uma pessoa três anos mais moça que ela? Isso não faz sentido.

O telefone tocou e Delia levantou-se para atender.

— Provavelmente ela *disse* que ia lá, mas escondeu-se em algum motel com o namorado — T.J. falou.

Delia pegou o fone.

— Alô?

Silêncio.

— Alô?

Desligaram do outro lado da linha.

— Isso tem acontecido muito ultimamente — disse Delia desligando e voltando para sua cadeira.

— É o refluxo elétrico — disse T.J.

— Refluxo?

— Se você não usa a linha durante algum tempo, a energia acumulada sai desse jeito, como uma enxurrada, fazendo com que o telefone toque a toda hora.

Delia balançou a cabeça.

— Isso acontece na casa da minha mãe uma ou duas vezes por semana.

— Bom, aqui está acontecendo mais de duas vezes por dia — disse Delia.

O telefone tocou de novo.

— Está vendo? — ela falou.

— Melhor não atender.

— *Detesto* não atender.

Ele inclinou a cadeira para trás e examinou-a. O telefone tocou uma terceira vez, depois uma quarta. Nesse momento a porta da frente abriu e Noah entrou, deixando passar uma lufada de ar fresco.

— Oi, T.J. — Jogou a mochila no chão e pegou o telefone. — Alô?

Na pausa que se seguiu, T.J. e Delia ficaram olhando para ele.

— Acho que não posso — disse Noah, virando-se de costas para os dois. — Não posso, só isso. — Outra pausa. — Não é por aí, verdade! É que tenho um monte de dever de casa para fazer e coisas assim. Melhor desligar agora. Tchau.

— Quem era? — Delia perguntou.

— Ninguém.

Jogou a mochila no ombro e foi para seu quarto.

T.J. e Delia entreolharam-se.


Na tarde seguinte, uma sexta-feira ensolarada e fria, Delia foi com Vanessa a uma liquidação de roupas de malha na Young Mister. A primavera chegaria a qualquer hora e Noah não cabia mais nas suas roupas. Foi um percurso terrivelmente lento, pois Greggie já tinha mais de dois anos e negava-se a sentar no carrinho. Queria ir andando todo o tempo. Delia achou que nunca tinha visto Bay Borough tão detalhadamente — tampas de copos plásticos jogadas na calçada, pedacinhos de papel de alumínio jogados na sarjeta. Só conseguiram voltar às 3 horas da tarde.

— Olhe só as horas. Noah vai chegar em casa antes de mim — disse Delia.

— Ele não vai ver a mãe? — Vanessa perguntou.

— Essa semana não.

— Pensei que ele fosse toda sexta-feira.

Quando chegaram na esquina se separaram e Delia despediu-se.

— Tchau, Greggie. Tchau, Vanessa.

— Até logo, Dee. Vou perguntar a Belle se ela topa sair conosco no fim de semana.

— Boa idéia.

Belle andava reservando todos os fins de semana para ficar com o Sr. Lamb, mas tinha pedido segredo a Delia.

As crianças do colégio já estavam saindo para o playground, mas Delia não tentou encontrar Noah. Sabia que ele queria voltar para casa com os amigos. Desviou de um skate solto por ali, sorriu para uma menininha que juntava papéis espalhados pelo chão e fingiu não notar a briga de uma mãe com o filho ao lado do carro deles.

Só então percebeu que o filho era Noah e a mãe Ellie.

Ellie vestia o casaco creme do casamento, naquele dia todo amassado, e tentava obrigar Noah a entrar no banco do carona. Noah lutava para se soltar dela, com o casaco já quase no meio dos braços.

— Mãe. Pare. Mãe.

— Noah? — disse Delia.

Os dois olharam para Delia ao mesmo tempo e continuaram a brigar. Ellie forçou a cabeça de Noah para baixo, como os policiais fazem na televisão para enfiar os suspeitos algemados dentro do carro.

— O que está acontecendo? — Delia perguntou, puxando Ellie pelo pulso. — Solte o Noah!

Ellie soltou seu pulso com tanta violência que a mão atingiu o rosto de Delia e a ponta da pedra do seu anel cortou-lhe a testa. Nesse meio tempo Noah conseguiu livrar-se das garras da mãe, deu uns passos para trás e arrumou o casaco. Sua mochila estava aberta e os papéis de dentro espalharam-se pelo chão. (*Aqueles papéis que a menininha estava catando no meio da rua!*) Passou a mão no nariz e disse:

— Puxa, mãe!

Ellie ajeitou o corpo, respirou fundo e olhou-o com raiva.

A menininha entregou muito gentilmente os papéis a Noah e ele pegou tudo sem olhar. Delia viu dois amigos dele passando pela rua — Kenny Moss e um outro cujo nome não se lembrava — e olhando a cena disfarçadamente. As crianças que passavam em grupos pareciam não notar que havia alguma coisa errada.

— Eu só queria que você fosse me visitar! Como sempre! Uma visita normal da sexta-feira! — Ellie gritou. — Isso é pedir demais? — Virou-se para Delia e repetiu. — É pedir...?

Mas alguma coisa fez com que ela parasse no meio da frase, de queixo caído.

— Olhe só! — Noah falou, ao ver a testa de Delia. — Delia! Meu Deus! Você está sangrando.

Delia pôs a mão na testa e os dedos ficaram vermelhos. Mas ela não sentia muita dor — só uma pontada na fronte onde o pulso de Ellie tinha batido.

— Não é nada. Vou para casa e...

Os olhos de Noah estavam arregalados e Kenny Moss puxou a manga do outro menino e disse:

— Gente! — a menininha falou num tom de informação: — Eu desmaio quando vejo sangue.

E parecia mesmo que ia desmaiar — seus lábios estavam lívidos. Delia então falou com rispidez mas objetividade:

— Nesse caso é melhor não olhar. — Ela própria não sentia tonteira alguma. O ferimento parecia muito pior do que na realidade era. Sua preocupação era com suas roupas. — Devo ter alguma coisa por aqui... — disse, procurando um lenço de papel na bolsa. A sacola da Young Mister a atrapalhava e ela passou-a para Noah, deixando marcas de sangue no papel. — Eu sei que devo ter um...

Ellie encontrou vários lenços de papel e passou-os para Delia.

— Desculpe, foi um acidente! Não tive intenção de machucar você, Delia, por favor me desculpe — disse.

— Eu sei disso — Delia falou, pegando os lenços, contente de Ellie dizer seu nome. Apertou os lenços na têmpora com cuidado e sentiu uma pulsação.

— Oh, meu Deus, precisamos chamar um médico — Ellie falou.

— Não preciso de médico nenhum.

— Você não pode julgar se precisa ou não. Não está no seu juízo normal. — Mas era ela que parecia confusa, oferecendo-lhe todos aqueles lenços de papel (será que tinha tantos nos bolsos?) e dando ordens com voz esganiçada. — Saiam daqui! Precisamos de espaço. Noah, você entra atrás e Delia vai na frente.

— Será que não existe uma estudante de enfermagem por aqui? Vamos procurar uma enfermeira — Delia perguntou.

— Você não quer ficar com uma cicatriz na testa, não é? — disse Ellie.

Era uma coisa a considerar. Noah empurrou o banco para a frente para poder entrar atrás, depois ajeitou-o para Delia. Quando ela se sentou, ele lhe passou um moletom cinza que estava dentro da sua mochila.

— Tome isso aqui. Você acabou com todos os lencinhos.

Ela hesitou em aceitar (sangue era difícil de limpar), mas não teve outro jeito. Apertou o moletom na testa e sentiu um cheiro de suor limpo e de tênis de ginástica. Ellie ligou o motor do carro e virou-se para Delia.

— Você provavelmente vai precisar levar pontos. Ultimamente parece que tudo em que eu toco voa pelos ares! Fico espantada com isso!

— Sei exatamente o que você quer dizer — Delia disse, dando uma olhada por baixo do moletom. De perto Ellie parecia mais agradável. Seu batom estava quase apagado e os olhos, meio empapuçados nos cantos.

— Não pareço eu mesma. Ouvi muitas vezes dizerem isso, mas sempre imaginei que fosse um jeito de falar. Então me olho como se estivesse de fora e pergunto, "Em que ela pode estar *pensando?*"

Viraram à esquerda na Weber Street. Delia deu mais uma dobrada no moletom. Agora compreendia por que se via com tanta freqüência rosas vermelhas plantadas junto a muros cinzentos de pedra. As manchas de sangue pareciam tão vivas no tecido do moletom que ela teria gostado de mostrar aos outros. Mas Ellie continuava falando.

— Tenho de admitir que fui eu que resolvi me separar. (Delia repetiu para si mesma as últimas frases para ver se por acaso tinha perdido alguma parte da conversa.) Ninguém precisa me lembrar disso! Comecei a pensar que se fosse para o céu Deus me diria, "Que desperdício, eu lhe pus no mundo e você não usou sua vida, ficou parada, queixando-se que a vida era um tédio". Então resolvi cair fora. Mas quando a vi no casamento, quando vi como... bom, eu pensava que você fosse mais velha e mais gorda, que usasse um desses vestidos com zíper na frente. Sei que fiz uma cena no telefone com Joel...

Ellie tinha ligado para Joel?

— Enquanto discava o número dizia a mim mesma "Que burrice fazer isso!" mas continuei a ligar. Tinha planejado me manter bem distante e fria e dizer, "Andei pensando, Joel, que você poderia me passar a custódia do Noah, já que arranjou uma companheira". Mas ele deve ter contado como foi nossa conversa. Ao ouvir a voz dele fiquei possessa de raiva. "Como você ousa fazer isso com Noah! Expor uma criança inocente a esse ninho de amor de mau gosto!"

Ninho de amor! Delia estava encantada.

— E como se não bastasse, meti Noah nessa também. Desculpe, meu bem! — disse, olhando pelo espelho retrovisor e continuando sem esperar a reação de Noah. — Você sabe como as crianças podem ser impiedosas. Assim que demonstrei que estava transtornada, ele passou a me ignorar. Dá todo tipo de desculpa para não me visitar.

— Mãe — disse Noah.

Delia estava curiosa para saber como ele lidaria com isso, mas Noah mudou de assunto.

— Mãe, você acabou da passar pelo consultório do Dr. Norman.

— Eu sei — disse Ellie. Estavam na Border Street agora, dirigindo-se para a rodovia 380. — Toda manhã eu acordo dizendo "Hoje vou me recompor. Vou tirar isso da cabeça". Mas lá estava você, a mulher misteriosa sobre quem ninguém sabe nada, o tipo de pessoa por quem Joel se apaixonaria. Aposto como fala um inglês perfeito também, não é?

— Você está enganada — disse Delia, por mais que não quisesse. — Não é o que...

Então Ellie virou na direção norte e Noah perguntou:

— Mãe, aonde você está indo?

— Há muitos médicos em Easton — Ellie respondeu.

— Easton! — Noah e Delia disseram ao mesmo tempo.

— Vocês não vão querer que eu apele para o Dr. Norman. Ele conhece todo o mundo na cidade! Vão achar que fiz isso de propósito.

— Não podemos contar uma outra história para ele? — Delia perguntou.

— Você não conhece Bay Borough como eu. As pessoas aqui fazem escândalo com as coisas mais triviais.

— Talvez a gente possa ir a uma farmácia — disse Delia, começando a sentir-se aflita. — Eu só preciso de um curativo.

— Oh, Delia, Delia, Delia. Você é tão ingênua. É claro como água que o farmacêutico teria sido aluno da Underwood e ficaria louco para telefonar para os amigos dizendo, "Sabem da última? A maluca da mulher do Sr. Miller tentou matar a namorada dele".

— Eu não sou...

— Aposto como *você* nunca diz "compartilhar", não é?

— Compartilhar?

— É, no sentido de comunicar. Por exemplo, "Fulano compartilhou seus sentimentos comigo". Joel costumava cerrar os dentes quando eu dizia isso. E vivia implicando com a falta de objeto nas minhas frases. "Aproveitar *o quê?*" ele perguntava. Ou "Tomar conta de *quem?* Onde está o final da frase, Ellie?"

Delia viu passar um cemitério de automóveis pela janela. Atrás, Noah estava em silêncio.

— Engraçado, os homens têm medo de que o casamento vá lhes tirar a liberdade. As mulheres não pensam assim. Só depois que se casam é que percebem. Presa para o resto da vida! Atolada para sempre com um homem que não deixa você dizer palavras que não estejam corretas.

Ellie freou quando chegaram no sinal da entrada da rodovia 50. Enquanto esperava o sinal abrir começou a mexer na sua bolsa.

— Você tem algum dinheiro? — perguntou a Delia. — Não quero pagar o pedágio com cheque. Mesmo em Easton meu nome pode ser reconhecido.

Ela era louca, Delia concluiu. Até agora tinha visto tudo sob a ótica de Ellie, tinha até concordado com ela. Mas de repente entrou em pânico. Além do mais, o corte na sua testa começava a doer. Imaginou o ferimento abrindo e as bordas criando uma cicatriz para sempre.

Teria de puxar Noah para fora do carro com cuidado e sair correndo quando chegassem no médico. *Se* chegassem no médico, pois até agora estavam ali diante do longo sinal vermelho.

— Sinal verde, sinal verde — disse esperançosa, inclinando-se para a frente à espera de que o sinal abrisse.

Ellie compreendeu mal e tirou o pé do freio, dizendo "Desculpe".

Entraram voando na rodovia 50. Um caminhão de gasolina buzinou com força, ultrapassou o carro com fúria e foi parar do outro lado da estrada. Ellie deu um grito. Delia estava apavorada demais para gritar. Chegaram no acostamento e o carro foi escorregando por uma faixa de grama seca antes de parar.

— Pensei que você tivesse dito que o sinal estava verde! — Ellie falou, com voz esganiçada.

— Eu queria que estivesse verde, oh, meu Deus. — Delia virou-se para Noah e perguntou: — Você está bem?

Ele engoliu em seco e fez que sim.

Ela puxou a maçaneta disfarçadamente e quando a porta abriu gritou:

— Saia, Noah! Depressa! — Pulou para fora do carro, dobrou o banco para a frente e Noah saiu logo. Tinha bons reflexos. Foi parar quase em cima dela, pois Delia tinha pisado em algum buraco ou valeta oculta debaixo da grama. Seu tornozelo direito torceu, mas ela continuou a apertar o moletom na testa. Pelo menos estavam salvos.

Ellie abriu a porta do carro e outro caminhão passou por ela buzinando forte. Aquela buzina estridente atravessou o peito de Delia e seu coração começou a bater descompassado, como que em sinal de perigo. Ellie tinha avançado o sinal! Entrado em uma auto-estrada a toda velocidade sem olhar em direção alguma! Ficou arrepiada ao pensar nisso e imaginou tudo que poderia ter acontecido.

— Nós podíamos ter morrido! — Delia gritou. Ellie veio correndo e passou os braços em volta dela e de Noah.

— Eu sei, não posso acreditar que ainda estejamos vivos! — Noah disse "Mãe!", lutando para libertar-se, mas Delia abraçou-a e os olhos das duas encheram-se de lágrimas. Ellie não parava de dizer "Oh, meu Deus, oh, meu Deus", rindo e esfregando os olhos.

— Mãe — Noah disse de novo. — Vamos ver o Dr. Norman, por favor?

— Podemos dizer que eu bati com a cabeça em algum lugar — Delia falou. — Ele não vai imaginar nada.

— Você tem razão. Vamos fazer isso. Vamos embora, se é que eu ainda tenho coragem de dirigir — Ellie falou.

Voltaram para o carro, um Plymouth um ou dois anos mais novo que o de Delia, e quando não havia nenhum outro veículo à vista Ellie fez um retorno proibido na estrada, concentrada na direção. Só quando estavam voltando pela 380 é que ela se aventurou a falar. Perguntou a Noah o que ele planejava contar para seu pai.

Noah fez uma longa pausa e finalmente disse:

— O mesmo que contarmos para o Dr. Norman. Você nos deu uma carona quando eu voltava da escola e Delia bateu com a cabeça em algum lugar. Não é isso?

— Eu bati com a cabeça na quina da porta do carro quando entrei — Delia sugeriu.

— Boa idéia — disse Ellie, relaxando as mãos no volante.

Provavelmente era com Delia que estava preocupada. Devia saber que Noah não daria com a língua nos dentes, ele tinha aquele ar desconcertante, frio, estóico e secreto que se vê com freqüência em crianças de lares desfeitos.

— Na verdade foi quase isso que aconteceu — disse Ellie.
— Fomos vítimas de uma dessas chamadas torrentes de acontecimentos, certo? Estou certa?
— É claro — disse Delia.
Ellie diminuiu a marcha para entrar na Border Street.
— Você pode não acreditar, mas em geral sou uma pessoa bem estável. É que ultimamente ando muito estressada. Trabalhar diante da câmara é mais desgastante do que eu pensava! Tenho de vigiar meu peso a cada instante, dormir sempre 8 horas por dia, cuidar da minha pele. Está vendo isso? — Ela estava quase estacionando, mas fez uma pausa para pegar uma mecha do seu cabelo. — Tingido, desfiado, ondulado, com luzes... Esticou a mecha e soltou-a. — Está vendo como a mecha estica e volta? Isso não é mais cabelo, é nem sei mais o quê. Deviam pelo menos me dar uma licença até minha sobrancelhas crescerem!

Um pneu raspou o meio-fio.

— Além de tudo tenho de agüentar minha irmã enlouquecida por causa do casamento do papai, o vazamento no teto do meu apartamento que ninguém sabe de onde vem e essa história toda do papai. Por que ele tinha de começar a vida de novo nessa idade? Ele tem 67 anos e sente dores constantes, sabia disso? Por que acha que as visitas de Noah, seu neto favorito, são curtas? Porque depois de 1 hora o papai está exausto!

— Pobre homem — disse Delia. Abriu a porta do carro e desceu, ainda com o moletom na testa. De certa forma, sua urgência tinha diminuído. Dobrou o banco para Noah passar e ele desceu logo depois dela.

— Quando penso no trabalho que tive para ele se mudar para aquele lugar! — disse Ellie, batendo a porta. — Todas as caixas que enchi! Parecia que estava levando um filho para um acampamento. "Você tem roupas apropriadas para isso? O que os outros meninos vão usar?" Agora estão ameaçando despejar o meu pai.

— Despejar? — disse Delia.

Começaram a subir as escadas de uma casa grande com uma varanda envidraçada. Noah ia na frente e Delia atrás, pois seu tornozelo não a deixava andar depressa.

— Pensei que tivessem dito que ele poderia ficar depois de casado.

— Isso foi antes de descobrirem que a mulher dele estava esperando — disse Ellie.

Delia parou no andar de cima que dava na varanda e olhou assustada para ela. Noah também.

— Esperando o quê? — perguntou abismada.

— Use a cabeça, Delia! Por que acha que eles adiantaram o casamento para março?

— Porque... eles lhe disseram isso, ou você está apenas supondo?

— É claro que disseram. Anunciaram abertamente na semana passada. Papai perguntou a Binky, "Meu anjo, sou eu ou é você que vai contar a novidade?" E Binky disse, "Você conta, fofinho". É uma palhaçada. Esse tipo de linguagem parece, não sei, parece falso num segundo casamento. Então papai pigarreou e disse, "Ellie, você vai ganhar uma irmã". Eu não entendi logo e comentei, "Mas eu *já* tenho uma irmã. Várias, aliás." E ele falou, "Uma outra irmã. Nós estamos grávidos". Falou exatamente assim: "Nós." Aposto como não falou assim nas quatro primeiras vezes em que foi pai.

— Mas... quando isso vai acontecer? — Delia perguntou.
— Em setembro.
— Setembro?

Ellie entrou majestosamente pela porta da frente, e Delia ficou na varanda de boca aberta. Binky sempre foi meio gordinha, com uma barriguinha, mas... Olhou para Noah.

— *Você* sabia disso? — perguntou.

Ele sacudiu a cabeça.

— Então você vai ter uma... tia bebê! Imagine só!

Quando passou pela porta mancando, ouviu o risinho de escárnio de Ellie.

Era a primeira vez que ia ao consultório do Dr. Norman, embora o número do seu telefone estivesse colado no aparelho da cozinha dos Miller. Assim que sentiu o cheiro daquela mistura de cera de chão e álcool iodado foi tomada de uma sensação aconchegante — a sensação de que tinha voltado às suas origens, que todos os outros lugares eram forjados, temporários, estranhos à sua verdadeira natureza. Parou na sala de espera (com tapete oriental de franjas e abajur de cerâmica em cima da mesa), mas Ellie puxou-a pelo braço e levou-a à recepção.

— O Dr. Norman está? — perguntou à recepcionista. A mulher era muito mais velha que Delia e uns 25 quilos mais gorda, mas mesmo assim Delia identificou-se com ela ao ver seus dedos pousados nas teclas cromadas de uma máquina de datilografia antiga. — Estamos com uma emergência.

Ah, sim, uma emergência. Delia tinha quase esquecido. Enquanto Ellie explicava as circunstâncias ("a quina de metal da... não pude fazer nada... tentei avisar mas..."), Delia tirou o moletom da testa e viu que não estava mais sangrando. As manchas de sangue no casaco tinham secado e estavam meio pretas. Olhou para os outros pacientes. Duas mulheres e uma menininha observavam-na com interesse, e ela rapidamente recolocou o moletom na testa.

O Dr. Norman estava desligando o telefone quando a secretária fez os três entrarem. Era um homem gordinho e baixo, com uma mecha de cabelo branco acima das orelhas.

— O que aconteceu? — perguntou, levantando-se e dando a volta pela mesa para tirar o moletom com cuidado. Ele cheirava a fumo. Delia teve vontade de pegar aquela mão e colocá-la no seu rosto. Hummm — ele disse, examinando. — Você não vai morrer disso.

— Vai deixar cicatriz? — Delia perguntou.

— Acho que não, mas é difícil afirmar antes de limpar a área.

— É claro que fiz tudo que foi possível — disse Ellie. — Avisei várias vezes. "Cuidado quando entrar no carro, Dee." Disse isso mais de seis vezes...

O Dr. Norman falou com um tom de impaciência:

— Está bem, Ellie, já entendi. — Ellie calou a boca. — Venha para a outra sala — disse, levando Delia para uma sala ao lado. Ellie e Noah foram atrás, sem que fossem convidados.

Essa segunda sala tinha uma mesa de exame estofada em couro preto já gasto. Delia sentou-se depressa na ponta, com a bolsa no colo. Enquanto o Dr. Norman mexia em uma gaveta de metal cor de leite condensado, comentou com Ellie sobre o tempo, perguntou a Noah sobre seu time de *softball* e falou para Delia que ouvira dizer que ela era uma professora irada.

— Irada? — perguntou Delia.

— Quer dizer, boa. — Olhou para cima, enfiando as luvas de borracha. — Na linguagem de T.J. Renfro, "irado" significa "bom". Suas aulas de matemática são iradas, ele disse.

— Ah — Delia falou aliviada.

Ellie, que examinava um cartaz mostrando a "manobra de Heimlich", olhou para ela.

— Você dá aula particular na Underwood?

— Dou.

— Joel deve estar no céu. Sempre quis que eu me voluntariasse para dar aula — disse, torcendo o nariz.

O Dr. Norman deu uma olhada rápida para Ellie, que ela nem notou, pediu licença a Noah para passar e começou a examinar a testa de Delia. Ela parou de balançar os pés quando ele chegou mais perto.

— Vai arder um pouco — ele disse, abrindo o envelope de anti-séptico. O cheiro forte encheu-a de saudade.

*Não sou uma mera paciente*, podia ter lhe dito. *Conheço bem os médicos! Sei que o senhor vai se sentar na mesa do jantar hoje à noite e contar para sua família que Ellie Miller age de forma possessiva com relação a Joel, considerando que estão separados. Sei que vai dizer que finalmente conheceu a governanta dele e, dependendo da sua discrição, poderá até dizer que tem suas dúvidas sobre como eu me machuquei. Não pense que sou dessas pessoas de fora que não sabem ver além do uniforme branco do médico!*

Mas é claro que não disse nada. O Dr. Norman limpou o corte e passou uma gaze com água quente dos dois lados, testando o calor com a ponta dos dedos.

— Você teve um arranhão superficial na testa, mas um corte bem fundo na têmpora. Mesmo assim não precisa levar pontos, e creio que não vai deixar marca se cuidarmos das bordas enquanto cicatriza. — Virou-se de novo para o armário de medicamentos. — Vamos aplicar um curativo borboleta. Um curativo que...

Delia sabia o que era um curativo borboleta, tinha usado mais de uma vez nos machucados dos próprios filhos. Fechou os olhos quando ele colocou a gaze no lugar. Ouviu Noah respirando ao seu lado, chegando mais perto para ver tudo.

— Que legal! — falou.

— Pronto! Se quiser posso prescrever uma medicação para dor, mas acho que não...

— Não está doendo quase — disse Delia, abrindo os olhos. — Não vou precisar de nada.

Ele escreveu um bilhete para sua secretária, levou-a até a porta, bateu no ombro de Noah e disse para Ellie:

— É bom ver as roupas caindo tão bem no seu corpo.

— Pare com isso — disse Ellie. — Todo o mundo caçoa dessa observação que fiz no *Boardwalk Bulletin*.

— O quê? — Delia perguntou, sem querer mostrar que tinha lido a publicação.

— Mas meu comentário saiu errado. Ou pelo menos não foi o que eu quis dizer. Quis dizer que me visto de forma econômica.

Ela ainda falava sobre isso — dizendo a Noah que aquela saia, por exemplo, custara 13,95 dólares na Teenage World — quando chegaram na recepção. Delia pagou a conta. Nem pensou que Ellie fosse se oferecer para pagar, mas de todo modo não aceitaria.

Na varanda, dobrou o moletom, enfiou-o na bolsa e seguiu Noah e Ellie, que falava agora dos gastos com roupas de uma pessoa chamada Doris. Quem seria Doris? Ah, sim, a âncora do WKMD.

— Ela gasta tubos só com bolsas, para não falar nas echarpes que usa para esconder o pescoço magro...

Delia achou que devia ter aceitado a medicação, não para a testa mas para o tornozelo. Tinha esquecido completamente de mencionar o tornozelo torcido. Foi mancando até o carro e atirou-se com um ruído surdo no banco do carona.

— Acho que você vai querer ir para casa agora, não é? — perguntou Ellie.

— Vou sim, por favor.

Mas Ellie falou com Noah, olhando-o pelo retrovisor.

— Meu bem?

— Eu também — ele disse.

— Não quer mudar de idéia e ir para a minha casa?

— Tenho de estudar para a prova de história.

Ellie deixou os ombros caírem. Nem disse que ele podia fazer isso a qualquer hora no fim de semana.

Cruzaram a Weber Street e passaram pela Copp Catering, onde Belle tinha encomendado o almoço do Dia de Ação de Graças, e pelo Sub Tub, onde todos os alunos da Underwood iam lanchar depois das aulas. Na companhia de Ellie, Delia sentia que Bay Borough assumia uma tonalidade diferente. Não parecia o lugar alegre de sempre. As mulheres que voltavam para casa com compras do mercado pareciam irônicas, com rostos plastificados, donas de casa sorridentes dos anúncios de utensílios de cozinha dos anos 1950. Delia parou de pensar nisso e falou com Ellie.

— Quem sabe a gente se encontra na casa do seu pai um dia desses.

— Se eu voltar lá — ela disse num tom deprimido.

— Mas você tem de voltar! Por que não voltaria? Ele é um papo tão agradável.

— Para você é fácil falar isso. Você não é filha dele.

Virou na Pendle Street, deu uma freada para não atropelar um collie que atravessava a rua e parou na frente da casa dos Miller. (A olhada que deu nas janelas da frente talvez não significasse nada.)

— Até logo — falou, jogando um beijo para o filho. — Delia, desculpe de novo pelo que aconteceu.

— Tudo bem — disse Delia.

Mancando atrás de Noah, lembrou onde tinha ouvido aquela frase de Ellie "Para *você* é fácil". Suas irmãs costumavam lhe dizer isso e também "É claro que *você* se dá bem com o papai. Você chegou tarde, é por isso. Não tem tanta coisa contra ele".

Mas elas nunca especificaram o que tinham contra ele. Não seriam capazes de dizer mesmo que Delia perguntasse, e apostava como Ellie tampouco seria capaz de dizer.

Quando calçou os sapatos de andar em casa, descobriu que a correia do escarpim tinha feito um sulco no peito do pé direito. Aliás, o pé estava tão inchado que ela parecia usar um escarpim *fantasma* na pele. O tornozelo estava que nem uma bola. Mas talvez não tivesse fraturado nada, pois ainda podia mexer os dedos dos pés.

Pegou uma panela com água fria, colocou uns cubos de gelo dentro, sentou-se na cadeira da cozinha e enfiou o pé na panela. O que mais era preciso fazer? Depois de ouvir tantas vezes Sam aconselhar seus pacientes, devia se lembrar. Havia um método mnemônico que ele sempre ensinava. D.G.C.E. Tentou falar em voz alta. Descanso, gelo... O C representava o quê? Cuidado? Tentou de novo. "Descanso, gelo...

— Descanso, gelo, compressão, elevação — disse Joel, colocando a pasta em cima do balcão. — O que aconteceu com *você?* Está parecendo uma órfã de guerra.

— Sabe aquela quina de metal da porta do carro...? — Então percebeu que isso não explicava a entorse do tornozelo. — Hoje não é o meu dia — terminou vagamente.

Ele não insistiu. Abriu o armário de cima e pegou uma coisa na prateleira do alto.

— Sei que temos um kit de primeiros-socorros aqui. Eu fiz um curso em... Aqui está — disse, pegando uma caixa de metal cinza. — Quando você tirar o pé da água fria vou enfaixá-lo.

— Já vou tirar. — Ela provavelmente ficaria mais um pouco com o pé de molho, mas o gelo estava lhe dando arrepio de frio. Levantou o pé e secou com um pano de prato. Joel abaixou-se para examinar e deu um assobio.

— Talvez fosse bom tirar uma radiografia. Tem certeza de que não quebrou nada?

— Tenho. Tudo está funcionando direito.

Pondo de lado a panela, ele ajoelhou-se e começou a desenrolar uma faixa elástica cor da pele. Delia percebeu o inchaço do tornozelo e do azulado da pele, mas ele não mostrou nenhuma reação. Começou a enrolar o peito do pé, subindo com a faixa e cruzando de um lado para o outro em uma série perfeitamente simétrica de Vs.

— Está muito bem feito! Muito caprichado! — disse Delia. — Você é bom nisso.

— Faz parte do aprendizado de um diretor — disse Joel, enrolando o final da bandagem em volta da canela dela e prendendo com dois clipes de metal, que nem o curativo borboleta da sua têmpora. — Como está? — perguntou, pegando o pé de Delia como se o estivesse pesando. — Bem apertado?

— Ah, sim, está...

Uma sensação maravilhosa. Não só a bandagem — embora estivesse dando um grande alívio — mas também aquela mão apertando seu pé, a palma da mão grande aquecendo o arco do pé através da faixa elástica. Teve vontade de empurrar ainda com mais força o pé contra ele. Parecia ávida por aquela firmeza. Nunca tinha percebido que o peito do pé era uma zona tão erógena.

Como que adivinhando, ele continuou ajoelhado ali olhando para Delia.

— Delia? — Noah disse. — Posso convidar...

Os dois levaram um susto. Joel largou o pé de Delia e levantou-se.

— Noah, pensei que você estivesse com a sua mãe — disse.

Noah permaneceu na porta, franzindo a sobrancelha.

— Nós estávamos... enfaixando o tornozelo de Delia — disse Joel. — Parece que houve uma entorse.

— Repouso, gelo, compressão, elevação! Esse é o método mne... mnemô... — Riu, respirando fundo. — Oh, meu Deus, nunca consigo dizer essa palavra direito.

Noah ficou observando-a e finalmente falou:

— Posso convidar Jack para jantar?

— É claro que sim — ela disse. — Boa idéia!

Noah olhou-a mais um instante, olhou para o pai, virou as costas e saiu.


Joel não deixou Delia cozinhar naquela noite. Instalou-a no sofá da sala íntima com o pé para cima e o gato no colo, e saiu da sala para encomendar uma pizza. Noah e Jack deitaram no chão na frente da televisão para ver um filme de suspense. Durante as cenas mais impressionantes um piano tocava hipnoticamente. Delia soltou George, recostou-se e fechou os olhos.

Por trás das pálpebras reviu a superfície rugosa da rodovia 50. Viu o Plymouth entrando a toda velocidade no meio do tráfego, conseguindo milagrosamente desviar-se do caminhão, como num videogame. Acordou sobressaltada, abriu os olhos e ficou olhando para o espaço, tremendo de novo ao lembrar que tinham escapado por um triz.

# 17

O corte na testa de Delia cicatrizou rapidamente, deixando só um ligeiro esbranquiçado na pele. Mas a entorse durou mais tempo e durante semanas ela precisou apoiar-se no tornozelo direito quando caminhava. Tinha vontade de dizer aos passantes que esse não era seu andar costumeiro, pois sentia-se de certo modo inferiorizada. Ficou imaginando qual seria a reação dos que sabiam que seriam deficientes para o resto da vida, como alguns moradores de Senior City.

Lá era o único lugar onde ela não chamava a atenção quando passava mancando. Podia andar sem pressa até o elevador pois sabia que os outros passageiros esperariam por ela. Quando entrava, percebia que estavam conversando uns com os outros sem qualquer sinal de impaciência, e então avisava que podiam soltar o botão que mantinha a porta aberta. As enfermidades deles, as rugas e os cabelos brancos não lhe chamavam mais a atenção. Depois de todos esses meses já se habituara a isso.

E como Binky contrastava naquele ambiente! Todos podiam ver agora que ela estava grávida. Em maio já usava roupas de gravidez e no início de junho segurava a barriga redonda quando se levantava, dando a idéia de um avental cheio de frutas.

— Minha barriga parece *mais* visível dessa vez, quando tive os meninos mal se notava até o final. Eu usava um jeans desabotoado e o camisão do meu marido — Binky disse a Delia. — Mas agora tenho de entrar de lado no carro e ainda faltam três meses.

Não havia dúvida de que aquela criança não fora planejada. Binky disse que tinha passado 12 semanas sem suspeitar de nada, afirmando sempre que o casamento seria em junho.

— Um dia resolvi ir ao médico e soube que estava grávida, e ao ver meu espanto o médico falou, "Hoje em dia 38 anos não é nada. Muitas mulheres têm filhos com essa idade". E então eu perguntei, "E 67 anos? É a idade do meu marido". Dessa vez foi ele que se surpreendeu.

— Eu vejo as coisas da seguinte forma — Nat disse a Delia. — Uma comunidade de idosos é o melhor lugar para se ter um filho. Aqui temos todos esses médicos e enfermeiras ociosos no quarto andar.

— Vocês iriam ao quarto andar para Binky ter o bebê? — Delia perguntou horrorizada.

— Ele está brincando — Binky explicou.

— Vamos transformar o centro cardíaco em uma sala de parto — Nat continuou, num tom malicioso. — Usaremos uma dessas camas de grade de hospital como berço. E fralda é o que não falta por lá, não é, Noah?

Noah deu um risinho, encabulado. Estava em uma idade em que qualquer conversa sobre funções físicas era um constrangimento monumental.

— O melhor é que quem preparou os estatutos de Senior City nunca sonhou que isso pudesse acontecer. Tudo que nosso contrato diz é "Os candidatos devem ter 65 anos antes de entrar", mas nosso bebê não é um candidato. Porém não conseguimos passar para o segundo andar. Você soube que pedimos permissão para morar no segundo andar? Eu aleguei que agora tinha Binky para cuidar de mim, mas os diretores não aprovaram. Disseram que não era assim que as coisas funcionavam. A progressão devia ser para cima, não para baixo.

— Talvez seja melhor assim — Binky falou. — Nossos vizinhos do terceiro andar ficariam de coração partido se nos perdessem, agora que o bebê está para chegar.

— Uma coisa que Binky não vai sentir falta é de *baby-sitters* — disse Nat.

Ele insistia em dizer que teriam uma menina, mas nenhum dos dois quis ser informado do sexo do bebê. Sua experiência era com meninas, e ele tentava convencer Noah de que *todos* os bebês nasciam meninas, mas alguns sofriam uma metamorfose e tornavam-se meninos mais ou menos na mesma época em que os olhos escureciam.

— Você não imagina quantas senhoras idosas estão tricotando nesse momento — disse para Delia. — Fazendo sapatinhos, meias, casaquinhos... O bebê vai ser uma Imelda Marcos da enfermaria.

Mas Nat e Binky deviam estar apreensivos, Delia pensou. Como não estariam? Ela estava pasma com o entusiasmo e a determinação dos dois — Binky dizendo a todos "Não podíamos estar mais contentes", e Nat mostrando-se muito solícito, apesar de ser frágil como uma construção feita de blocos de armar.

— Quando minha primeira mulher estava morrendo — Nat disse a Delia — eu ficava ao lado dela na cama, diante daquele rosto encovado e anguloso, e pensava, *Essa é sua verdadeira face.* Quando jovem ela era muito bonitinha, mas depois percebi que seu rosto jovem era apenas um esboço grosseiro. A velhice era a forma completa, final, a versão acabada da pessoa. *A coisa em si finalmente!* E essa idéia coloriu as coisas para mim dali em diante. As jovens atraentes que eu via na rua pareciam muito... temporárias. Perguntava a mim mesmo por que se enfeitavam tanto. Será que não compreendiam onde iriam parar? Mas ninguém compreende, ao que parece. Quando eu era criança, ansioso para chegar a minha "vez", nunca me ocorreu que a minha vez teria um fim, dentro de algum tempo. Então Binky apareceu. Não é de admirar que eu tenha sentido que nasci de novo.

Binky estava presente quando ele disse isso e inclinou-se para beijar seu rosto.

— Eu também, querido — disse a ele.

Delia de repente percebeu o seu próprio isolamento — sua postura ereta, os cotovelos pousados nos braços de uma poltrona só para ela.

Finalmente chegou o verão, quente, verde e zumbindo de cigarras depois de uma primavera longa e fria. As aulas terminaram e Noah começou a dormir tarde e a ficar pela casa com os amigos, queixando-se de tédio. As horas de trabalho de Joel foram reduzidas e ele voltava para casa no meio da tarde. Na árvore grande dos fundos, um casal de pica-paus construía um ninho. Delia ouvia seus gritos de vez em quando — guinchos agudos entusiasmados que lembravam meninas de colégio nas suas primeiras festas. E na rodovia 50 um número cada vez maior de carros passava velozmente rumo ao litoral com bicicletas no teto, os bancos traseiros cheios de crianças e na janela de trás via-se pás de areia, pés de pato e caixas de batatas fritas.

Será que sua família também estaria indo para a praia? Afinal de contas, era junho. Fazia um ano que se separara deles, embora parecesse muito mais tempo. Àquela altura tinha feito de tudo pelo menos uma vez. Passado sozinha seu aniversário, o Dia de Ação de Graças, o Natal e o ano-novo. Pago seu imposto de renda (separado do marido). Votado. Levado o gato ao veterinário. Era agora uma cidadã *bona fide* de Bay Borough.

Foi então que recebeu uma carta de Susie.

O envelope tinha o endereço correto, o que mostrava que Susie devia ter perguntado a Eliza ou Eleanor onde ela morava. A letra era tão redonda que o *Borough* parecia uma fileira de bolas de ar presas por um único fio. Levantou a ponta devagarinho para abrir a carta sem rasgar o envelope, como se isso fosse amortecer o impacto do que estivesse escrito.

*Oi, mãe!*

*Uma cartinha curta só para dar notícias. Como você vai? Obrigada pelo cartão de formatura! O começo da comemoração foi meio arrastado, mas Tucky Pearson deu uma festa incrível depois na fazenda da família dela!*

*Nada especial para contar, só que o papai anda muiiiiiiito difícil ultimamente! Sei que você vai me dar razão. Será que podia telefonar para conversar com ele? Não diga que fui eu que pedi, diga só que recebeu uma carta minha e achou que devia discutir meus planos com ele. Você não pode acreditar como ele está sendo mau! Ou talvez acredite. Sinceramente, mãe, às vezes não te culpo por ter ido embora de casa. Até mais.*

*Beijos, Susie*

Delia teve uma sensação súbita de exaustão. Dobrou a carta e colocou-a de volta no envelope.

Bom.

Não podia telefonar dali, pois não queria que o telefonema aparecesse na conta de Joel. Nem queria ligar a cobrar, pois daria a impressão de que estava em dificuldade. Então procurou moedas na bolsa e em vários bolsos e foi ao telefone público na esquina entre a Bay Street e a Weber Street, a um quarteirão de casa. Foi andando o mais rápido que seu tornozelo permitia, pois se desse o telefonema entre onze e meia e meio-dia teria mais chance de falar direto com Sam. Ele sempre ia para casa almoçar. A não ser que na sua ausência as coisas tivessem mudado mais do que ela esperava.

Dentro da cabine — fechada só até a altura da cintura, deixando passar todo o barulho do tráfego — juntou as moedas na prateleira e ligou o número da casa de Sam. Nunca tinha feito um interurbano de um telefone público antes e ficou aflita ao descobrir que teria de esperar para depositar as moedas até atenderem do outro lado da linha. O telefone tocou duas vezes, Sam disse "Dr. Grinstead", e uma gravação deu instruções para ela colocar as moedas dentro. *Prong! Prong!* Era humilhante — quase tão ruim quanto um telefonema a cobrar, e foi ainda pior porque Sam não entendeu o que estava acontecendo.

— Alô? Quem está falando? — ficou repetindo ao telefone.

Aquela mesma voz grossa e monocórdia, baixando o tom até nas perguntas.

— Sam? — Delia falou.

— Onde você está? — ele perguntou imediatamente.

Ela percebeu que ele supôs que fosse um pedido de ajuda. Que ela estivesse admitindo a derrota, ligando para dizer "Venha me buscar". Devia estar esperando por isso há meses. Respirou fundo e disse:

— Estou telefonando para falar de Susie.

Um silêncio mortal do outro lado da linha. Depois ele falou:
— Ah, Susie!
— Imagino que você saiba o que está se passando com ela.
— Acredito que mesmo com meu cérebro fraco ainda posso compreender *isso* — ele disse num tom gélido. — Mas acho que mesmo assim você vai me dizer o que é.
— O quê? — falou, pondo a mão na testa. — Não, espere, estou perguntando! Ela escreveu dizendo que tinha um problema, mas não explicou o que era.
— Ah — Sam disse de novo. Depois outro silêncio. — Tem alguma coisa a ver com o casamento dela, acho eu.
— Susie vai se casar?
— Ela quer, mas eu sou contra.
— Mas... — *Ela não me disse nada disso!*, quis explicar. *Não me consultou!* Sabia que era um absurdo, mas continuou. — Mas Driscoll é um bom rapaz. É Driscoll, não é?
— Quem mais seria? A questão não é essa. Ela pode se casar com quem quiser, é claro, mas eu disse que antes terá de viver sozinha durante um ano.
— Um ano? Por quê?
— Detesto ver Susie saindo da escola para um casamento. Da casa do pai para a casa do marido.
*Casa do pai? Ele detestava ver isso?* E não era a casa da mãe também? Tudo bem.... mas para a casa *do marido?*
A maior ofensa de todas era que ele não queria que Susie fizesse o mesmo que ela — nunca passou uma só noite sozinha antes de se casar e deu no que deu.
Delia supunha que ele tivesse ruminado isso o ano inteiro e chegado à sua própria teoria.
— Mas se Susie for morar sozinha ficará muito... desprotegida. Ela e Driscoll poderão... quer dizer, e se eles acabarem... dormindo juntos ou qualquer coisa assim?

— E você acha que eles não dormem juntos, Delia?

O queixo dela caiu.

Uma voz metálica de gravação falou: "Para continuar a ligação, por favor ponha mais..."

— Espere aí, vou tentar pedir à telefonista para fazer essa ligação a cobrar — disse Sam.

Ela não discordou. Estava tentando organizar suas idéias. Sem dúvida eles *tinham* dormido juntos. De certa forma ela provavelmente sabia disso, mas mesmo assim sentiu-se desalentada. Imaginou-se dando adeus e Susie e Driscoll desaparecendo a distância, sem olhar para trás.

— Você sabe que ela ainda não tem um emprego — disse Sam, depois de resolver o problema com a telefonista.

— Já pensei nisso.

Incrível como era fácil cair nesses assuntos corriqueiros, quase como que trocando informações. A *trivialidade* da coisa lhe pareceu surreal.

— Ela dorme até altas horas do dia, depois vai para a piscina. Não programa nenhuma entrevista, não pensa em ter uma profissão...

*Mas ela vai se casar,* Delia pensou sem dizer nada.

— E Driscoll? Ele tem um emprego?

— Não.

— E onde ela poderia viver, se não tem dinheiro algum?

— Nós não falamos sobre isso — disse Sam.

— Puxa, Sam, sobre o quê vocês falaram então?

— Sobre nada — respondeu, tossindo ligeiramente. — Nós não estamos nos falando.

Delia deu um suspiro.

— E Eliza? Susie deve falar com *ela*.

— Não necessariamente.
— O que quer dizer com isso?
— Para dizer a verdade, acho que elas também não se falam.
— Tiveram alguma briga?
— Não tenho certeza. Acho que sim, mas não sei ao certo se continuam brigadas. Na verdade, Eliza está morando fora.
— Morando fora?
— Foi ficar com Linda por algum tempo.
Delia digeriu a notícia, depois falou:
— Vocês não vão para a praia este ano?
— Não, Delia — falando de novo num tom gélido. Delia compreendeu com tanta clareza o que ele queria dizer como se tivesse explicado. *Você realmente imagina que vamos voltar para a praia, depois de você ter estragado as férias de todos nós para sempre?*

— Então ninguém parou para discutir com Susie suas opções de vida — ela disse apressadamente.
— Não vejo como posso discutir com alguém que sai da sala no instante em que eu entro — disse Sam.

*É só ir atrás dela*, Delia teve vontade de dizer. *Vá atrás dela. Qual é a dificuldade?* Mas sabia que para Sam isso seria impensável. Ele não era o tipo de homem que aceitava ser rejeitado. Não gostava de pedir, de negociar nem de mudar de posição, nunca tinha cometido um erro em toda a vida. (Seria por isso que as pessoas à sua volta pareciam cometer tantos?)

Um caminhão de entrega passou voando e ela teve de tapar o outro ouvido.

— Tudo bem, vou propor uma coisa. Vou escrever a ela dizendo que se quiser que você pague a festa de casamento terá de aceitar suas condições. E se não gostar das condições, terá de pagar do seu bolso a festa de casamento. Das duas formas você vai concordar.

— Eu vou concordar?

— Vai.

— E se ela decidir se casar com ele amanhã?

— Se decidir, decidiu. Isso depende dela.

Sam ficou quieto. O tornozelo de Delia começou a latejar, mas ela não o apressou.

Finalmente ele disse:

— E o problema de não nos falarmos?

— O que tem isso?

— Você pode pedir para ela vir conversar comigo?

— Posso sugerir isso.

— Obrigado.

Delia sentiu-se pouco à vontade no seu novo papel.

— E tudo o mais está bem?

— Está.

— Os meninos estão bem?

— Estão ótimos.

— Quem está cuidando do consultório enquanto Eliza está fora?

— Eu.

— Talvez fosse um bom emprego para Susie.

— Nunca — ele disse sem hesitar.

Outra facada no seu coração. *Nunca vou deixar minha filha seguir o exemplo execrável da mãe*, ele queria dizer. E ela não podia discordar disso.

— Acho que vou desligar então — falou.

— Tudo bem. Até logo — disse Sam.

Depois de desligar ocorreu-lhe que talvez ele quisesse dizer que Susie seria um desastre no consultório, pois não tinha nenhum senso de organização. Ao contrário de Delia, que tinha pendor para isso.

Será que era isso que ele queria dizer?


Na carta, Delia incluiu um pedido que não tinha mencionado a Sam. *Quando você se casar, qualquer tipo de casamento que fizer, vai me deixar participar? Não posso culpar você se não quiser, mas...*

Escreveu a carta naquela mesma tarde, na mesa da sala íntima, numa hora em que estava sozinha. Mas antes de terminar Joel chegou em casa.

— Oh, aí está você — ele disse, ficando por ali algum tempo, mexendo com as moedas dentro do bolso. Finalmente ela parou de escrever e olhou para ele.

— Está precisando de alguma coisa? — perguntou.

— Não, não — falou, saindo para outro canto da casa. Mas assim que ela terminou a carta Joel voltou, devia ter percebido sua movimentação na cozinha. Apareceu na porta, mexendo de novo nas moedas do bolso. — Vi você na Weber Street hoje.

— Weber Street?

— Num telefone público.

— Ah!

— Você sabe que pode usar o telefone daqui.

Delia teve um desses flashes, como que se vendo pelos olhos de outra pessoa: segurando o telefone com uma das mãos e tapando o ouvido com a outra. Teve vontade de rir. A Mulher Misteriosa Ataca Novamente.

— Ah, é que eu... tive de dar um telefonema urgente naquela hora, só isso.

Ele esperou como que para ouvir mais explicações, mas ela não disse nada mais.

Às vezes percebia um detalhe em Joel — os músculos dos seus braços, ou a dobra nas costas do seu casaco — e sentia-se tão atraída por ele que precisava lembrar que mal o conhecia. Na verdade, os dois mal conversavam um com o outro. Desde que ele fizera a bandagem no seu tornozelo pareciam ter criado um distanciamento. De qualquer forma, tinham de ter cuidado com Noah.

Noah, o observador, o desconfiado. Ultimamente vivia espionando, procurando no rosto deles um sinal de culpa. Uma noite em que Joel e Delia voltaram para casa depois de um jantar de professores voluntários, encontraram Noah esperando-os na porta da frente com os braços cruzados no peito. "Por que demoraram tanto?", perguntou. "O jantar devia terminar às 21 horas. Já são 21h45, pelo amor de Deus, a casa dos Brook fica a 5 minutos daqui!"

Em outubro ele completaria 13 anos. Não era uma idade fácil, como Delia sabia muito bem. Noah já dava sinais disso. Por exemplo, tinha se recusado a usar as roupas que ela lhe comprara naquela primavera. E queria que ela deixasse a partir dali sua roupa lavada do lado de fora do quarto, não lá dentro. Um dia em que seus amigos dormiram lá, ele perguntou de manhã: "Você tem de usar no café-da-manhã esse robe que mais parece uma saída de praia? Não tem um robe normal?"

Sim, era muito claro onde ele queria chegar.

— Noah está ficando muito alto, no outro dia fui lhe dar um beijo e notei que seu rosto estava quase na altura do meu — disse Ellie. (Agora, muitas vezes as duas se falavam no telefone antes de Delia chamar Noah.) — Toda vez que vejo Noah ele está mudado de alguma forma. Quer sempre ouvir essa música horrível no carro, uns cantores que parecem estar cochichando, e a gente não consegue entender uma palavra do que dizem.

— Ele disse que vai criar uma banda de rock. Ele e Kenny Moss — disse Delia.

— Mas ele toca algum instrumento?

— Isso eu não sei. Já escolheram até o nome: Sua Mãe Tem Algum Filho?

— Isso é nome de banda?

— Ele diz que sim.

— Não entendo — Ellie falou.

— Nem é para entender. Você também já deve saber que ele não quer acampar nesse verão.

— Mas ele adora acampar!

— Disse que é coisa de criança.

— O que quer fazer então?

— Joel disse que ele vai acampar por bem ou por mal — Delia disse, sentindo-se mal por ter mencionado o nome de Joel com tanta familiaridade. — Falou que já fez o depósito, e além disso eu não vou estar aqui para cuidar dele. Vou sair de férias.

— É mesmo? Para onde vai?

— Ocean City, nas duas semanas do meio de junho. Belle Flint reservou um quarto em um hotelzinho de uma amiga sua.

— Podíamos nos encontrar quando você estiver lá. Jantar uma noite no meu restaurante favorito. Eu vou a Ocean City a toda hora!

Evidentemente ela não achava mais que Delia fosse namorada de Joel. Será que mudara de opinião depois de vê-la de perto?

Ficou um pouco desapontada, para ser sincera.

Sonhou que tinha dado de cara com Sam em frente a Senior City, de casaco branco engomado e mãos nos bolsos. Dirigiu-se a ele e disse com o tom mais positivo possível:

— Na casa dos Miller tenho uma bicicleta de tamanho natural que construí sozinha com clipes de papel.

Ele olhou-a com ar pensativo.
— Uma bicicleta para trabalhar? — perguntava.
— Não.
Acordou e esfregou os olhos. Lembrou que Sam estava com um estetoscópio pendurado no pescoço, como se fosse uma toalha de fazer barba. Ele não usava estetoscópio desde a primeira semana que foi trabalhar com seu pai — uma atitude de médico jovem, e Sam era um médico jovem na época apesar da sua idade. Formou-se tarde porque teve de trabalhar para custear seus estudos de medicina. Mas não a olhava com um ar tão sério quando eles se conheceram.

Ou será que olhava?

Talvez ele fosse assim desde o começo. Talvez Adrian estivesse certo: com o passar do tempo, o que nos incomoda mais é exatamente o que nos atraía no começo.


Para as férias na praia Delia comprou uma mala barata na loja de 1,99, grande o suficiente para caber sua sacola de praia. Belle a levaria de carro no domingo de manhã. Noah ainda estava em casa quando Belle buzinou (só iria para o acampamento por volta do meio-dia). Delia lhe deu um abraço rápido, que ele aceitou bem, e falou para Joel:

— Não esqueça de dar a comida do Vernon.
— Quem é Vernon?

De início não entendeu a pergunta de Joel, mas logo depois corrigiu a frase.

— Eu me enganei, a comida do George. — Que bobagem a dela, George e Vernon não se pareciam em nada. — George, o *gato*! — falou, como se Joel é que tivesse se confundido. Deu-lhe adeus e correu para a porta, com a mala batendo nas pernas.

Belle usava uns óculos escuros enormes, daqueles que parecem colocados de cabeça para baixo.

— Estou com uma ressaca monumental — disse para Delia. — Nunca mais quero ver champanhe na minha frente.

— Você tomou champanhe?

— Se tomei! Uma garrafa inteira, na noite passada Horace me pediu em casamento.

— Oh, Belle!

— Mas ele não pode beber porque é alérgico. Ficou observando cada gole que eu tomava com aquele seu olhar melancólico. É assim que nós dois fazemos as coisas. Mas foi um gesto bonito dele. Champanhe, uma dúzia de rosas e um anel de brilhante, tudo que eu tinha direito. — Tirou a mão esquerda do volante para mostrar o anel, depois parou o carro. — Ao que me lembre, eu aceitei. Pense só: Belle Lamb. — Seu rosto estava inexpressivo por trás dos óculos escuros, mas havia um toque de complacência na curva dos lábios. — Acho que vou ter de ir adiante com isso.

— E você não quer ir adiante?

— É claro que quero — ela disse, virando na 380. — Eu gosto, ou melhor, acho que amo o Horace. Quando ele bate com a cabeça no teto do meu carro, sinto um nó no estômago. Será que se pode chamar isso de amor?

Delia começou a considerar a pergunta, mas Belle continuou.

— Mas já notei que a maioria das pessoas se casa porque decide que está na hora de casar. Mesmo que ainda não tenham escolhido ninguém em especial. *Então* escolhem qualquer pessoa. Como se fossem os casamentos arranjados que vemos nos países estrangeiros, só que aqui são os noivos que fazem os arranjos.

— Não sei *o que* dizer para você. Devo dar os parabéns ou não? — Delia falou rindo.

— É claro que sim. Pode me dar os parabéns. — E voltou a colocar a mão esquerda no volante para poder admirar o brilhante.

O Mermaid's Chambers era um hotel de beira de estrada, com a pintura azul descascada, localizado entre uma loja de camisetas e uma casa de bebidas. Mas Belle conseguiu um desconto muito bom e Delia não planejava passar muito tempo no quarto.

Toda manhã atravessava a estrada carregando a bolsa de praia, uma colcha do hotel e um isopor com café. Alugava uma barraca na praia e instalava-se no meio de uma multidão, que aumentava ao longo do dia — crianças gritando, adolescentes lindos, pais de pesos e idades diferentes, e avós branquelos e enrugados. Primeiro bebia o café com os olhos fixos no horizonte, depois pegava um livro na bolsa de praia e começava a ler.

Em Ocean City tinha voltado aos romances, em média lia um por dia. Pareciam exagerados e piegas em relação aos livros que pegava na biblioteca, e lia-os quase sem pensar, prestando mais atenção ao calor amarelado que atravessava a barraca, aos gritos das gaivotas e às crianças com pezinhos queimados de sol passando por ela na areia. Um dia começou a ler um livro sobre uma noiva que fora raptada pelo irmão do noivo e percebeu no meio da leitura que era o que tinha lido nas férias do ano *passado*. Verificou o título e viu, *Prisioneira do castelo*. Olhou para o mar. Uma mãe segurava o bebê ainda de fralda acima das ondas e os rádios a seu redor tocavam "Under the Boardwalk". Delia imaginou-se junto das espumas das ondas caminhando para o sul.

Por volta do meio-dia ela se levantava e atravessava o calçadão de madeira para almoçar. Comia em um café reles — um balcão de sanduíche ou uma pizzaria — onde os raios de sol atravessavam o ambiente sombrio, voltava para a barraca, tirava um cochilo e depois lia mais um pouco. Mais tarde dava uma volta pela praia, uma volta curta pois seu tornozelo ainda reclamava sempre que todo seu peso era posto nele. Só então entrava no mar.

Ficava o tempo todo mergulhada na água. Com os braços meticulosamente levantados e a barriga encolhida, ia andando de lado como se fosse um caranguejo para enfrentar as ondas. Finalmente via-se dentro da água, mas não molhava nem um fio do cabelo quando tudo dava certo. Flutuava depois da arrebentação com uma sensação de realização e divertia-se cada vez que via as ondas arrebentarem na areia. Sempre esperava que uma onda mais fraca a levasse de volta para o seco, mas às vezes calculava mal e era jogada com força no fundo, embolando dentro da água como uma peça de roupa na máquina de lavar.

Então arrastava-se pela praia, secava-se um pouco e torcia a sainha do maiô. Àquela altura o protetor solar já tinha sido absorvido e o rosto começava a ficar avermelhado e mais sardento. Sua primeira providência ao chegar no quarto no final do dia era olhar-se no espelho, onde via o reflexo de uma pessoa cada vez mais colorida. Quando tirava o maiô aparecia a pele muito branca, e no chuveiro notava que os pés estavam bem avermelhados.

Deitava-se na cama com o roupão de Sam, com uma toalha em volta do cabelo, lixava as unhas e via o noticiário. Mais tarde, quando o ar condicionado com cheiro de mofo começava a deixá-la com frio, vestia-se e saía para jantar — cada dia em um restaurante diferente. Seus domingos no Bay Arms tinham lhe dado um bom treino, ela agora jantava sozinha com toda a serenidade, pedia um menu completo e ficava observando as mesas vizinhas. Depois ia sentar-se no calçadão de madeira por algum tempo, quando conseguia um banco vago. A barulheira dos videogames e da música de rock a incomodava, mas ficava vendo o mar imenso e escuro cobrindo-se de branco sob a lua já minguante.

Voltava para o quarto quase sempre por volta das 21h e ia para a cama às 10. Desligava o ar-condicionado e dormia só com um lençol, suando ligeiramente devido ao ar quente que vinha da janela.

Um dia amanheceu nublado, com chuvas esparsas, e ela ficou no quarto vendo televisão. Quase todos os programas eram *talk-shows* — um mundo inteiramente novo para ela. Constatou que se dizia qualquer coisa na televisão. Membros de uma família que não se falavam há anos falavam-se à distância para a câmara. Mulheres choravam em público. Quando finalmente desligou a televisão, estava cansada, como se tivesse participado de vários eventos sociais. Saiu para dar uma volta e comprou um livro novo, não um romance mas um livro sério e verídico sobre os pobres que viviam no Maine. Para caminhar usou o suéter Srta. Grinstead largo nos braços, que a fazia se sentir como uma criança reconfortada.

Enviou dois cartões-postais para o acampamento de Noah — *Lindo tempo, lindas ondas*, escreveu, esse tipo de coisa — e comprou um cartão para Joel também mas não soube o que escrever. No final o cartão acabou sendo enviado para Belle. *Foi realmente uma ótima idéia. Obrigada por arranjar o hotel para mim.* A amiga de Belle, Mineola, uma morena oxigenada, de calça pescador e rabo-de-cavalo, sempre a cumprimentava gentilmente, mas afora ela não falava com ninguém, o que não lhe importava.

Ocasionalmente, algum estímulo aos seus sentidos — cheiro de óleo de coco, rilhar da areia nas dobras do maiô — lembrava-lhe seus antigos passeios familiares na praia. Um dia, quando devolvia a barraca alugada, uma criança gritou, "Mãe, faça a Jenny carregar alguma coisa também!", o que a fez lembrar daqueles momentos, ao pôr-do-sol, em que as crianças pediam para ficar um pouco mais e os adultos perguntavam quem tinha pegado as bóias, onde estava o baldinho verde, quem tinha levado a garrafa térmica. Lembrou-se das discussões, da pele das crianças ardendo quando tiravam areia do seu corpo sem cuidado e do cansaço do fim do dia. Recordou-se de todos os detalhes e daria tudo para viver de novo um desses momentos.

De quem eram aqueles tênis? Alguém esqueceu os tênis aqui! Não me venham amanhã choramingando por causa dos tênis!

Comprou um cartão com um golfinho e escreveu nele, *Querido Sam e crianças, estou de férias, pensando em vocês todos*. Depois lhe ocorreu que poderiam pensar que ela estava se referindo ao ano passado todo, não apenas às duas semanas em Ocean City, e não soube ao certo como esclarecer isso. Rasgou o cartão e jogou-o fora.

Na última noite devia encontrar-se com Ellie no Sailor's Dream, mas já estava arrependida de ter combinado isso. Manter uma conversa com ela durante longo tempo seria difícil, mas cancelar o compromisso seria pior ainda, então apareceu no restaurante na hora marcada. Encontrou Ellie debaixo do toldo da porta, com um vestido branco com fios prateados — tipo de roupa usada em navios de turistas — e uma bolsinha branca em forma de concha. Os homens olhavam-na quando passavam.

— Oi, Delia! Você está com ar saudável e corada! — ela disse.

Delia tinha esquecido como era bom ser chamada pelo nome e ficou contente de vê-la ali.

O Sailor's Dream era todo forrado de couro, parecendo um clube para homens mas com algumas diferenças. O tapete, por exemplo, tinha o mesmo cheiro de cogumelo que o do hotel onde Delia estava hospedada e todos os garçons eram muito bronzeados.

— Agora me diga, está se divertindo bastante? — Ellie perguntou, assim que as duas se sentaram.

— Estou me divertindo muito.

— São suas primeiras férias sozinha?

— São, ou melhor...

Não estava certa se ir sozinha para Bay Borough podia ser considerado férias ou não. (Se fosse, quando as férias tinham terminado e sua vida real começado?) Olhou para os olhos de Ellie, fixos nela.

— Não é engraçado sair para nadar sozinha? — Ellie perguntou.

— Engraçado? Não.

— E comer sozinha? Tem comido no quarto todos esses dias?

— Meu Deus, é claro que não! Eu como fora.

— Eu *detesto* sair para comer sozinha. Você não imagina como admiro você por isso — Ellie disse.

Pararam de falar para fazer os pedidos — siri imperial para Delia, salada verde grande com molho para Ellie — mas assim que o garçom se afastou Ellie falou:

— Você praticou antes? Antes de ir embora do lugar onde morava?

— Pratiquei?

— Você *costumava* sair para comer sozinha?

Delia percebeu a intenção de Ellie: ela queria umas dicas sobre a vida de solteira.

— Eu nunca comi fora sozinha. Nunca andei na rua sozinha! Sempre tive alguém para me acompanhar. Fui uma garota muito popular, mas gostaria que tivesse sido um pouco menos popular. Sabe quando pensei pela primeira vez em largar o Joel? Três meses depois do nosso casamento.

— Três meses?

— Mas ficava matutando, *Como vou me arrumar sozinha?* Achava que todos pensariam que havia alguma coisa de errado comigo.

Inclinou-se para mais perto de Delia e abaixou a voz.

— Dee?

— Que foi?

— Você *teve* de ir embora?

Delia recuou ligeiramente na cadeira.

— Você estava... numa situação impossível? Tinha de ir embora? Não podia sobreviver nem mais um minuto?

— Não — Delia respondeu.

— Não quero me intrometer nem saber dos seus segredos. Só quero saber até que ponto de desespero se tem de chegar para saber ao certo que é hora de ir embora.

— Desespero? Bom, eu não diria... *ainda* não estou certa na verdade.

— Não está?

— Não foi realmente uma decisão — disse Delia.

— Vejamos meu caso. Você acha que cometi um erro? Você está morando na casa do meu marido, acha que eu não precisava ter ido embora?

— A diferença é que eu não sou casada com ele.

— Mas a essa altura já deve saber como ele é. Deve saber que ele é meticuloso... que se considera sempre certo sobre tudo e está sempre criticando.

— Joel criticando? Belle Flint disse que ele adora você! Está tentando manter a casa exatamente como você deixou. Ninguém disse isso a você?

— Ah, sim, *depois* que eu fui embora. Mas enquanto estava lá ele vivia dizendo, "Por que não pode fazer isso dessa forma, Ellie?" e "Por que não pode fazer daquela forma?", e ficava mudo se eu não seguisse suas sugestões.

— É mesmo? — disse Delia.

Naquele momento imaginou Sam em frente à geladeira fazendo uma das suas preleções sobre a melhor técnica de preservar frangos não cozidos. Ele tinha tanto medo de intoxicação alimentar que parecia que vivia em alguma "república das bananas", e Joel nunca mencionava isso. As preocupações de Joel eram com a organização da casa e com sua lista de obrigações. Originavam-se de uma necessidade de estabilidade. Tudo que ele queria na verdade era *segurança*.

Será que podia dizer o mesmo de Sam?

Os pratos chegaram e o garçom apareceu com um moedor de pimenta altíssimo.

— Alguma de vocês deseja...?

— Não, não, pode ir — disse Ellie, dispensando-o com um gesto da mão. Assim que ficaram sozinhas de novo virou-se para Delia. — Três meses depois do nosso casamento Joel foi a uma conferência em Richmond. Eu disse a mim mesma "Estou livre!" e tive vontade de sair dançando pela casa. Quase *voei* pela casa. Fiz uma brincadeira comigo mesma: abri todas as gavetas e coloquei as roupas dele em caixas. Empacotei as roupas do armário também, fingindo que morava sozinha sem ninguém para atormentar minhas idéias. Ele só devia voltar na quarta-feira, e eu planejava pôr tudo de volta na terça à noite para não deixar vestígio da brincadeira. Mas ele voltou mais cedo, ao meio-dia da terça-feira. "Ellie, o que é isso?", perguntou. "Eu queria tentar abrir mais espaço nas gavetas", respondi. É assim que as mulheres ganham reputação de burras. Mas como ia dizer qual era a verdadeira razão de tudo aquilo?

Ellie não tinha tocado na sua salada. Delia tirou um pedacinho de cartilagem de siri da língua e colocou-a de lado no prato.

— De certa forma, meu casamento foi um conjunto de estágios de luto. Negação, raiva... bom, *era* um luto. Quando ia às festas, olhava em volta e imaginava se as outras mulheres sentiam o mesmo que eu. Se não sentiam, como evitavam esses sentimentos? Se sentiam, talvez eu fosse uma menina mimada e elas aceitassem esse estado comum de coisas com elegância.

Finalmente pegou uma folha de alface com o garfo e mordiscou-a com os dentes da frente, como um coelho, olhando fixo para Delia com seus olhos azuis esperançosos.

— Isso me faz lembrar Melinda Hawser — disse Delia. — A mulher que conheci na casa de Belle no Dia de Ação de Graças do ano passado. Pela sua conversa, imaginei que estivesse se divorciando no Natal. Mas nós nos encontramos às vezes no centro da cidade e ela continua casada e parece muito bem.

— Exatamente. Então penso, *Eu também não teria ficado bem? Devia ter mantido meu casamento?* E começo a me lembrar das coisas boas. Ele me apreciando quando eu me arrumava para uma festa, dando-me a sensação de que o estava seduzindo; a proibição de fazer sexo durante seis semanas depois que o bebê nasceu, e nós nos beijando apenas, os beijos mais maravilhosos...
— Seus olhos azuis encheram-se de lágrimas. — Oh, Delia, eu *cometi* um erro, não é?

Delia disfarçou e olhou para a luminária de metal.

— Mas não é impossível *desfazer* esse erro. Entre já no carro e volte para casa.

— Nunca — disse Ellie, limpando os olhos com o guardanapo. — Eu nunca daria a ele esse prazer.

E o que aconteceria com ela se Ellie desse outra resposta?

✻ ✻ ✻

Belle disse a Delia que ela não tinha perdido nada em Bay Borough, nadinha.

— A cidade está morta — disse, dirigindo de forma descontraída, só com uma das mãos. — Houve um pequeno tumulto na prefeitura, Zeke Pomfret quer cancelar o jogo de beisebol do Dia de Bay este ano, trocar para jogo de ferraduras ou coisa assim, e Bill Frick quer manter o beisebol. Mas isso não é nenhuma surpresa. Vanessa jura que sabia do meu namoro com Horace desde o começo, mas não acredito nela. Já marcamos a data do casamento: 18 de dezembro.

— Ah, na época do Natal! — disse Delia.

— Eu queria uma desculpa para usar veludo vermelho — Belle confessou.

Deixaram para trás o brilho das praias e passaram por uma região plana e simples. Delia ficou olhando pela janela, vendo casinhas modestas, fazendas antigas e barracas de produtos locais abandonadas, agora nada mais que pilhas de madeira apodrecida. Na primeira vez em que passou por aquela estrada, nunca imaginaria que poderia achar esse cenário interessante.

Na casa dos Miller o gramado da frente estava cortado muito rente e cada arbusto tinha sido coroado com lascas de troncos de árvores. Era evidente que tinha sobrado muito tempo para Joel. Quando Delia chegou, o gato primeiro a ignorou, depois seguiu seus passos de forma provocante quando ela foi entrando nos quartos vazios. A casa estava arrumada mas com um ar desolado e sinais sutis de casa de solteirão — um enorme pano de prato molhado pendurado na torneira da cozinha, botões do fogão e puxadores dos armários engordurados (que os homens nunca pensam em limpar). Na sua cômoda encontrou um bilhete, *Delia, saí para buscar o Noah. Não precisa preparar o jantar, vamos todos comer fora. J.*, e um convite sobrescritado a mão em papel creme: *Driscoll Spence Avery e Susan Felson Grinstead convidam para seu casamento às 11 horas do dia 27 de setembro, segunda-feira, na residência dos Grinstead. RSVP.*

Quanta coisa podia ser decifrada em pouco mais de vinte palavras! Para os iniciantes, a letra era de Susie (escrita em tinta azul, inclinada para a direita) e os nomes dos pais não eram mencionados — uma prova de que ela estava arcando com as despesas. Sam devia ter consentido, pois o casamento ia ocorrer em casa. A razão da data era difícil de decifrar. Por que setembro? Por que em uma segunda-feira de manhã? Será que Susie tinha arranjado um emprego?

Sentiu vontade de telefonar e perguntar, mas achou que não tinha direito de fazer isso. Responderia por correio, como se fosse uma convidada qualquer.

É claro que pretendia ir.

Olhou para cima e viu seu próprio rosto no espelho da cômoda — com olhos grandes e sardas bem aparentes.

Quando lhe disseram que seu primeiro bebê era uma menina, ela ficou radiante. Desejava uma menina, em segredo. Tinha planejado vesti-la com roupinhas de babadinhos, mas desde que Susie aprendeu a falar insistiu em usar jeans. Tinha planejado várias atividades femininas com ela (costurar, fazer bolos, experimentar vários cosméticos) mas Susie preferia os esportes. E em vez de assistir a um casamento com neve, em pleno inverno, Susie usando um lindo vestido de renda antiga e os pais exultantes entregando a noiva ao noivo (da forma moderna), ali estava ela, em uma casa tipo rancho em Eastern Shore, imaginando que tipo de cerimônia a filha estava preparando.

\* \* \*

Noah parecia ter crescido uns 5 centímetros no acampamento, e as pulseiras de macramê que usava nos dois pulsos realçavam o bronzeado das suas mãos. Tinha adquirido o hábito de dizer, "Tá ligado?" de uma forma que exasperava Joel. Os três sentaram-se em um banco no Rick-Rack's, Joel e Noah de um lado e Delia do outro, de onde ela percebia a tensão de Joel que Noah não notava.

— Estou falando sério — disse Joel finalmente. — Consegui entender o que você quis dizer, mas nunca contaria minhas experiências com essa gírias que você usa.

— Hein? Tudo bem, no acampamento eles nos obrigavam a fazer 50 abdominais toda manhã. Cinqüenta, tá ligado? Parecia que queriam nos matar e embolsar nosso dinheiro. Aí eu e Ronald vazamos para a enfermaria...

— Ronald e eu fomos — Joel corrigiu.

— É, e tentamos conseguir uma dispensa por motivo de saúde. Mas a enfermeira idiota não pediu a dispensa. Ela veio com um papo...

— Ela disse.

— Ela disse...

Os pedidos vieram — hambúrguer para Noah e Joel, sanduíche de pernil para Delia.

— Obrigado, Teensy — disse Noah.

— De nada — Teensy respondeu gentilmente.

— Sra. Rackley, para você — disse seu pai.

Noah olhou para Delia, que sorriu.

— Meu pai está sempre perguntando por que você não apareceu nessas duas últimas semanas — Teensy disse para Delia.

— Fui para Ocean City.

— Eu falei, mas ele não gravou e ficou repetindo, "Ela não me disse nada! Foi embora sem dizer nada!" A memória dele anda muito pior ultimamente.

— Que pena! — disse Delia.

— Ele disse que as coisas estavam acontecendo depressa demais para serem assimiladas. E Rick, tentando ser gentil, falou "Sei exatamente o que o senhor..." Mas meu pai reagiu logo. "Não se meta nisso, seu crioulo!" e eu falei, *"Papai!"*...

Interrompeu o que estava dizendo e olhou para Joel.

— Acho melhor voltar para o trabalho.

Limpou as mãos no avental e saiu depressa.

— Fantástico — Joel falou.

Ele parecia não ter a menor idéia de que era seu olhar sério que fizera Teensy sair às pressas.

— O Sr. Bragg devia morar em Senior City — Noah falou.

— Acho que ele não tem dinheiro para isso — Delia disse.

— Talvez eles ofereçam bolsas, façam doações ou coisa parecida, tá ligado?

Joel revirou os olhos.

— Voltando à minha história — Noah falou, pegando seu hambúrguer. — Eu e Ronald resolvemos fingir que estávamos machucados. Mas não podíamos nos machucar ao mesmo tempo, senão podia dar na vista.

— Você fez tudo errado — disse Joel. — Nada de bom acontece quando recorremos ao subterfúgio.

— Ao quê?

— Subterfúgio.

— O que é isso?

Joel olhou para Delia, com as sobrancelhas tão levantadas que enrugou a testa toda.

— Subterfúgio é uma manobra para enganar alguém — Delia explicou.

— Ah!

— Ele quis dizer que você deveria ter protestado abertamente. Pelo menos foi o que eu entendi. — Esperava que Joel dissesse alguma coisa mas ele continuou pasmo. — Não foi o que você quis dizer?

— Ele não sabe o significado de "subterfúgio" — disse Joel.

Delia abriu o sanduíche e começou a comer a salada de dentro.

— Ele nunca ouviu a palavra "subterfúgio". Dá para acreditar?

Ela não respondeu.

— Grande coisa! — disse Noah.

— Grande coisa! — Joel repetiu. — Eles não ensinam nada às crianças na escola hoje em dia? "Subterfúgio" não é uma palavra tão arcaica assim, pelo amor de Deus.

Delia viu que Noah achou melhor não perguntar o que significava "arcaico".

— Às vezes penso que a linguagem está encolhendo a ponto de se tornar do tamanho de uma bolinha de papel — Joel disse a Delia. — Está sendo invadida por palavras pobres, enquanto as verdadeiras palavras desaparecem. No outro dia descobri que o supervisor da nossa cafeteria não sabia o que significava a palavra talheres.

— Talheres? — Delia perguntou.

— Ao que parece, essa palavra caiu em desuso.

— Não se fala mais "talheres"?

— É a única explicação que posso dar. Eu disse a ele que estávamos encomendando um novo suprimento de talheres e ele falou, "O que é isso?"

— Ah, que bobagem. *Você* sabe o que significa talheres — disse para Noah.

Ele fez que sim, mas não arriscou-se a explicar.

— Está vendo? Não caiu em desuso. Teensy, pode trazer mais talheres, por favor?

— Num instante — disse Teensy, e por trás do balcão ouviram o barulhinho de garfos e facas.

Delia olhou para Joel triunfante.

— Bom... — ele falou.

— Muito bem, Dee — disse Noah rindo, e pouco depois Joel estava rindo também.

Delia sorriu e pôs o sanduíche de volta no prato. Por baixo daquele sorriso começou a murmurar alguma coisa bem baixinho, um murmúrio suave, como se estivesse ronronando.

# 18

O bebê de Binky nasceu no Dia do Trabalho — segundo Nat, muito apropriado. Ele telefonou naquela mesma tarde dando a notícia com voz embargada.

— Quase quatro quilos — informou exultante. — James Nathaniel Moffat.

— James! — disse Delia. — Então é um menino!

— É um menino. Dá para acreditar? — disse, com uma de suas risadinhas veladas. — Não sei se vou saber o que *fazer* com um menino.

— Você vai se sair bem. Noah está em um piquenique agora, mas vai ficar encantado quando eu contar a ele. E Binky?

— Não podia estar melhor. Tirou tudo de letra, e James também. Espere até ver o garotão, Delia. Ele tem um rostinho redondo como o mostrador de um relógio, e muito cabelo louro, mas Binky disse...

Ouvindo-o falar ninguém diria que ele tinha passado por essa experiência quatro vezes.

Delia exagerou quando falou que Noah ficaria encantado. Ele interessou-se mas não muito — quis saber com quem o bebê se parecia e o que a diretoria tinha dito. Mas quando chegou a quarta-feira de manhã perguntou se podia adiar sua visita regular. As aulas tinham recomeçado e ele queria tentar entrar para o grupo de luta livre.

— E se a gente der uma olhada rápida no bebê e depois eu deixar você no colégio?

— Não pode ser amanhã?

— Amanhã tenho de dar aula, Noah, e depois de amanhã é o chá das mães do colégio. Se esperar demais seu avô vai pensar que você não ligou para o bebê. Vou telefonar antes e dizer que só ficaremos um instante lá.

— Tudo bem — Noah disse, desanimado.

Quando chegou no colégio, Noah estava tentando empurrar Jack Newell para fora da calçada e ela teve de buzinar para chamar sua atenção. Ele aproximou-se, abriu a porta do carona e entrou no carro. "Oi", disse Delia, mas ele afundou-se no banco e enfiou o boné na cabeça. Quando chegaram na auto-estrada ele disse:

— Tenho de parar de fazer isso.

— Fazer o quê?

— Não posso gastar todo o meu tempo visitando as pessoas! Mamãe, vovô... Estou na oitava série agora! Tenho muitas atividades importantes!

Enfatizou a palavra "atividades" e Delia olhou para ele e percebeu que sua voz estava começando a mudar. Oh, meu Deus, lá estava ela às voltas com mais um adolescente.

— Talvez você possa mudar as visitas para os fins de semana — foi tudo o que disse.

— Nos fins de semana saio com meus amigos! A que horas vou me divertir?

— Eu não sei, Noah, converse com Nat e sua mãe sobre isso.

— Pode por favor dirigir a menos de 140km por hora? Não vou *sobreviver* para conversar com eles se você continuar a dirigir nessa velocidade.

— Desculpe — Delia falou, diminuindo a marcha do carro.

— Dê uma olhada no que comprei para o bebê. Está no banco de trás.

Ele olhou para trás mas não tentou pegar o embrulho.

— Por que não *diz* logo o que é? — falou.

— Uns tênis pouco maiores que dois dedais.

— Hummm!

Antes nada o impedia de ver o que estava no embrulho de presente.

O dia estava frio e nublado, com previsão de chuva, mas só uma a duas gotas molharam o pára-brisa do carro. Noah ouvia uma estação de rádio onde os cantores gritavam insultos e Delia ouvia na sua cabeça músicas mais calmas — uma técnica que aprendera com seus próprios filhos. Estava começando a ouvir "Let it Be" quando chegaram em Senior City.

— Só pode ser brincadeira! — disse Noah.

Ao lado das portas duplas da frente via-se a figura de uma cegonha em madeira com cerca de um 1,20 de altura, vestida com um colete azul-claro, carregando um pacote azul-claro. O quadro de avisos do saguão (que em geral tinha cartões de agradecimentos de convalescentes e horários de saídas de ônibus de excursões) estava coberto de fotos coloridas de um bebê com poucos minutos de vida. Três mulheres com vistosas echarpes olhavam as fotos e discutiam sobre a importância do tamanho da mão. Uma delas disse que mãos grandes na primeira infância indicavam uma boa altura na idade adulta, mas outra disse que isso servia só para filhotes de cachorro.

No elevador encontraram Pooky dando uma de suas intermináveis voltas. Mas naquele dia ela parecia consciente de que tinha chegado ao primeiro andar e disse para as três:

— Se vocês se apressarem chegarão a tempo de ouvir o bebê arrotar.

— Você já viu o bebê? — Delia perguntou quando elas se levantaram.

— Vi duas vezes. Estava no saguão ontem quando eles chegaram do hospital. Espero que você não esteja trazendo sapatinhos de presente.

— É mais ou menos isso.

— Até agora ele ganhou tamancos suecos de couro, chinelos de dedo e botinhas mínimas tipo motoqueiro. Sem contar os sapatinhos de tricô que nós todas fizemos.

O elevador parou e a porta abriu.

— Eu iria com vocês — disse Pooky — mas tenho de voltar para meu apartamento agora.

Foi Nat quem abriu a porta quando a campainha tocou.

— Aí estão vocês! Vamos entrar! — Estava usando a bengala, mas andava depressa quando os levou ao quarto. — James está mamando um pouco — disse por cima do ombro.

— É melhor esperarmos aqui fora? — Delia perguntou.

— Não, não, podem entrar. Binky, querida, Noah e Delia estão aqui.

Binky estava sentada na cabeceira da cama, toda vestida mas sem sapato. A manta dobrada sobre seu seio cobria o rosto do bebê, de modo que eles só puderam ver a orelhinha e a cabeça cheia de cabelo.

— Olhe para ele! — Delia murmurou. Sua voz sempre saía do fundo do peito quando ela via um bebê recém-nascido.

Mas Noah olhou para os lados. Enfiou as mãos nos bolsos de trás e ficou examinando um canto distante do quarto até que Binky, piscando para Delia, perguntou:
— Quer segurar o bebê, Noah?
— Eu?
Binky tirou o filho do seio e ajeitou a manta para se cobrir. Os olhos do bebê estavam fechados e ele fazia movimentos nostálgicos com os lábios apertados, semelhantes a dois botões de rosa. Suas mãos eram grandes e compridas, com dedos translúcidos enfiados debaixo do queixo.
— Aqui está ele — disse Binky, entregando-o para Noah. — É só apoiar a cabecinha assim.
Noah pegou-o, assustado e confuso.
— Ele parece ser um bebê bem calminho — disse Binky, abotoando-se. — Dormiu quase o dia inteiro, o que é um milagre considerando todas as visitas que recebemos. Sua mãe telefonou, Noah. Muito gentil da parte dela, não é? As outras três não se manifestaram ainda, mas espero...
— Esqueça, esqueça isso, meu bem. Elas não são importantes — Nat disse, sacudindo a cabeça com raiva, como sempre fazia quando as filhas eram mencionadas. — Vamos nos sentar na sala.
Eles o seguiram, Noah ainda carregando James com todo o cuidado, e instalaram-se entre uma confusão pouco característica de chinelos, mantas e caixas de presentes. O apartamento já tinha aquele cheirinho doce de talco de bebê.
Binky desembrulhou os tênis, riu e passou-os para Nat, e a pedido de Delia mostrou as botinhas de motociclista do bebê. Um presente dos seus filhos, que diziam que estavam zangados com ela, embora Peter tivesse matado aula para entregar pessoalmente o presente. Então Nat contou sobre a ida deles para o hospital

(Eu dizia, "Binky, não falei desde o começo que devíamos ter ido para o quarto andar?"), e Binky falou sobre o parto, que em termos gerais tinha sido fácil comparado com os dois primeiros. ("Eu não devia falar sobre isso abertamente, mas desde que Peter nasceu nunca mais tive tempo nem de fazer pipi. A melhor coisa é ir ao banheiro a cada 2 horas, para garantir.")

Noah parecia desesperado àquela altura e Delia levantou-se e pegou o bebê — uma desculpa para sentir por um instante aquele corpinho macio — e entregou-o para Binky.

— Agora preciso levar Noah para seu treino. Vocês estão precisando de alguma coisa? Alguma compra? Alguma providência a tomar?

— Oh, não, Nat está cuidando muito bem de mim — disse Binky.

Delia sabia que Nat sentia muita dor nas costas quando dirigia, mas não podia dizer isso pois ele parecia muito orgulhoso de si mesmo.

Joel estava muito nervoso com o chá das mães do colégio. Devia estar sentindo falta de Ellie, com seu jeito especial de receber as pessoas. Mas quando Delia se propôs a telefonar para Ellie e pedir alguma sugestão, ele disse:

— Para que isso? Nós somos capazes de oferecer um simples chá, pelo amor de Deus.

— Eu sei, mas talvez...

— Só precisamos da receita dos docinhos de limão de Ellie — ele falou.

— Docinhos de limão? Pode deixar que peço a ela.

— Aqueles que são crocantes em cima. E também do sanduíche de pepino.

— Eu sei fazer sanduíche de pepino — Delia falou na hora.

— Ah, é claro.

Depois ele parou de falar sobre isso — forçou-se a parar, sem dúvida. Mas na sexta-feira à tarde andava em círculos pela casa quando Delia tirou do bufê da sala de jantar o bule de chá gigante.

— Esse grupo vai ser só de mulheres — disse.

— Eu imaginei, afinal são mães do colégio.

— Há um pai do colégio mas ele está viajando a serviço. Teremos cem por cento de mulheres.

Delia foi pegar água para o chá e ele seguiu-a.

— Você vai me ajudar a conversar, não vai?

Ela não esperava por isso. Tinha imaginado ficar na cozinha o tempo todo, como aquelas discretas donas de casa dos romances do século XIX. Na verdade, queria participar.

— Hum....

— Não vou conseguir fazer tudo sozinho, Delia.

— Tudo bem, vou tentar então.

Mas descobriu que ninguém precisaria de ajuda. Catorze mulheres apareceram — duas de cada classe, menos o pai que estava viajando e uma mãe que não pôde largar o trabalho. Todas eram conhecidas, a maioria desde a infância, e passavam de um assunto a outro com tanta naturalidade que pareciam estar se comunicando em código.

— O que Jessie decidiu finalmente?

— O que achávamos desde o começo.

— Droga!

— É, mas nunca se sabe, talvez isso acabe como o caso da menina Sanderson.

— É uma possibilidade.

Delia usava seu vestido de malha azul-marinho, imaginando que as mulheres estariam muito elegantes, mas todas estavam de calça comprida ou até mesmo de jeans e conjunto de moletom. Pareciam incrivelmente curiosas a seu respeito e a toda hora perguntavam, "Está gostando daqui? Como Noah está lidando com tudo isso? Já se adaptou?" Quando ela respondia, aquelas vozes sumiam e surgiam outras. "O Sr. Miller deve estar muito contente com você aqui! E você ajuda com as aulas também! Dá aula para o caçula dos Brewster! O Sr. Miller sempre reclamou que não conseguia encontrar professores voluntários para dar aula de matemática."

Agora ela sabia como as meninas deviam se sentir no primeiro dia de aula. Mas respondia educadamente, sorrindo sempre, segurando o bule de chá como se fosse um ingresso para entrar em algum lugar. Gostava muito de Bay Borough, obrigada, Noah estava indo bem, e ela provavelmente aprendia mais com os alunos que os alunos com ela. As respostas de sempre. Podia ter dado essas respostas até dormindo. Joel, por sua vez, conversava com duas mulheres do outro lado da sala, assentindo com ar pensativo e de vez em quando franzindo a sobrancelha. Não estava mais nervoso. Quando Delia se aproximou com um prato de biscoitos, ele disse:

— Você está se saindo muito bem, Delia.

— Obrigada — ela falou sorrindo.

— Acho que foi o melhor chá que já demos.

— Bom, os docinhos de limão foram de Ellie, lembre-se. Ela foi muito gentil de...

Nesse momento uma das mulheres perguntou a Joel o que estava planejando para o Bazar de Outono e Delia foi para a cozinha.

Ajeitou as coisas, limpou os balcões e colocou uns pratos na máquina de lavar. O gato refugiara-se debaixo da mesa e ela puxou-o para lhe fazer carinho e coçar sua orelha. Durante algum tempo ficou vendo o ponteiro dos minutos do relógio da parede pular para a frente — 5h18, 5h19, 5h20. Era hora de as convidadas irem embora para fazer o jantar em casa. Na verdade, notou uma certa mudança no tom das vozes das que já se despediam.

— Eu não trouxe uma bolsa?
— Alguém viu minhas chaves?
— Onde está Delia? Quero me despedir dela.

Delia largou George e apareceu na sala para acompanhar as convidadas até a porta ("Foi bom conhecer você também. Terei muito prazer em dar a receita.") depois voltou para a sala de jantar. Joel desligou o bule de chá e a mãe que ficou até o final (em toda festa havia sempre alguém que ficava mais tempo) separou as colheres limpas das sujas. "Por favor," disse Delia "não precisa se preocupar. Eu já tenho um esquema para isso." Como as frases antigas voltavam rapidamente à sua cabeça: *Já tenho um esquema para isso. Não se preocupe. Não é trabalho nenhum.*

A mulher relutou em largar as colheres e ficou olhando dentro da bolsa, como se procurasse instruções para onde ir depois dali. Delia ouvira dizer que ela tinha trigêmeos — todos meninos, todos começando a dirigir. Era fácil compreender por que não queria ir correndo para casa. Finalmente disse:

— Obrigada a vocês dois. Foi uma festa e tanto. — E dando um sorriso para Joel disse a Delia: — Como ele ajuda! Se eu pedisse ao *meu* marido para limpar alguma coisa, ele ia achar que eu estava brincando. Ficaria simplesmente... passado e sairia com os amigos.

Joel esperou que ela saísse para fazer sua observação.

— "Passado"! — repetiu. — É desanimador, não é?

Delia não sabia bem de que ele estava reclamando. (Pelo menos, ele não notou que a mulher aparentemente os considerou um casal.) Levou uma pilha de copos para a cozinha e começou a colocá-los dentro da máquina de lavar.

— Você sabe o que vai acontecer? — disse Joel, colocando o bule de chá no balcão. — Aos poucos, um número cada vez maior de pessoas vai empobrecer a língua, usando palavras não adequadas à situação. E em breve esse uso começará a aparecer nos dicionários, com uma simples observação ao lado: "uso fora de padrão".

— Talvez ela não quisesse dizer "passado" e sim intrigado ou perplexo por ela ter lhe pedido ajuda.

— Não, não. Ela quis dizer "passado" sim. Tudo está mudando. Vai chegar a um ponto em que falaremos outra língua.

Delia olhou para ele e enrolou o fio elétrico em volta do bule, apesar de ainda não estar vazio nem lavado.

— É, já notei que é isso que o incomoda a maior parte das vezes — disse.

— Hum?

— A maior parte das vezes não são erros gramaticais, fora os óbvios. São as coisas *expressões*, as mudanças. "Tá ligado", "ficou passado", "me arrepio toda".

Joel estremeceu. Tarde demais, Delia lembrou que ele nunca tinha mencionado a expressão "me arrepio toda" usada na entrevista de Ellie.

— Mas pense bem, provavelmente metade do seu próprio vocabulário era novo um tempo atrás. As gírias e palavras novas aparecem por alguma razão. Como "downloadar", por exemplo.

— O que é downloadar? — Joel perguntou.

— É quando você baixa um arquivo da internet. O Sr. Pomfret costumava dizer muito isso. Você às vezes não *gostaria* de usar palavras novas? Como uma palavra para...

— Sardas — disse Joel.

— Sardas?

— Aquelas que são menores que as sardas normais. E mais claras. Como poeira de ouro.

— E também tomates — disse Delia depressa. — Sim, tomates. Existe o tomate verdadeiro e o tomate de supermercado, da cor de gengivas de dentes postiços, que deveria receber um nome diferente.

— E também esse ar diferente que as pessoas têm quando começamos a olhá-las melhor.

Delia não soube o que comentar.

— Elas tornam-se muito evidentes, como se pudéssemos sentir suas veias e pulsações debaixo da pele. E então pensamos, *De repente ela se tornou...* que palavra você usaria? Alguma coisa como "texturizada", mas texturizada à visão.

Os olhos dele pareciam mais claros e a boca grande e marcante mais bem proporcionada, mais suave.

— Meu Deus! — disse Delia, dirigindo-se para a porta. — Será Noah?

Mas Noah tinha ido ver a mãe e só voltaria para casa na hora de dormir. De qualquer forma, apareceria na frente da casa e não nos fundos.

Às vezes, quando Delia dizia a si mesma *Só faltam x dias para o casamento de Susie*, tinha uma sensação de medo. *Vai ser constrangedor. Como vou enfrentar todos eles? Não aprendi a lidar com essa situação.* Mas outras vezes pensava, *Qual é a dificuldade de um casamento? Todas aquelas pessoas servirão de pára-choque. Vou poder entrar e sair à vontade. Nenhum problema.*

Durante algum tempo imaginou que talvez Susie lhe pedisse para chegar mais cedo, ou até uns dias antes, para ajudar com os preparativos. Assim ela não se sentiria uma mera convidada. Olhava esperançosa na caixa do correio toda manhã, pigarreava antes de atender o telefone e adiava a conversa com Joel sobre seus planos até saber quanto tempo ficaria fora. Mas Susie não se manifestou.

Outras vezes pensava em não ir ao casamento. De que adiantaria estar lá? Ninguém sentiria sua falta. Um dia ou dois depois do casamento um deles talvez dissesse, "Ei! Sabem quem não apareceu? Delia! Só agora é que me lembrei".

Mas também fantasiava que eles mal agüentavam esperar para estar com ela. "Delia!", diriam. "Mãe!", gritariam, correndo para a varanda para recebê-la de braços abertos.

Não, o mais provável seria que perguntassem, "O que acha que está fazendo aqui? Você imaginou que poderia vir para cá como se nada tivesse acontecido?"

Devia lembrar de levar o convite, caso alguém questionasse sua presença.

Falou sobre seus planos com Joel no café-da-manhã de domingo, depois de esperar dias por alguma notícia de Susie. Domingo era sempre um bom dia, pois Noah ficava por ali comendo suas panquecas de trigo sarraceno. A conversa não devia alongar-se muito.

— Joel, não sei se já mencionei — sabendo muito bem que não tinha mencionado — que não vou poder trabalhar amanhã.

— É mesmo? — ele disse, baixando seu jornal.

— Tenho de ir a Baltimore.

— Baltimore?

— Poxa, Delia! — Noah interrompeu. — Eu prometi ao meu treinador de luta livre que você daria carona para um bando de colegas meus no treino de amanhã.

— Não vou poder — ela disse.

— Então, como vamos fazer?

— Seu treinador vai dar um jeito — disse Joel. — Se você quisesse que Delia prestasse esses serviços deveria ter lhe pedido antes. — Mas seus olhos estavam fixos em Delia enquanto falava. — É alguma espécie de emergência? — perguntou.

— Não, é um casamento.

— Ah!

— Mas um casamento ao qual não quero deixar de ir, um casamento familiar, e achei que se você não se importasse...

— É claro que não. Posso deixá-la na rodoviária?

— Obrigada, vou de carro. Por acaso, Baltimore fica no caminho das vendas do Sr. Lamb.

Joel provavelmente não tinha idéia de quem era o Sr. Lamb, mas meneou a cabeça lentamente, com os olhos fixos nela.

— Estou pensando em voltar à noite. Talvez na hora do jantar, mas não posso dar certeza. Vou voltar de ônibus. Deixei uma salada de galinha na geladeira, um pote com a salada de repolho do Rick-Rack's, biscoitos na gaveta de pão... Mas aposto como a essa hora já estarei aqui.

— Quer que eu vá pegá-la na rodoviária?

— Não, Belle vai me pegar. Vou telefonar para ela quando chegar.

— Pode também telefonar para mim.

— Mas é que não tenho idéia de quando... pode ser que eu chegue tarde da noite. Ou talvez só chegue no dia seguinte, quem sabe?

— No dia seguinte? — disse Joel.

— Se a recepção durar muito tempo.

— Mas você *vai* voltar.

— É claro que sim.

A essa altura Noah a observava também, de boca aberta, mas não disse nada.

*   *   *

Por volta do meio-dia Delia foi dar uma volta, planejando almoçar no Bay Arms quando o tornozelo começasse a doer. Tinha chovido de manhã mas agora o sol havia saído, e começou a esquentar tanto que ela tirou o suéter e levou-o na mão. Para todo lado que olhava via pessoas que conhecia. A Sra. Lincoln lhe acenou dos degraus da igreja, T.J. Renfro, passando por ela na sua Harley, gritou, "E aí, professora!" Na Carroll Street deu de cara com Vanessa e Greggie passeando, com capas de chuva amarelas iguais.

— Delia, eu ia mesmo ligar para você. Pode me levar a Salisbury amanhã? — ela perguntou.

— Ah, não vou poder, desculpe. Tenho de ir a Baltimore.

— O que vai fazer em Baltimore?

— Minha filha vai se casar — disse Delia.

Ela tinha contado para Belle também, mas só isso, e de repente sentiu necessidade de pôr tudo para fora.

— Vai se casar com o namorado de infância. Não sei bem como devo me comportar no casamento mas quero estar lá. O pai acha que ela está apressando as coisas pois tem só 22 anos, mas eu disse....

— Vinte e dois? Quantos anos você tinha quando ela nasceu, 12?

— Dezenove. Eu me casei logo que terminei o colégio.

Vanessa assentiu, sem se surpreender. Delia supôs que a maioria das moças de Bay Borough se casava cedo e tinha filhos com 19 anos também. Mas acabavam divergindo dos maridos em algum momento na vida. Vanessa perguntou apenas o seguinte:

— O que você comprou para dar de presente a ela?

— Achei melhor esperar para ver o que eles estão precisando.

— É uma boa idéia. Greggie! Pare de mexer com a mosca. Foi assim que fiz com minha amiga. Ia comprar uma batedeira portátil mas achei melhor esperar, e foi bom porque na primeira vez em que fui à sua casa vi que ela não tinha nenhum tupperware em toda a cozinha.

O rosto de Vanessa brilhava de suor e seus olhos pareciam muito puros e claros, a íris quase branca-azulada. Delia sentiu uma vontade súbita de abraçar a amiga.

— Que pena não poder ir a Salisbury com você!

— Vamos em outra ocasião — disse Vanessa. — É lá que compramos a cevada a granel para fazer a receita do meu avô de água para cólica.

— Água para cólica?

— Uma água especial para bebês que alivia as cólicas, o choro da tarde e a agitação na hora de dormir.

Delia gostaria que houvesse essa medicação para adultos também.

Delia sonhou que estava em Bethany, andando pela praia. Mais adiante surgiu uma estradinha de areia que se estreitava até chegar ao asfalto, e então viu seu velho Plymouth tostando ao sol. Sam conduziu-a até o carro e instalou-a lá dentro. Fechou a porta delicadamente e debruçou-se na janela aberta para lembrá-la de dirigir com cuidado. Nesse momento ela acordou e olhou para as mariposas que voavam acima da sua cabeça.

Ouviu Noah tossindo no quarto, uma tosse seca e incessante que aumentava quando ele tentava contê-la — uma dessas tosses noturnas furiosas que não dão trégua. Durante mais ou menos meia hora ficou indecisa, sem saber se saía da cama e ia ao armário do banheiro pegar umas pastilhas. Talvez ele estivesse dormindo e ela não queria acordá-lo. Cada vez que pensava que a tosse tinha ido embora Noah voltava a tossir. Então ouviu as tábuas do chão rangendo e viu que ele não estava dormindo.

Levantou-se e saiu no corredor para abrir a porta dele.

— Noah? — falou baixinho.

Quase no mesmo instante deparou-se com Joel. Ela não o via muito bem mas podia senti-lo, como dizem que os cegos sentem — sua figura alta, densa e sólida transmitindo calor, de pijama claro aparecendo aos poucos no escuro do corredor sem janelas.

— Delia? — ele sussurrou.

Percebeu que Joel achou que ela o tivesse chamado. "Noah" e "Joel" tinham som muito semelhante. Muitas vezes confundia os nomes quando falava com um deles no telefone.

— Eu ia falar com Noah — ela disse.

— Ah!

— Vou lhe dar umas pastilhas para tosse.

— Tudo bem.

Mas nenhum dos dois saiu do lugar.

Então ele deu um passo à frente e pegou sua cabeça entre as mãos. Ela levantou o rosto, fechou os olhos e sentiu os lábios dele pressionando os seus e as mãos grandes cobrindo-lhe as orelhas e ouviu o próprio sangue correndo nas veias.

O sangue e a tosse súbita de Noah.

Os dois se separaram, Delia voltou para o quarto e fechou a porta com as mãos trêmulas.

# 19

O carro do Sr. Lamb era um Maverick verde descorado, com pára-lama cor de laranja e uma antena grande. No banco traseiro havia várias janelas em miniatura com armação de madeira — do tipo guilhotina, de não mais que 30 centímetros de altura. As crianças do bairro viviam pedindo para brincar com elas. O fundo da mala era forrado com plástico claro almofadado e, quando Delia inclinou-se para colocar sua mala de mão, teve a impressão de que estava sobre uma superfície brilhante de água. O Sr. Lamb disse que aquele plástico era quase indestrutível. "Pode arrastar a mala aí dentro, não arranha nada. É nessas horas que nossos produtos superam qualquer outro do mercado. Quando vou a uma casa que tem cachorros, estendo um quadrado de Rue-Ray no chão e deixo o cachorro ou o gato passar por cima arrastando as unhas das patas."

Delia sabia que o nome Rue-Ray vinha dos donos da empresa, Ruth Ann e Raymond Swann, que moravam no andar de cima da oficina, na Union Street. O Sr. Lamb era o único vendedor deles. Belle lhe contara tudo isso, mas ainda assim tinha vontade de rir quando ouvia o som daqueles dois erres juntos no nome.

Achava cômico também o fato de o Sr. Lamb ter se tornado tão falante. Antes de chegarem na rodovia 50 ele já tinha falado das janelas duplas de inverno (com capacidade de redução de ruído), do presente de casamento que planejava comprar para Belle (um conjunto completo de Rue-Rays, instalado) e de sua filosofia de vendedor.

— O importante é lembrar — disse ele, desviando de um trator — que todo mundo gosta de ver as coisas como um processo. Um conjunto regular de passos para cada atividade. Por exemplo, a garçonete entrega a conta antes que o cliente lhe passe o cartão de crédito. O mecânico fala sobre seu problema no carro antes de você lhe dar autorização para o conserto. Então eu pergunto aos meus clientes, "Vocês têm muita corrente de ar em casa? Os quartos que dão para o norte são mais frios que os que dão para o sul?" Eu sei que eles têm corrente de ar porque ouço o vento batendo nas janelas enquanto estou falando. Mas se descreverem os sintomas primeiro — digamos, o quarto do bebê é tão frio à noite que ele tem de usar pijama de flanela e cobertor — têm a sensação de que seguiram uma certa ordem, entende? E eu tenho mais chance de fazer a venda.

Infelizmente, ele era um desses motoristas que sentem necessidade de olhar para o outro enquanto falam. Fixava aqueles olhos fundos em Delia, com o pescoço magro torcido dentro do colarinho, e Delia grudava os olhos na estrada para compensar. Viu passar uma fileira de ciprestes, um motel abandonado e em ruínas, espalhado no chão como um galinheiro deserto, depois outra fileira de árvores cobertas de névoa onde as nuvens pareciam presas em um emaranhado de galhos. Umas poucas folhas aqui e ali davam um tom alaranjado nas árvores e ela imaginou que ainda era verão — que era o verão passado e ela não tinha perdido aquele ano todo.

— As pessoas acham que os vendedores não consideram essas coisas — dizia o Sr. Lamb. — Mas vendedores pensam em tudo. Talvez pelo fato de viajarem tanto de carro. Belle e eu pensamos em viajar de carro na nossa lua-de-mel, mas eu disse que não sabia se conseguiria me concentrar muito nela pois quando dirijo fico envolvido nos meus pensamentos.

— Humm. Minha viagem de lua-de-mel foi de carro — disse Delia para fazer algum comentário.

— Verdade?

Ela mesma se assustou e quase se virou para ver quem tinha dado essa informação.

— Mas ao que me lembre isso não interferiu na nossa concentração.

Deu uma tossida forçada quando ele olhou para ela. Provavelmente ele tinha achado sua observação maliciosa.

— É claro que meu marido não pensava tanto quando dirigia quanto você — acrescentou.

— Suponho que nem todo o mundo pense tanto nessas horas — disse ele.

Naquela época, o carro de Sam tinha um banco único na frente e Delia sentava-se bem juntinho dele. Ele dirigia com a mão esquerda e deixava a direita pousada no seu colo, os dedos acariciando seus joelhos debaixo da meia de náilon, passando-lhe uma onda de calor pelo corpo. Ela tossiu de novo e olhou pela janela.

As casas que passavam pareciam ter sido construídas aleatoriamente, como casas do jogo de monopólio. Quanto menor a casa, mais comedores de pássaros e bichos de cerâmica no jardim. Quanto mais arrumados os canteiros de flores, maiores as antenas nos fundos. Depois aproximaram-se de um lago escuro ladeado de árvores e mais mato. Na sua infância a própria palavra "mato" tinha um significado impróprio. "Fulano foi para o mato com Fulana" era a coisa mais escandalosa que se podia dizer, e mesmo agora a visão de caminhos sinuosos e cheios de folhas lhe davam idéia de... Ora.

Meu Deus, o que havia de *errado* com ela?

Forçou-se a pensar de novo no Sr. Lamb. Ele agora falava sobre cachorros. Disse que depois que ele e Belle se casassem talvez arranjassem um e começou a discorrer sobre as várias raças. *Golden retrievers* são bem-humorados mas meio burros, disse, labradores costumam varrer tudo à volta com o rabo e pastores alemães...

Aos poucos a paisagem começou a mudar. Na periferia de Easton começaram a aparecer livrarias e concessionárias de carros europeus que não existiam em Bay Borough e, quando chegaram em Grasonville, a estrada alargou-se para seis faixas, passando por condomínios gigantescos, lojas de presentes e marinas cheias de mastros.

O Sr. Lamb decidiu-se enfim por um collie. Disse que o nome seria Pinóquio se o cachorro tivesse focinho bem longo e fino. Cruzaram a ponte Kent Narrows, acima dos pântanos cobertos de vegetação. Delia lembrou que na época da antiga ponte elevadiça levava-se quase uma hora para atravessá-la — tempo suficiente para sair do carro, esticar as pernas e comprar uma melancia. Dessa vez atravessaram os braços de mar num instante e passaram por um conjunto de lojas de descontos, shoppings, casas em construção com placas MODELOS EM EXPOSIÇÃO! TOQUE DE DESIGNER! Depois apareceram os dois vãos frágeis e lindos da Bay Bridge brilhando à distância como se fosse um sonho, enquanto o Sr. Lamb decidia se deixaria Pinóquio ter uma ninhada de filhotes antes de ser operado.

O campo estava todo verdejante, viçoso, depois da palidez da Eastern Shore. Delia ficou surpresa quando entraram na rodovia

97 — uma estrada da qual nunca ouvira falar — mas relaxou ao ver a pavimentação recém-concluída, onde não havia outdoors ostentosos.

Parecia que ela estava fora há décadas.

O Sr. Lamb disse que Belle tinha medo de cachorro, mas que isso possivelmente estava só dentro da sua cabeça. Delia ficou imaginando onde mais poderia estar. Sem lhe dar chance de perguntar, foi logo dizendo que as mulheres tinham essas idéias às vezes. Delia sorriu para si mesma. Estava gostando de ver com que rapidez ele se habituara à sua felicidade.

Na Baltimore-Washington Parkway o trânsito estava tão intenso que ela ficou encolhida, como se isso ajudasse o carro a passar com mais facilidade. Olhou para a frente e viu o horizonte de Baltimore — as chaminés e um emaranhado de rampas e viadutos. Passaram pelas fábricas de janelas de cor cinza e armazéns de metal corrugado. Tudo parecia muito industrial — até mesmo o novo parque de dança, com coberturas geométricas e feixes de luz.

— Sr. Lamb, isto é, Horace, não sei para onde vai, mas se me deixar na estação de trem posso pegar um táxi.

— Belle me pediu para deixar você na porta de casa.

— Mas são... — Consultou o relógio. — Não são nem 10h ainda, e só tenho de estar lá às 11h.

— Não, não, fique calma. Belle nunca me perdoaria — ele me disse.

Ela teria argumentado mais, porém teve medo da sua voz tremer. De repente sentiu-se nervosa. Gostaria de estar usando um outro vestido. Apesar do tempo sombrio estava mais quente do que ela esperava, e seu vestido verde folha era muito pesado. Era também muito... Srta. Grinstead. Felizmente tinha trazido outras roupas. (Tinha pensado no que seria pior, usar a roupa errada ou levar uma mala para o casamento. E como uma colegial insegura optara por levar a mala.) Talvez quando chegasse em casa pudesse entrar num quarto vago e trocar o vestido.

O Sr. Lamb lhe perguntou que rua era aquela e ela disse apenas "Charles", usando o mínimo possível de palavras pois tinha impressão que seus pulmões estavam quase sem ar.

Como aquela cidade parecia íntima! Depois de todas aquelas auto-estradas a Charles Street, serpenteando entre prédios altos, parecia um córrego muito estreito em uma garganta.

Ela abriu a bolsa e procurou o convite de Susie. Sim, estava ali, são e salvo.

O Sr. Lamb admirava o campus da Johns Hopkins agora. Disse que um primo estudara lá durante um semestre, mas que ele não teve oportunidade de cursar uma universidade. Porém sentia que poderia ter se beneficiado muito se tivesse estudado mais. Delia queria que ele parasse com aquele papo irrelevante e cansativo. Ficou engolindo em seco, mas o que tinha na garganta não saía de jeito algum.

Quando lhe disse para virar à esquerda, ele pediu que ela repetisse.

— Hein? — perguntou, como se fosse um velho surdo. Um velho surdo e irritante.

No sinal vermelho da Roland Avenue viu uma jovem de cabelo preto comprido, preso por um laço vistoso, fazendo sua caminhada, e um homem de casaco de tweed atravessando a rua com um chihuahua mínimo. ("Aí está um cachorro que eu não teria nem que me pagassem", disse o Sr. Lamb. "Melhor ser dono de um mosquito.") O ar tinha um tom esverdeado, como se houvesse uma tempestade à vista.

Pediu ao Sr. Lamb para virar um pouco depois e mostrou onde ele devia estacionar. (Será que para os estranhos sua casa parecia tão escura, desgastada e proibida quanto pareceu a ela?)

— Eu mesma posso pegar minhas coisas, se o senhor abrir a mala — disse. Mas ele desceu, deu a volta no carro e levou um tempão para pegar a mala.

— Obrigada! Até logo! — disse Delia, sem se sentir com liberdade de ir embora. Ele continuou de pé ali, balançando o corpo, com aqueles sapatos velhos, olhando a casa.

— A gente poderia fazer uma redonda assim — disse.

— Como? — Delia perguntou.

— O que é aquela janelinha redonda lá no alto, por cima da escada? Rue-Ray faz vários tipos de janelas redondas.

— Ah, que bom! — disse, apertando a mão dele para se despedir de uma vez. Mas então aconteceu uma coisa estranha. Ao apertar seus dedos magros e ao ver os dentes salientes e o sorriso melancólico, começou a sentir falta dele. Teve vontade de entrar de novo no carro e lhe fazer companhia durante toda a viagem.

Havia quatro veículos estacionados em frente à casa: o Buick de Sam, uma van roxa velha, o Volvo de Eliza e um carrinho esporte vermelho. A amoreira começara a espalhar suas folhas e ela teve de contornar as sementes na entrada da frente. Evidentemente ninguém se lembrara de varrer aquela área.

As persianas estavam consertadas, mas as peças substituídas eram de um tom diferente — um marrom mais claro, como se tivessem recebido só uma demão de tinta. Havia um novo tapete de sisal no último degrau da varanda e um vaso de crisântemos amarelos ao lado da porta enrolado em papel alumínio.

Devia bater ou entrar direto?

Bateu. (Tocar a campainha teria sido demais.) Nenhuma resposta. Bateu com mais força. Finalmente girou a maçaneta e enfiou a cabeça dentro.

— Alô?

O ambiente não parecia muito acolhedor, para uma casa onde estaria acontecendo um casamento em menos de 40 minutos. A sala da frente estava vazia e a sala de jantar também, mas havia uma toalha branca em cima da mesa. Colocou a maleta no chão, com intenção de ir até a cozinha, e nesse momento viu Eliza trazendo uma caneca com alguma coisa quente. Estava tão concentrada na caneca que não viu Delia imediatamente. De repente parou e disse:

— Oh!

— Sei que cheguei cedo — disse Delia.

— Oh, Delia, graças a Deus você está aqui!

— Qual é o problema? — Delia perguntou, alarmada mas grata por estar se sentindo necessária.

— Susie mudou de idéia — ela falou por cima do ombro, encaminhando-se para a escada.

— Não quer mais se casar? — Delia perguntou, pegando a maleta do chão e seguindo-a.

— É o que ela diz.

— Quando isso aconteceu?

— Hoje de manhã — Eliza respondeu, subindo a escada. Estava com um vestido novo avermelhado, um vestido caro que Delia nunca imaginou que ela comprasse, sapatos de verniz com saltos que estalavam nos degraus da escada.

— Na noite passada ela dormiu no seu antigo quarto e hoje de manhã quando nós chegamos perguntei a Sam, "Onde está Susie? Ainda não acordou?" e ele disse....

Delia estava desorientada. Quarto *antigo* de Susie? Qual era seu quarto novo? E quem eram "nós" e de onde tinham vindo?

Não havia sinal de Sam. Nenhum sinal.

Chegaram ao segundo andar e Eliza, segurando a caneca com ambas as mãos, entrou furtivamente pela porta semi-aberta do quarto de Susie.

— Veja quem eu trouxe aqui! — Delia colocou a mala no chão e entrou atrás dela.

O quarto em si foi o que ela notou primeiro. Aquele quarto florido, com babados e almofadas de chintz da época em que Linda dormia lá, era um cubo oco agora, sem cortinas ou tapetes, mobiliado apenas com uma cama dobrável e uma cômoda horrível de cantos arredondados trazida do sótão. Susie estava sentada de pernas cruzadas em cima de um monte de cobertores, com um pijama listado. À sua volta — sentadas na cama também mas toda vestidas, e vestidas demais — estavam Linda, as gêmeas e uma mocinha gorducha cujo nome Delia não se lembrava bem. Todas levantaram o rosto quando Delia entrou, mas ela olhou só para Susie.

— Mãe? — Susie disse.

— Oi, minha querida.

Debruçou-se sobre Susie e abraçou-a, sentindo seu perfume exótico semelhante a aneto. Sentou-se na cama, ainda abraçada a ela.

— Mãe, não quero me casar — disse Susie.

— Então não case — Delia falou.

— Delia Grinstead! — Linda gritou. — Estamos tentando pôr alguma coisa na cabeça dessa menina, dá licença?

Linda usava óculos bifocais — uma nova conquista. As gêmeas tinham crescido bastante e pelo vestido que usavam — de renda verde-hortelã que mal tocava no corpo magrinho delas — Delia supôs que fossem as damas-de-honra. Todas estavam muito bem-arrumadas, muito distintas, não dava para explicar. Voltou a olhar para Susie, de cabelo despenteado e com aquele queixo redondinho e lábio inferior carnudo.

A outra moça também estava de renda. Era a irmã de Driscoll, agora ela se lembrava. Spencer? Spence? A irmã de Driscoll, Spence Avery, Spence Driscoll Avery.

— A mesma coisa aconteceu com minha prima — Spence dizia. — Vocês todas se lembram da minha prima Lydia. Atravessou a nave da igreja de St. David's aos prantos, e hoje está feliz da vida e seu marido é um cara importante em Washington D.C.

— O que me mata — Susie disse a Delia ("me mata" foi a expressão que saiu, como se ela antes tivesse chorado) — é que acabamos de assinar um contrato de dois anos de um apartamento muito charmoso perto da baía. Estou ligando para o corretor desde a noite passada, mas só a secretária eletrônica atende. Não quis dizer por que estava telefonando com medo de ele não ligar de volta. Se eu pudesse me explicar com ele... já deixei três recados diferentes, disse que era urgente e pedi para ele me ligar imediatamente. Mas ele não ligou! Já passa das 10 horas e ele ainda não ligou, vou ficar atrelada a esse maldito apartamento para sempre!

A essa altura ela estava chorando e Eliza disse:

— Oh, querida, oh, querida... não quer tomar um pouco de chá?

E Linda falou:

— Pelo amor de Deus, Susie, o corretor é o menos importante de tudo isso!

Então Delia disse a Susie:

— Pode deixar que eu cuido disso. Só preciso do número dele, vou ficar telefonando até ele atender.

— Pode fazer isso mesmo? — Susie perguntou, pulando da cama, jogando os cobertores para o lado e indo até a cômoda. — Espere um instante, vou encontrar o... Aqui está. Sr. Bright, é o nome dele. Diga que eu peço desculpas, que queríamos o apartamento, mas preciso que ele cancele o contrato, se tiver um pouco de decência humana.

— Talvez você perca o dinheiro do depósito — Delia disse, examinando o cartão de visita que Susie lhe deu.

— Delia! Pelo amor de Deus! — Linda gritou. — Podemos falar do nosso problema?

— Eu não vou me casar, tia Linda, então para que perder tempo discutindo isso? Alguém viu meu jeans por aí?

Estava andando pelo quarto agora, procurando debaixo da cama e pegando uma camiseta. Delia não pôde deixar de notar como o chão estava brilhante. Depois lembrou-se dos calafates do ano anterior e sentiu-se cada vez mais uma intrusa. Colocou a bolsa nos joelhos para ocupar menos espaço e nesse momento Linda falou:

— Diga a ela, Delia.

— Dizer o quê?

— Diga que todas as noivas passam por isso.

Será que passam mesmo? Ela não tinha passado. Antes do seu casamento sua única preocupação era se Sam iria morrer antes de ela ser sua esposa. *Morte de noivo na véspera do casamento* ou *Trágico acidente a caminho das núpcias*, os jornais diriam, e ela perderia a chance de ter um casamento perfeitamente feliz.

Ela nunca duvidou nem por um instante de que seu casamento *seria* perfeito.

Susie começou a se vestir, olhando despreocupada para a parede enquanto tirava a camisa do pijama e punha o sutiã de costuras cinzentas. (Acostumada a vestiários, não achava nada demais mudar a roupa em público.) Suas costas eram bronzeadas e firmes como um tronco de árvore. Vestiu a camiseta, sacudiu o cabelo e abaixou-se para ver o que tinha dentro da mala. Todos a observavam. Finalmente Eliza, ainda segurando a caneca, falou:

— Seu vestido de casamento é muito bonito, não é, Susie? Mostre para sua mãe.

— É um vestido idiota — ela disse, mas atravessou o quarto e tirou do armário um vestido branco de gaze. As gêmeas pularam da cama, como se puxadas por um cordão de marionete e correram de boca aberta até o armário. Susie fechou a porta e só um pequeno triângulo branco ficou à vista do lado da dobradiça.

— E seu véu? Mostre seu véu — Eliza pediu.

Obedientemente, Susie foi até a cesta de lixo.

— *Aqui* está o meu véu — falou, puxando vários metros de tecido rasgado e uma grinalda de rosas de seda branca cortada em pedacinhos.

As duas tias prenderam a respiração e Spence disse:

— Meu Deus!

— Vou desfilar para vocês. — Enrolou a guirlanda no pescoço, virou a cabeça de lado, fechou os olhos e pôs a língua de fora.

— Susan Grinstead! — Linda gritou.

— Bom... — disse Susie calmamente, tirando a grinalda do pescoço. — Driscoll e eu estávamos lá embaixo ontem à noite vendo um filme na televisão. Todos tinham insistido para eu passar minhas últimas horas de solteira na casa da minha família.

— E como foi? — Linda perguntou.

Susie jogou a grinalda na cesta de lixo e começou a falar.

— Nós dois estávamos na sala de televisão, como nos velhos tempos, quando o telefone tocou. A voz do outro lado da linha era de um menino de colégio, e dava para sentir que ele tinha se armado de coragem. Pigarreou e disse, "Boa noite. Posso por favor falar com Courtney?" Eu falei que ele estava com o número errado, mas dez segundos depois o telefone tocou de novo. Era o mesmo menino. "Boa noite. Posso por favor..." Falei de novo que ele devia ter discado errado. Então me sentei mais uma vez para ver o filme que Driscoll tinha alugado, *Pesadelo na rua Elm*, que considera o melhor filme dos nossos tempos. Nesse meio tempo o telefone tocou duas vezes e Driscoll disse que ia atender. Ouviu o que diziam e depois disse, "Azar o seu, cara. Courtney não quer mais nada com você". E bateu com o fone no gancho.

— Que maldade! — Delia disse sem querer e Eliza mordeu a língua. Um segundo depois todos se viraram para a irmã de Driscoll. — Desculpe, Spence, mas fazer isso com o pobre menino! — disse Delia.

— É, *foi* uma maldade — Spence falou com complacência, ajeitando a saia. — Mas é assim que os homens são, Susie. O que eu posso fazer?

— Como os homens são não vem ao caso — Susie disse. — Ou vem, pois é mais uma razão para eu não me casar com *ninguém*. Pelo menos não com Driscoll. E não adianta defender seu irmão, Spence Avery! Nada que você diga vai fazer com que eu tenha uma boa impressão dele depois disso.

— Ele não pode pedir desculpa? — Thérèse disse.

— Pedir desculpa a quem? Não a mim, não foi a mim que ele magoou. Não, vejo tudo muito bem agora — Susie disse, andando pelo quarto, de camiseta e calça de pijama. Parou diante do espelho para ajeitar o cabelo e continuou a andar. — Todas as coisas que eu tentava não notar. Como quando nos aprontávamos para sair e ele dizia, "Que tal eu estou?" Eu respondia, "Muito bem", e ele dizia "Obrigado" sem se interessar em ver como *eu* estava. Ou quando eu contava uma coisa que tinha acontecido e ele não me deixava contar do meu modo. Sempre me interrompia para me... redirecionar. Eu falava, "A paciente do papai esteve na loja hoje..." e imediatamente ele dizia, "Espere um instante, você sabe quem são as pacientes do seu pai? Isso não é antiético?" ou "Calma aí, ela pediu isso pela marca ou não?" ou então "Você devia ter dito que..." Até eu ter vontade de dizer, "Cala a boca! Cala a boca! Cala a boca e me deixa terminar essa história que já me arrependi de ter começado!" E por falar na minha loja...

*Que loja?*, Delia teria perguntado, mas não quis fazer o mesmo que Driscoll.

— Ele nunca me apoiou nem por um instante. No início sim, porque achava que era um capricho meu, sabem como é? Achava que eu não iria adiante com isso. Mas quando pedi dinheiro emprestado à vovó....

Eleanor tinha emprestado dinheiro a Susie? (Ela não era a favor de empréstimos.) Susie devia ter notado o espanto da mãe, porque falou:

— Eu abri uma lojinha, que chamei de House in a Box.

— Uma gracinha de loja! — disse Linda.

— Deram uma nota bem longa na revista *Baltimore* — Eliza falou.

— Eu me mudei para um apartamento depois que briguei com o papai. Eu e Driscoll encontramos um lugar na St. Paul Street e dividíamos as despesas, eu não teria dinheiro para pagar tudo sozinha. Estava procurando emprego, mas primeiro queria me instalar direito. Comprar coisas para a casa. Levei alguns móveis daqui mas não tínhamos nenhuma panela, nada para a cozinha, nem ao menos uma espátula. Eu ia de loja em loja e gastava uma fortuna que não tinha, procurando uma coisa em um lugar e outra em outro... Um dia disse para Driscoll, "Não seria ótimo se vendessem uma cozinha em uma *caixa*? Uma compra completa em um lugar só?" E fiquei matutando sobre isso. Então abri um pequeno *showroom* na área da feira, é mínimo mas...

— Uma gracinha! — repetiu Linda.

— Eu vendo as caixas: com cozinhas, banheiros... compro os artigos em grande quantidade, preparo um kit e entrego em casa. Já coloquei anúncios em quadros de aviso de várias universidades próximas da cidade. Abro sete dias por semana e virei uma verdadeira escrava, por isso é que programei o casamento para a segunda-feira. Não queria atrapalhar as vendas de fim de semana. Conforme tinha planejado, a loja vai estar fechada até sexta-feira, o que eu detesto. Mas Driscoll considera meu negócio uma espécie de hobby. Quando ouviu falar do empréstimo da minha avó, disse, "Cuidado para a boca não ser maior que a barriga, querida". Ele é muito desencorajador, muito para baixo, acha que eu não vou dar conta do recado. Que não tenho capacidade de comprar uma simples cortina de banheiro para dormitórios de universitários nem as argolas para pendurar a cortina.

— Susie, isso não é justo — Spence falou com firmeza. — Ele está só tentando te proteger.

— Além disso, deixa pedacinhos de frutas cuspidos por todo o apartamento — Susie continuou.

Eliza colocou a caneca na cômoda, como se estivesse ofendida.

— Eu parei de ver o filme, devolvi a aliança e mandei Driscoll fazer as malas. Depois telefonei para o corretor, mas acho que já era muito tarde. Desculpe ter feito vocês virem aqui por nada. Para o papai eu perguntei, "O que dá mais trabalho, cancelar o casamento ou fazer um divórcio?"

— Aliás, onde está o Sam? — Eliza perguntou.

Delia ficou contente de não ter sido ela a perguntar isso.

— Foi se arrumar para o casamento — Susie disse.

— Mas você falou para ele...

— Falei que tinha mudado de idéia, mas ele fechou os olhos um instante e disse que ia se arrumar.

Era bem típico do Sam.

— Vou começar a agir — disse Delia, levantando-se.

— Agir como? — Linda perguntou.

— Preciso ligar para o corretor.

Foi saindo do quarto (o telefone mais próximo era no quarto de Eliza), mas Linda disse:

— Delia, meu Deus! Você vai aceitar isso?

— O que eu posso fazer? Arrastar Susie pelos cabelos até o altar?

— Você podia discutir o assunto com ela, pelo amor de Deus.

— Não adianta apressar as coisas — Delia falou, dirigindo-se para Susie, que estava encostada na cômoda e a olhava com interesse. — Se Susie não tem certeza de que quer se casar com Driscoll hoje, talvez queira amanhã, na próxima semana ou no próximo ano. Por que a pressa?

— *Ela* pode dizer isso — Linda falou, olhando para as outras.

— *Ela* não teve de se virar para comprar as passagens de avião.

Delia saiu, fechando a porta com cuidado.

Nesse momento a porta de Sam, na diagonal do corredor, abriu e ele apareceu. Estava tentando fechar as abotoaduras da camisa quando avistou Delia e parou. A escada, com a balaustrada de madeira envernizada, separava os dois, e ela esperou onde estava.

— Oi, Delia — ele disse.

— Oi, Sam.

Estava vestido com o terno preto e bonito que tinham comprado em uma liquidação há anos. Seu rosto, agora mais fino, era formado de linhas retas — olhos cinzentos retos, nariz aquilino e boca reta *também*, mas ligeiramente levantada nos cantos. Seus óculos escorregaram no nariz, como quase sempre acontecia, e quando ele levantou a mão para ajeitá-los, pareceu não acreditar que a estava vendo ali.

— Você não sabia que eu vinha? — Delia perguntou.

— Sabia.

— Bom... acho que já soube que Susie não vai adiante com o casamento.

— Vai, sim. — Ele contornou a balaustrada, não para aproximar-se (embora ela já tivesse dado o primeiro passo para chegar junto dele) mas para descer a escada. — Vamos fazer o casamento conforme estava programado — disse, enquanto descia. — Ela vai aparecer.

Delia olhou-o por cima da balaustrada e viu com toda a nitidez seu couro cabeludo abaixo do cabelo louro. *Se eu o avistasse numa multidão diria que ele era só mais um homem que está ficando velho*, pensou. Mas na verdade não acreditava nisso.

Virou as costas e foi para o quarto de Eliza.

Ali também sentiu uma diferença. Os móveis eram os mesmos, mas não havia um único objeto em cima da cômoda e na mesa-de-cabeceira só o telefone preto antiquado. Será que Eliza tinha mudado de quarto também? Esse era dela desde que nasceu.

*Sabia. Vamos fazer o casamento como estava programado*, ele tinha dito.

Não adiantava insistir. Colocou o cartão de visita na mesa-de-cabeceira, tirou o fone do gancho e discou o número.

— Aqui é Joe Bright — disse uma voz de homem do outro lado da linha. — Não posso atender agora, por favor deixe seu recado depois do sinal.

— Sr. Bright, aqui é Delia Grinstead, a mãe de Susie Grinstead. Gostaria que o senhor me telefonasse o mais rápido possível. É muito importante. O número é...

Quando desligou ouviu a campainha tocar lá embaixo.

— Alô, vamos entrar — disse Sam. Logo depois ouviu a fala arrastada de uma daquelas matronas de Roland Park. No mesmo instante perdeu toda a sua autoconfiança — não estava bem maquiada, seu vestido era simples demais e quando se olhou no espelho de Eliza achou seu rosto pouco definido e infantil.

Mas talvez fosse só sua impressão, pois quando começou a descer a escada (pisando bem, de cabeça erguida) todos olharam para ela com grande atenção e respeito. O pastor — de terno de tweed mal-ajambrado — disse:

— Sra. Grinstead! Que prazer! — E os pais de Driscoll pararam de conversar com Sam.

— É um prazer vê-lo, Sr. Soames — ela disse. (Considerando que ia à igreja só nas grandes festas, ficou impressionada de lembrar o nome dele.) — Olá, Louise. Olá, Malcolm.

— Oi, Delia — disse Louise Avery, como se a tivesse visto no dia anterior. Era uma mulher rija, com uma juba leonina de cabelos dourados caindo na testa.

O marido — mais velho, menor, mais enrugado — disse:

— Pensei que você fosse nos trazer o sol.

— Oh, está chovendo? — Delia perguntou, olhando para a porta.

— Não, não, a chuva só vai chegar mais tarde — Louise disse. — Eu estava dizendo a Malcolm hoje de manhã que há pelo menos uma vantagem em fazer um casamento dentro de casa. Pode imaginar se tivessem planejado uma festa grande e formal no pátio da igreja? Ou uma recepção no gramado?

— Não posso mesmo... — disse Delia.

Olhou para Sam, mas ele estava guardando o guarda-chuva fechado do Sr. Soames, e não olhou para ela.

Talvez fizessem o casamento sem a noiva, pensou. Seria esse o plano?

Na sala de estar todas as cadeiras disponíveis tinham sido enfileiradas em frente à lareira. Decerto seria ali que o Sr. Soames ficaria. Na sala de jantar Linda e Eliza colocavam na mesa os pratos de salgadinhos. Na cozinha as gêmeas olhavam fascinadas para Driscoll, que falava da lua-de-mel.

— Eu disse a Susie que devíamos ir ao Obrycki's comer caranguejos. Seria *essa* nossa lua-de-mel, para acompanhar o tom geral do casamento, e ela aceitou. Mas finalmente resolvemos passar três dias em... Oh, Sra. Grinstead. Tudo bem?

— Olá, Driscoll — disse Delia, intrigada de vê-lo tão animado. Ele usava um terno azul-marinho com uma rosa branca na lapela e tinha um ar distraído. — Você... falou com Susie hoje de manhã?

— Não posso ver a noiva antes da cerimônia, Sra. Grinstead — respondeu, balançando o dedo.

— É, mas talvez fosse bom falar com ela pelo telefone.

— Diga uma coisa. Por onde andam os mestres-de-cerimônia, Sra. Grinstead? Algum sinal deles?

— Mestres-de-cerimônia?

— Ramsay e Carroll.

— Bom, eu... espero que alguém tenha se lembrado de acordá-los. — Os dois meninos ainda não tinham perdido o hábito de dormir até o meio-dia.

— Talvez fosse melhor dar uma ligada para eles — disse Driscoll.

Delia olhou-o sem entender e Eliza, que passava com um bolo de três andares, veio em seu socorro.

— Para que mestres-de-cerimônia se só vem a família, e não vai haver mais de 12 pessoas sentadas?...

— Para que as glamourosas damas-de-honra tenham alguém para lhes dar o braço — disse Driscoll, piscando para as gêmeas. Marie-Claire deu um risinho, Thérèse lançou-lhe um olhar solene e maravilhado e empertigou o corpo no vestido de renda verde-hortelã.

Delia desistiu e saiu da cozinha. Ia ver se Susie resolvera finalmente casar-se. Quem sabe, talvez tivesse resolvido. (Era fácil acreditar, naquela companhia, que estivesse ajeitando o véu magicamente reconstruído.) Nesse caso, iria ver se os meninos tinham acordado e estavam vestidos.

Mas os meninos já estavam lá embaixo, em frente à porta, de terno. Pareciam incrivelmente crescidos — Ramsay, com rosto quadrado e bem corpulento, e Carroll, magro como sempre porém mais alto, com rosto mais marcado. Estava com eles a namorada de Ramsay, Velma, com um vestido rosa-choque curtíssimo, e sua filhinha (como era mesmo o nome? Rosalie) de azul-piscina.

— Oi, mãe — Ramsay disse, beijando-a no rosto, e Carroll permitiu que ela o abraçasse.

Velma cumprimentou-a.

— Oi, como foi a viagem?

— Muito boa — disse Delia.

Então é claro que era isso. Ela fora convenientemente considerada mais uma dessas esposas excêntricas que moram o ano inteiro em um condomínio em Ocean City ou que criam cavalos em uma fazenda na Virgínia, enquanto os maridos continuam a rotina de trabalho em Baltimore. Ninguém dava muita importância a esse fato.

Foi passando pelos convidados, sorrindo e cumprimentando todos. O tio Robert de Sam apertou sua mão, ouvindo Malcolm Avery falar de um jogo de golfe recente. Sam ajudava sua tia Florence a tirar uma capa de chuva preta de borracha, tão dura que parecia que ficaria de pé.

— Como podemos saber a que horas a cerimônia vai começar? — alguém perguntou a Delia.

Era Eleanor, com um vestido de seda cinza.

— Oh, Eleanor! — Delia falou, passando os braços em volta do seu corpo frágil.

— Oi, querida — disse Eleanor batendo no seu ombro. — Que bom você ter vindo.

— É claro que eu viria! Como podia deixar de vir?

— Eu estava pensando no cortejo. Vocês planejaram algum tipo de música? Foi tudo muito bem organizado, mas como podemos saber a que horas a noiva vai entrar?

— Eleanor, não tenho certeza se vai *haver* uma noiva. Susie disse que está reconsiderando a idéia.

— Então é melhor você ir falar com ela — disse Eleanor, imperturbável. — Vá logo, não se preocupe comigo, querida.

— Talvez eu *deva* ir mesmo — Delia disse, subindo as escadas correndo.

Susie estava sozinha, de jeans e tênis, deitada na cama, lendo a revista *People*. Olhou casualmente para cima quando Delia bateu na porta.

— Oi. Já estão tendo faniquitos lá embaixo?

— Eles não... entenderam ainda a situação exatamente. Susie, não seria bom Driscoll subir?

— Driscoll está aqui?

— Está todo vestido para o casamento, esperando a noiva para se casar.

— Azar o dele! — disse Susie, abaixando a revista. — Eu disse tudo que tinha a dizer em linguagem bem compreensível.

— Os pais dele também estão aqui, e o Sr. Soames...

— Você falou com o corretor?

— Deixei um recado na secretária.

— Mãe. Isso é o que realmente importa. Se não conseguir cancelar esse contrato, eu é que vou ter de arcar com a despesa, está entendendo? O contrato foi feito em meu nome. Não queria falar na frente da irmã de Driscoll, mas a verdade é que fiquei muito pobre. Estou devendo até a festa do casamento — 428 dólares — graças a esse meu pai.

— O que os 428 dólares cobrem exatamente? — Delia perguntou por curiosidade.

— Meu vestido, o véu e o buquê que está na geladeira. E os refrigerantes encomendados pela tia Eliza. *Por favor*, telefone para o Sr. Bright. Se ele ainda não estiver lá, diga na secretária eletrônica que é um caso de vida ou morte.

— Tudo bem. Então devo dizer para Driscoll subir?

— Ele sabe onde me encontrar.

Susie pegou a revista de novo. Delia ia saindo, mas ao chegar na porta voltou.

— Por que a casa está tão diferente?

— Diferente?

— Seu quarto não tem móveis, e o quarto de Eliza parece... sem vida.

— Mas o quarto está sem vida — disse Susie virando uma página. — Ninguém mora mais aqui, só o papai.

— O quê?

— Você não sabia disso?

— *Não*, não sabia de nada. O que aconteceu?

— Bom, vamos ver. Primeiro Ramsay e papai tiveram uma briga por causa... não. Primeiro *Eliza* e papai tiveram uma briga. Ela disse que brigou porque ele não avisou que chegaria tarde para jantar, mas a verdade é que estava flertando com ele, mãe, você não acreditaria. Uma coisa deplorável. Nós três conversamos sobre isso com ela, mas ela disse que não sabia a quê estávamos nos referindo. E lá estava o papai, desligado como sempre, cuidando do seu trabalho sem prestar atenção à cunhada. Então um dia ela armou uma briga por um problema inexistente e foi para a casa da tia Linda, e quando voltou anunciou que estava indo embora para sempre. Está morando na Calvert Street, onde Linda e as gêmeas estão hospedadas para o casamento. OK, depois Ramsay e o papai tiveram um briga porque o papai chamou Velma de "Verônica" por acaso; Velma jurou que foi de propósito e Ramsay mudou-se para a casa dela, ofendidíssimo. Carroll foi para lá também porque chegou em casa muito tarde uma noite e papai estava andando pela casa e imaginando-o morto na estrada... E eu, você já sabe, me mudei em julho logo antes de Ramsay.

— Então suponho que eu... — disse Delia pensativa.
— Você vai telefonar para o corretor, mãe?
— Vou — disse Delia, saindo logo depois.

No quarto de Eliza, sentou-se na beira da cama, tirou o fone do gancho e ficou olhando para o vazio.

Imaginou Sam andando pela casa de um lado para o outro. Quem sempre fazia isso era ela, e Sam caçoava e dizia-lhe para se acalmar. "Como você pode se manter tão frio diante de tudo isso?" ela dizia. "O que tem nas veias, água gelada?" Ele dava um sorriso gratificado e acanhado, como se tivesse recebido um elogio.

Discou para o corretor de novo.

— Aqui é Joe Bright. Não posso atender agora... — a máquina respondeu.

— Aqui é Delia Grinstead de novo, Sr. Bright. Por favor, me ligue assim que puder. — E para atender ao pedido de Susie, acrescentou: — É uma questão de vida ou morte. Até logo.

Lá embaixo as vozes pareciam uma massa informe, como se todos tivessem desistido do casamento e começado a festa. Mas quando Delia desceu, a conversa parou por um instante e todos se viraram esperançosos. Ela sorriu. Estava contente agora de ter usado o vestido verde-folha e a linda saia comprida acima dos tornozelos.

Atravessou o corredor e foi para a sala de estar, seguida pelos outros. Provavelmente pensaram que fosse uma espécie de sinal. Carroll, muito atraente no terno de mestre-de-cerimônia, ofereceu-lhe o braço e levou-a para a cadeira da frente. Logo depois Eleanor veio sentar-se ao seu lado, escoltada por Ramsay.

— Ponha a tia Florence em uma cadeira reta — disse Ramsay baixinho para Carroll. — Ela falou que suas costas estão doendo. — Delia ouviu os sons habituais da platéia: tosses e saias farfalhando. Os pais de Driscoll sentaram-se no sofá. O Sr. Soames ficou ao lado da lareira, sorrindo com benevolência para todos, tirando um papel dobrado do bolso do paletó.

— O nervosismo da noiva acabou? — Eleanor sussurrou para Delia.

— Não exatamente.

A filha desbotada de Velma sentou-se em uma bergère tão grande para ela que seus pés não tocavam no chão. Um rapaz que Delia não conhecia — algum parente de Driscoll, sem dúvida — acompanhou Eliza até o sofá e Linda sentou-se ao seu lado e tirou os sapatos.

— Susie vem? — perguntou baixinho, ao ver que Delia olhava para ela. Delia deu de ombros e olhou para a frente de novo.

Driscoll postou-se ao lado do Sr. Soames, mexendo na rosa branca da lapela. As damas-de-honra ficaram juntas ao pé da escada, para onde foram também os mestres-de-cerimônia depois de acompanharem a última convidada à sua cadeira.

Sam aproximou-se de Delia. Ela não o tinha visto entrar e recuou ligeiramente.

— Devo pôr a música?

— Música?

— Ela está pronta?

— Não, acho que não está.

Sam ajeitou o corpo e olhou para Delia.

— E você não devia estar tomando alguma providência?

— O quê, por exemplo?

Ele não respondeu. Seus lábios estavam secos e brancos. Delia ajeitou a saia e sentou-se para observar os próximos acontecimentos.

Ela nunca percebera que podia passar a preocupação para o outro como se fosse um objeto físico. Devia ter feito isso há anos. Por que era sempre Sam quem o fazia?

Ele virou-se para o aparelho de som instalado dentro de um gabinete de nogueira ao seu lado. Apertou um botão e um instante depois ouviu-se o som das trompas. Delia reconheceu o tema de *Masterpiece Theatre*. Achou a escolha um pouco triunfal demais, e pela fungada que ouviu à sua direita notou que Eleanor era da mesma opinião. O resto dos convidados manteve-se num silêncio reverente quando Sam saiu da sala. Delia ouviu seus sapatos atravessando o corredor e subindo as escadas. Aquele casamento devia ter sido planejado exatamente como o seu: o pai descendo a escada com a noiva e escoltando-a pelas portas duplas até o centro da sala de estar e parando debaixo do esquisito candelabro de metal.

E se a noiva não estivesse esperando no alto da escada?

Os passos decerto tinham continuado, mas não dava para ouvir por causa da música. Talvez Sam tivesse parado no alto da escada, onde não seria visto pelos convidados, em vez de entrar para falar com Susie. Isso era mais típico dele. As trombetas soavam e os convidados sorriam uns para os outros (provavelmente pensando, *Um casamento muito informal e familiar*) quando os passos recomeçaram escada abaixo. Mas qualquer um podia dizer que a noiva não estava acompanhando aquela descida rápida e barulhenta.

Sam veio marchando para junto do Sr. Soames e Delia ficou na dúvida se o pai planejava continuar a cerimônia e receber a bênção no lugar da noiva. Mas ele umedeceu os lábios e disse:

— Senhoras e senhores...

Foi Delia quem desligou o som. Era o mínimo que podia fazer, pois foi Sam quem anunciou que sentia muito informar que o casamento fora adiado.

"Adiado" era otimista, na opinião de Delia. Mas os convidados pareciam considerar a notícia como uma pequena alteração da programação do casal. Linda declarou, muito irritada, que ela e as gêmeas tinham reservado um vôo ao meio-dia para dois dias depois, sem possibilidade de ressarcimento e que esperava que a Srta. Susie se lembrasse disso. O Sr. Soames, folheando um diário de bolso, falou dos seus futuros compromissos — reuniões, visitas, levantamento de verbas... — mas disse que no final da semana estaria disponível.

Até a mãe de Driscoll, que parecia mais infeliz que todos, voltou a pensar na recepção que daria depois da lua-de-mel.

— Será que já estarão casados no sábado à noite? — perguntou a Delia. — Dá para perguntar à Susie? Vamos receber 53 amigos mais íntimos e você também será bem-vinda se ainda estiver na cidade.

— Talvez Driscoll saiba informar melhor quando os dois terminarem de conversar. Vou lhe pedir para vir falar com você assim que descer.

Driscoll tinha finalmente subido para falar com Susie, como devia ter feito desde o início, na opinião de Delia.

A chuva enfim começou a cair e todos foram saindo e correndo para seus carros. Primeiro saiu o Sr. Soames, depois os tios de

Sam com Eleanor, a irmã de Driscoll com o mestre-de-cerimônia que Delia não conhecia, e por último os pais de Driscoll.

— Pensei que aquele carrinho esporte de Spence fosse me deixar presa para o resto da vida! — disse Eliza, rebocando Linda e as gêmeas. Ramsay e Carroll ficaram para ajudar Delia a levar os pratos de comida para a cozinha, e Velma e Rosalie tiveram de ficar também, mas foram ver televisão na saleta. Nesse meio tempo Sam arrumou a sala de estar, e Carroll contou a Delia o enredo de um filme que tinha visto com Ramsay. Um homem vivia preso em uma espécie de teia, onde tinha de fazer a mesma coisa a vida toda. Delia achou a história de Carroll muito peculiar mas disse apenas "Hum, hum". Entrou na cozinha com uma pilha de pratos de plástico, seguida tão de perto por Carroll que não conseguiria mudar de direção sem avisar. Ramsay vinha logo atrás.

Quando Sam trouxe a toalha de mesa enrolada em forma de cilindro, o clima mudou. Carroll parou de contar a história e Ramsay começou a fechar as portas dos armários. Ambos pareciam estar observando a mãe, mesmo sem olhar para ela.

— A toalha de mesa — disse Sam.

— Oh, que bom! Obrigada! Vou levar lá embaixo para.... — Girou nos calcanhares, passou pela copa e desceu a escada do porão.

Só que a toalha não precisava ser lavada!

O gato estava esperando no fundo da escada, olhando para ela. Vernon sempre fugia para o porão quando havia convidados.

— Vernon! Você sentiu a minha falta? — perguntou, abaixando-se para acariciar sua cabeça redonda. — Eu também senti sua falta, gatinho — disse baixinho. Ele ronronava daquela forma exagerada que os gatos fazem quando querem deixar os humanos à vontade.

Uns passos cruzaram a copa e começaram a descer. Delia levantou-se e foi até a máquina de lavar. Vernon desapareceu no ar fino. A máquina estava cheia de roupa úmida, mas ela enfiou a toalha lá assim mesmo e jogou detergente por cima.

Sam pigarreou por trás dela, fazendo-a olhar para ele.

— Oi, Sam.

— Oi.

Fingiu estar ocupada com a máquina, mexendo nos botões para selecionar o ciclo apropriado. A água começou a cair e os canos fizeram barulho. Pela janela empoeirada viam-se folhas de hera balançando na chuva.

— Assim que Driscoll descer vou chamar um táxi, só estou esperando para me despedir de Susie — Delia disse, virando-se para Sam.

— Um *táxi* para onde? — Sam perguntou.

— Para a rodoviária.

— Ah! É bobagem chamar um táxi com tanto carro aqui. Bom, não é bem bobagem mas... eu posso te deixar lá. Ou Ramsay, se você preferir. Ramsay está com o seu Plymouth.

— É mesmo? O carro ainda está andando bem?

— Muito bem.

— Sem problemas elétricos?

Sam olhou para ela.

— Obrigada. Provavelmente vou querer uma carona então, se não for muito trabalho.

Saiu sem dizer quem preferia que a levasse.

Os dois subiram, Delia na frente, movimentando-se com muita graça. Não havia mais ninguém na cozinha. A sala de jantar parecia nua, pois Sam não tinha pensado em recolocar os castiçais depois de tirar a toalha. O corredor estava vazio também, e eles pararam ali um instante sentindo o silêncio à volta.

— Não acredito que ele consiga convencer Susie a mudar de idéia — Delia disse.

— Foi só uma crise de nervos por causa do casamento.

— Acho que ela está decidida. Acho que realmente é isso que quer.

— Lembra quando ela era pequena e tinha fixações em umas coisas? Um dia quis vestir o pijama de caubói para ir ao colégio e você disse que não. Então ela tomou o café-da-manhã só com a roupa de baixo e, como você fingiu não notar, acabou vestindo uma saia na última hora.

— Uma saia e a blusa do pijama, que eu cobri parcialmente com um lenço grande. Nós cedemos. Essa é a diferença.

Delia ficou comovida, embora não soubesse bem por quê. Talvez por ter sido tão importante na história dele, como se ele tivesse anotado a atitude dela e tentado, anos depois, fazer o mesmo.

Ficou mais um instante ali no corredor, caso ele quisesse falar ainda alguma coisa, mas evidentemente ele não queria. Foi então para a sala de estar, ajeitou o vestido e o cinto (sem dar a impressão de que estava fazendo charme) e foi procurar o resto da família.

Estavam todos sentados na saleta vendo televisão com as luzes apagadas — Velma e os meninos no sofá e Rosalie no chão entre os pés da mãe. Viraram-se quando Sam e Delia entraram.

— O que vamos almoçar? — Carroll perguntou.

— Almoçar? — disse Delia.

— Estamos mortos de fome.

Delia olhou o relógio. Já passava de 1 hora. Virou-se para Sam à espera de uma sugestão (a cozinha não era mais dela, não tinha mais obrigação de servir ninguém), mas ele não disse nada. Então ouviram uns passos.

— É Driscoll — disse Sam.

Rosalie continuou vendo TV, mas os outros foram para o corredor — Velma e os meninos com ar entediado, espreguiçando-se, movimentando-se devagar para não parecer curiosos demais. Esperaram debaixo da escada até Driscoll descer.

Ele parecia perturbado, com o cabelo despenteado e a gravata puxada para o lado. Quando desceu o último degrau sacudiu a cabeça.

— Não vai ter casamento? — Delia perguntou.

— Eu não diria que *não* vai ter.

— Então como é?

— Susie disse que me detesta, que eu não sou gente boa e que descobriu agora que nunca me amou.

— Então não vai ter casamento — Delia pensou em voz alta.

— Mas falou que se eu quiser que ela mude de idéia, sei o que devo fazer.

— E o que você deve fazer?

— Não sei — Driscoll respondeu.

Sam irritou-se e foi para a sala de estar.

— Mandar flores? — Velma sugeriu. — Mandar um telegrama cantado?

— Não sei, já disse. Perguntei se ela não podia me dar uma dica, mas ela falou que vou acabar sabendo. E se não souber é sinal de que não devemos nos casar.

— Mande um balão Mylar com uma mensagem impressa — Velma insistiu.

— Dizendo o quê? — Driscoll perguntou.

— Driscoll, acho que sua mãe está querendo falar com você — Delia interrompeu.

— OK — ele falou, desanimado.

Ficou parado ali um instante, pensando, depois sacudiu os ombros e saiu pela porta da frente — sem capa, sem guarda-chuva, sem nada. A chuva estava tão forte que balançava a balaustrada da varanda.

— Alugue um avião de publicidade! — Velma disse depois que ele se foi.

— Mãe, nós não podemos comer? — Carroll perguntou.

— Vou preparar alguma coisa agora mesmo — ela respondeu.

Era o jeito, ninguém ia fazer nada mesmo.

Preparou uma bandeja para Susie e levou-a lá para cima. Ela estava dormindo por cima das cobertas — nada de surpreender. Susie era daquelas que usavam o sono como uma droga, perdia dias inteiros às vezes quando entrava em crises emocionais. A *alteridade* dos filhos de Delia sempre a encantou! Considerava isso uma verdadeira dádiva — sentir de perto uma forma inteiramente oposta de ser.

— Susie querida. Achei que seria bom você comer alguma coisa — Delia disse e Susie abriu os olhos.

— Obrigada — disse, tentando sentar-se.

— Tem tudo que você gosta. Cheesecake, biscoitos de avó judia... — disse, colocando a bandeja no seu colo.

— Ótimo, mãe — falou, abrindo o guardanapo.

— Tartelete de limão, mousse de chocolate...

Susie olhou para a bandeja.

— Tive de usar a comida do casamento, pois não havia nada na cozinha para fazer.

— Ah, então quer dizer que... que todos estão comendo?

— Estão.

— Estão comendo a comida do meu casamento?

— Bom... você preferia que não comessem?

— Não, não! — falou distraída, pegando uma tartelete.

Delia ficou confusa.

— Você queria guardar a comida? Se estiver planejando.... usar tudo isso num futuro próximo, então imagino que...

— Não, já falei que não me importo.

— Então, quais *são* seus planos? Não quero pressionar você, mas Driscoll mencionou que... preciso saber para organizar minha volta.

Susie deu uma dentada e olhou para a mãe.

— Por causa do meu trabalho — Delia explicou.

— Então pode ir embora, se está tão decidida — Susie explodiu.

— Não é isso que eu...

— Foi uma surpresa você ter vindo! Você e seu emprego idiota, seu amigo e sua nova família!

— Ora, Susie...

— Desaparecendo na praia e deixando o papai andando pela casa como uma alma penada, deixando seus filhos... órfãos, eu tendo de arrumar sozinha um casamento todo, sem a minha mãe!

Delia olhou para ela.

— O que ele *fez*, mãe? Foi ele? Fomos nós? O que era tão terrível aqui? Por que você nos abandonou?

— Minha querida, ninguém fez nada. Não foi uma coisa definida. Eu não pretendia magoar vocês, não pretendia deixar vocês! Só... me separei de vocês sem nenhuma intenção e depois não encontrei uma forma de voltar.

Tinha consciência de que era uma explicação pouco convincente. Susie ouviu em silêncio, olhando para a tartelete e para a carta que tinha mandado — com pontos de exclamação forçados, seu modo informal de escrever — e Delia teve vontade de chorar.

— Filhinha, se eu soubesse que você queria ajuda para o casamento teria feito qualquer coisa! Qualquer coisa.

Mas Susie disse apenas:

— Pode telefonar para o corretor de novo?

— É claro — Delia respondeu, suspirando e beijando-a na testa antes de sair.

Por um processo de inércia, de adiamento (exatamente como o que a afastara de casa), ficou lá a tarde toda, esperando que Susie descesse. Mas o tempo passou e quando ela subiu de novo encontrou Susie dormindo, com a bandeja intocada no chão ao lado da cama.

Sam devia estar no consultório — fazendo exatamente o quê, ela não tinha idéia, pois não vira nenhum paciente chegar. Os outros continuavam vendo televisão na saleta e ela foi sentar-se no sofá ao lado de Velma, fingindo ver também. A vantagem da televisão era que todos falavam de forma natural, sem pensar, sem perceber que ela estava ouvindo. Soube que Carroll tinha saído três vezes com uma garota da Holanda; que o professor de história de Ramsay tinha uma birra com ele; que Velma prometera a Rosalie uma manicure caso ela deixasse de roer as unhas. Delia lembrou do rodízio de carro das mães, quando ficava informada de todas as fofocas porque as crianças não notavam que quem dirigia ouvia tudo.

O nome de Susie não foi mencionado.

Sam apareceu na porta e perguntou se ela queria que ele fizesse alguma compra para o jantar. Delia sentiu-se absurdamente contente.

— E por que não? — Todos pediram que ela fizesse pratos especiais — frango com estragão, salada de macarrão, e assim por diante. Foi para a cozinha, preparou uma lista de compras e esperou que Sam a convidasse para ir junto, mas tal não ocorreu.

Eliza telefonou — seu segundo telefonema em 2 horas.

— Onde está o Driscoll? Não me digam que ele simplesmente caiu fora.

— Não é bem assim — disse Delia, falando pela extensão da cozinha para não ter de baixar a voz. — Não sei *o que* pensar. Susie está dormindo a sono solto, Driscoll desapareceu e nós estamos aqui imaginando o que virá depois.

— Grave minhas palavras, eles vão se casar antes do sol se pôr amanhã — disse Eliza. — Eu disse a Linda que ela nem terá de mudar as reservas de vôo. E *você?* Não está indo embora já, está?

— Ainda não decidi.

— Você não pode ir. Assim que der as costas vai ter de voltar.

— Talvez você esteja certa — disse Delia.

A verdadeira razão de não ir embora era Susie, com seu rostinho triste junto da tartelete. Mas não disse isso a Eliza.

Assim que se despediram Delia telefonou para Joel, mas o telefone tocou e ninguém atendeu. Provavelmente tinham ido jantar fora, em vez de comer o que ela havia deixado. Provavelmente estavam no Rick-Rack's. Ela sabia até o que iam pedir e o tom da conversa — as palavras exuberantes de Noah e as respostas neutras de Joel. Lembrou-se das mãos dele em volta do seu rosto. Da boca firme mas não insistente. Do corpo tenso, como se a cada movimento ele esperasse uma reação sua.

*Depois que tivemos o bebê nós só nos beijávamos, os beijos mais maravilhosos...* — Ellie tinha dito.

Desligou o telefone.

Quando Sam voltou do mercado perguntou (com a cabeça na geladeira, falando por cima do ombro) se ele se importaria se ela ficasse lá até o dia seguinte.

— Por que eu me importaria? — ele respondeu.

Não foi uma resposta satisfatória. Mas antes que pensasse mais sobre isso Ramsay e Carroll passaram — a caminho da videolocadora para alugar de novo aquele filme excêntrico sobre o tempo — e Sam saiu da cozinha. Delia preparou o jantar sozinha. Enquanto cozinhava tudo voltou à sua cabeça: aqueles puxadores esquisitos dos armários e o chiado do exaustor acima do fogão. E ali estava ela, com o vestido verde-folha, tipo Srta. Grinstead, e os sapatos de solteirona com alcinha passada no peito do pé.

Susie não apareceu a tempo para jantar. Sentou-se na mesa enrolada em um cobertor, parecendo uma menininha acordando de uma soneca. Não mencionou o casamento e ninguém trouxe o assunto à baila. Depois todos foram ver o filme, até mesmo Sam, com os óculos brilhando no escuro. Mas na realidade olhavam para Susie. A qualquer comentário moderadamente engraçado que ela fizesse, os irmãos morriam de rir, Velma dava um risinho e Rosalie a olhava com seu ar inexpressivo e penetrante.

No final do filme Ramsay e Velma deram boa-noite e saíram com Rosalie, mas Carroll avisou que ficaria para dormir. Delia subiu com ele para arrumar sua cama e enquanto afofava o travesseiro ouviu Susie subir também, deixando Sam sozinho na saleta de televisão. Então não desceu mais. Abriu de novo o armário de roupa de cama, pegou mais um conjunto de lençóis e fez sua própria cama no quarto de Eliza.

Muito mais tarde, deitada de barriga para cima no escuro, ouviu os sapatos de Sam nas escadas. Ele atravessou o corredor, foi para o seu quarto e fechou a porta.

Era ridículo da parte dela sentir-se tão magoada.

# 20

— Este açucareiro foi um presente da sua tia-bisavó, Mercy Ramsay, para a irmã que se casou com Isaiah Felson, em 1899 — disse Linda para as gêmeas.

Delia não imaginava como ela podia saber tudo aquilo. Mas as gêmeas não se impressionaram. Estavam admirando Carroll, que virava o açucareiro de cabeça para baixo na tigela de cereais. Eram onze e meia e só agora ele estava tomando o café-da-manhã. Linda e as gêmeas tomaram mais cedo, quando Eliza as deixou lá e foi trabalhar. Sam comeu alguma coisa antes de ir para o consultório e Susie ainda dormia. Ia ser um daqueles dias em que um terminava uma refeição e o outro começava a próxima — da manhã à noite. A própria Delia comia uma coisinha com cada um que chegava.

— Mercy Ramsay preocupava muito seus pais porque nunca se casou — Linda continuou. — Trabalhava como datilógrafa em um escritório de advocacia perto da baía.

Delia olhou para ela.

Carroll estava comendo os cereais agora e Marie-Claire parecia esquentar as mãos no açucareiro — na verdade uma peça muito simples feita de chapa de metal fosco. Thérèse pegava grãozinhos de açúcar da mesa com a ponta dos dedos e punha-os na língua.

— Em cada geração da nossa família uma mulher permanecia solteira — Linda informou.

— Nessa geração será Thérèse — disse Marie-Claire.

— Nada disso — Thérèse falou.

— É verdade.

O telefone tocou.

— Se for do colégio, diga que estou doente — Carroll disse para Delia.

— Carroll Grinstead! Eu me recuso a mentir por você — Delia falou, tirando o gato do colo e levantando-se para atender.

— Alô?

— Delia? — disse Noah.

Delia virou-se de costas.

— O que aconteceu? — perguntou, o mais baixo possível.

— Estou gripado.

— Está na cama?

— Não, estou no sofá. Onde você se enfiou? Por que não voltou ainda?

— Tentei telefonar ontem à noite, mas vocês tinham saído. Como soube meu telefone?

— Esse foi o problema! Você não deixou um número! Tive de telefonar para Belle Flint, que contou que você foi visitar sua família. Então liguei para o serviço de informações e me mandaram procurar Grinstead. Uma senhora atendeu e disse, "Você deve estar procurando minha nora", e me passou seu número... Mas você disse que voltaria ontem!

— Ou hoje — Delia corrigiu. — Provavelmente vou pegar um ônibus hoje à tarde, só vou saber ao certo quando...

— É o *corretor*? — Susie perguntou do alto da escada. Delia cobriu o bocal do fone.

— Não é, não. — E voltou a falar com Noah. — É melhor você ficar deitado no sofá. Vou voltar para casa assim que puder. Até logo.

Quando desligou percebeu que todos olhavam para ela.

— Muito bem! — disse animadamente.

Pela expressão deles, parecia que tinha cometido um crime.

Nessa hora Sam entrou com seu casaco branco. Era sua hora de almoço e eles ainda tomavam o café-da-manhã. Linda estava sentada no seu lugar, mas não deu sinal algum de que sairia dali.

— Olhem quem vem aí, nosso médico — falou, num tom ácido.

— Sam, o que você...? — Delia começou a falar, mas parou de repente ao perceber que não tinha mais obrigação de servi-lo.

Sem tomar conhecimento disso, ele sentou-se no lugar de Susie e falou:

— Qualquer coisa serve. Sopa.

Sopa devia ser sua alimentação diária, pois era a única coisa que tinha no armário — uma sopa especial, sem sal, sem gordura, sem gosto definido, com um coração no rótulo. Abriu a lata de sopa de cogumelo com leite de soja e jogou dentro de uma panela.

Sam perguntou a Carroll por que ele não tinha ido à aula. Usou uma técnica errada, uma abordagem agressiva, que só serviu para deixar o filho zangado e continuar a tomar seu cereal na tigela. Delia percebeu que os dois — na verdade, todos na cozinha — não estavam mais tão surpresos com a presença dela desde o dia anterior. Já tinham perdido aquela atitude de cerimônia.

Sam falou que a probabilidade remota de casamento de uma irmã não era motivo suficiente para matar aula.

— O que *você* sabe sobre isso? — Carroll perguntou. — Alguns garotos da minha classe matam aula até para ir ao jogo dos Orioles, pelo amor de Deus.

— Veja como fala, mocinho — disse Sam. Delia continuou a mexer a sopa, imaginando Sam girando no ar como uma pipa ou flâmula, como uma biruta mudando de forma conforme as mudanças do vento. Em certo sentido ele era gentil, reservado e bem-intencionado, em outro era exigente e sem senso de humor. Lembrou-se de repente de que no dia em que se conheceram achou que ele tinha um ar *muito* superior, puritano demais e levou um certo susto. Mas apagara essa primeira impressão e só foi se lembrar disso naquele momento.

— Por favor, tio Sam, ele não pode ficar em casa só hoje? — Marie-Claire perguntou.

A campainha tocou antes que ele pudesse responder. Todos se entreolharam e o gato fugiu para o porão.

— Eu não estou — disse Carroll com a boca cheia.

Delia abaixou a chama do fogo da sopa e foi ver quem era.

Pela vidraça iluminada pelo sol viu Driscoll Avery na porta da frente, olhando para o lado e assobiando. Assobiando, meu Deus! Abriu a porta e disse:

— Oi, Driscoll.

— Oi, Sra. G.! Que dia maravilhoso! — e foi entrando.

Era verdade. O outono tinha terminado da noite para o dia e o rosto rosado de Driscoll brilhava ao sol. Ele usava roupas de fim de semana, embora fosse uma terça-feira. Delia fechou a porta para o frio não entrar.

— Venha para a cozinha tomar o café da manhã. Ou almoçar, ou o que preferir.

— Não, obrigado. Só quero falar um instante com a Susie.

— Acho que ela está acordada, mas ainda não desceu.
— Eu posso subir?
— Não sei se ela...
— Por favor, Sra. Grinstead. Acho que entendi agora. Sei o que devo fazer para ela se casar comigo.

Delia olhou-o com ceticismo.

— Posso subir? — E sem esperar permissão dirigiu-se para a escada.

Lá na cozinha todos estavam esperando.

— Quem era? — Linda perguntou.
— Era Driscoll.
— Driscoll? — as gêmeas exclamaram.
— Subiu para falar com Susie.

As gêmeas empurraram as cadeiras para trás e Linda disse:

— Fiquem exatamente onde estão.
— Nós não podemos só...?
— Eles não vão decidir nada com duas pestinhas à volta.

Delia voltou para o fogão, mexeu a sopa até começar a borbulhar e despejou-a num prato fundo — um líquido cinzento que parecia água suja.

— Sua sopa esquisita — disse, colocando o prato diante de Sam. Achou a frase engraçada e deu um risinho, mas Sam olhou-a com ar severo.

— Obrigado, Delia — falou, com seu ar determinado.

As gêmeas estavam atormentando Linda para deixá-las vestir as roupas de dama-de-honra e para passar a ferro as faixas que estavam um pouco amassadas. Delia colocou uma colher ao lado do prato de Sam e ele agradeceu de novo.

— Vá pegar seus livros. Meio dia de aula é melhor que nada — disse para Carroll.

— Estou esperando para saber o que Driscoll veio dizer — Carroll falou.

— Driscoll não tem nada a ver com isso.

— Tem, se o casamento finalmente acontecer. Além do mais, meus livros não *estão* aqui. Estão na casa de Velma. Pronto.

Sam começou a tomar a sopa, com muita pose.

— Eu fui para o colégio durante todo o outono por conta própria. Por que agora que estou na sua casa sou tratado como um menino de 2 anos de idade?

— Porque está se comportando como um menino de 2 anos de idade.

Carroll saiu da mesa, arrastando a cadeira no chão e deu de cara com Driscoll que apareceu naquele instante na porta da sala de jantar.

— Oi, pessoal.

— Driscoll! — as gêmeas gritaram. — O que ela disse? Disse sim?

Decerto não tinha dito sim, pois Driscoll desceu depressa demais. Além disso, dava para ler a má notícia no seu rosto sombrio, com o queixo preso. Ele deu um suspiro profundo, pegou uma cadeira na sala de jantar, levou-a para a cozinha e sentou-se pesadamente junto de Carroll.

— Susie disse que tenho de fazer isso sozinho.

— Fazer o quê?

— Fiquei pensando durante toda a noite — falou, dirigindo-se a Delia, que se sentara no seu lugar habitual na ponta da mesa. — Pensei, *O que Susie quer?* E então percebi que tinha de resolver as coisas com aquele garoto que telefonou. Mas a única pessoa que poderia saber o nome dele era a menina com quem ele estava tentando falar — Courtney. Hoje de manhã comecei a fazer várias combinações possíveis com o número errado de vocês para encontrar Courtney.

— Nossa senhora! — disse Linda.

— Bom, foi mais simples do que parecia. Tive de trocar a posição de dois dígitos, só isso. Na minha décima tentativa consegui falar com a mãe de Courtney, acho que era ela, que me disse que a filha estava no colégio.

— Ah! — as gêmeas disseram em uníssono.

— Falei que precisava entregar a Courtney umas anotações de história, e que se ela não se importasse passaria por lá depois do colégio. Mas precisava saber o endereço certo.

— Legal — disse Carroll.

Até Sam ficou um pouco interessado. Parou de tomar a sopa e ficou observando Driscoll, com as sobrancelhas levantadas.

— Tive sorte de a mãe acreditar na história. Ela me deu o endereço na mesma hora, fica aqui no bairro. — Fez uma pausa, pensativo. — Carroll, *você* conhece alguma Courtney?

— Conheço umas seis ou sete.

— Alguma na Deepdene Road?

— Ao que eu saiba, não.

— Bom, agora só falta perguntar quem foi o garoto que ligou para ela.

— E se ela não tiver idéia de quem ele é? — Delia perguntou.

— Deve ter *alguma* idéia, se ele andou atrás dela, se deu algum sinal.

Sam voltou a tomar a sopa, balançando a cabeça.

— Então fui pedir à Susie para ir comigo na casa da Courtney depois do colégio. Eu não posso fazer isso sozinho! Um cara estranho aparecendo e fazendo um monte de perguntas... Mas Susie disse que não vai.

— Não? — Linda repetiu.

— Não. E me mandou descer no mesmo instante. Disse que vou ter de fazer isso sem ela. Vou ter de trazer o garoto pessoalmente para ela, se quiser ser perdoado.

*Se você quiser merecer a mão da princesa,* Delia pensou, pois a incumbência tinha alguma coisa de conto de fadas. Sentiu pena de Driscoll, embora ele parecesse estar recuperando seu bom astral.

— Então, agora depende da Sra. G. — disse, quase animado.
— De mim!
— A senhora pode ir comigo na casa de Courtney depois do colégio?
— Mas, Driscoll, eu...
— Eu vou — Thérèse falou.
— Eu e Thérèse vamos — disse Marie-Claire.
Driscoll não lhes deu atenção.
— Sra. Grinstead, não pode imaginar como me sinto. Sinto como se tivesse uma... nuvem no peito! Pensei primeiro que Susie tivesse tido uma crise nervosa, uma crise passageira, fiquei furioso da vida e fingi ignorar isso... Mas quando comecei a pensar fiquei realmente triste, mas ainda muito zangado e cansado de tudo aquilo, cansado de pensar, na mesma coisa, cansado de mim. Então falei comigo mesmo, "Eu devia estar contente de me livrar dela. Ela sempre me irritou um pouco". Mas depois falei, "Ela bem podia me dar outra chance! Como as coisas puderam chegar a esse ponto? Quando tudo começou a sair dos trilhos sem eu notar?"

Sam pôs a colher na mesa, Linda deu um suspiro profundo e Delia disse:

— Bom, eu... vou com você. Duvido que possa ajudar muito mas vou tentar.
— Oh, meu Deus, obrigado, Sra. G. — disse Driscoll.
— Mas não sei se vai funcionar — Delia falou.
— Vai funcionar sim — ele falou, levantando-se. — Se o colégio termina às 2h45, digamos 3 horas, venho pegar a senhora por volta de...

Não era a isso que Delia se referia. Queria dizer que Susie talvez se recusasse a casar-se mesmo depois que ele se desculpasse. Mas achou melhor não dizer mais nada. Nem se despediu dele, porque quando ele ia saindo o telefone tocou.

Daquela vez era Joel.

— Delia?

— Sim — ela disse com uma voz calma, olhando para sua família. Todos a observavam menos Sam, que parecia estar examinando a mesa.

— Onde *você* está?

Era uma pergunta tão ilógica que ela não conseguia pensar como responder.

— Hummm... — disse.

*Onde você está?* Sam tinha perguntado ao telefone meses atrás e ela imaginou se a pergunta dele tinha o mesmo sentido da pergunta de Joel.

Então Joel, como que se recompondo, disse:

— Vim para casa almoçar com Noah e ele me informou que você ainda não saiu de Baltimore. Achei que devia perguntar se está tudo bem.

— Está tudo bem, sim.

Gostaria que os outros voltassem a conversar, mas todos mantiveram-se calados.

— Mas você está planejando voltar, não é? Quer dizer, mais tarde. Fui olhar no seu guarda-roupa... não estava tentando espionar, mas dei uma olhada e notei que você não deixou nenhuma roupa aqui.

— Nenhuma?

— Pensei que tivesse nos deixado para sempre.

— Oh, não, é que... as coisas estão demorando mais do que eu imaginava.

Sam levantou-se e saiu da cozinha.

Lá de cima Susie gritou.

— Mãe? Mãe?

— *Não é o corretor!* — Delia gritou.

— Como? — Joel perguntou.

— Desculpe, Joel, preciso desligar agora. Até mais tarde.

E desligou o telefone.

— Como *você* é popular — Linda disse.

Delia deu uma risada de improviso e começou a tirar a mesa.

Quando subiu, viu que Joel estava certo, tinha trazido todas as suas roupas. Ou melhor, quase todas. Se ele tivesse olhado na sua cômoda teria encontrado bastante coisa. Mas antes de viajar pensou no tempo instável e no tipo de roupa que devia usar no casamento, e resolveu fazer a mala como se fosse passar vários dias fora. Imaginou Joel perplexo em frente ao seu armário, de testa franzida, ao ver os cabides vazios. Fechou a mala abruptamente e passou a correia em volta.

Atravessou o corredor e foi até o quarto de Sam. Deixara muita coisa para trás ali. Estranho não ter pensado em usar na cerimônia do casamento alguma roupa do seu antigo guarda-roupa! Ou talvez não fosse tão estranho, pois eram roupas cheias de babados e enfeites. Foi até a cômoda e encontrou na gaveta de cima um laço azul de cabelo, alfinetes de segurança, canhotos de talões, tudo meio sujo de talco. Encontrou também uns óculos escuros com uma lente faltando, um recibo de compra de loção para as mãos, uma foto rasgada de uma modelo com um vestido preto fino e simples. Não podia imaginar-se usando uma roupa assim, e depois de examinar bem a foto lembrou que era a modelo que lhe chamara a atenção, não o vestido. Uma modelo esguia com o mesmo corte de cabelo de Rosemary Bly-Brice.

Ouviu passos na escada e fechou a gaveta depressa, como se fosse uma ladra. Ao virar, viu Sam parado na porta.

— Oh — disse.

— Eu estava só... — Sam falou.

Os dois pararam onde estavam.

— Pensei que você estivesse atendendo seus pacientes.

— Não, já terminei por hoje.

Sam pôs as mãos nos bolsos da calça, e ela ficou sem saber se devia sair pois ele estava no meio do caminho, ficaria estranho.

— Atualmente trabalho só na parte da manhã. Não tenho mais tantos pacientes. Metade morreu de velhice. A Sra. Harper, a Sra. Allingham...

— A Sra. Allingham morreu?

— Teve uma isquemia.

— Oh, vou sentir falta dela — disse Delia.

Sam foi muito gentil em não dizer que ela perdera contato com a Sra. Allingham há quase um ano e meio.

Sua cama estava feita mas, como a maioria dos homens, ele não fez a dobra para passar por baixo dos travesseiros. A colcha estava bem esticada mas entortava ligeiramente na cabeceira. Para fazer alguma coisa, Delia começou a ajeitar os travesseiros e alinhar a colcha.

— Você acha que eu destruí a clientela do seu pai, não é? — disse Sam.

— Como?

— Que me tornei uma sombra da antiga glória dele, não é o que você pensa?

— Não é sua culpa as pessoas morrerem de velhice — disse Delia.

— Mas é minha culpa não conseguir nenhum paciente novo. Não sei tratar dos pacientes com o mesmo cuidado que seu pai tratava, obviamente. Quando eles têm uma simples indigestão, não uso a palavra dispepsia para suavizar. Nunca fui de lisonjear e paparicar meus pacientes.

Delia sentiu uma pontada de irritação que lhe era familiar. *Eu não consideraria "dispepsia" uma lisonja,* teve vontade de dizer. *Não sei por que você tem de usar esse tom amargo e cortante toda vez que fala sobre o meu pai.* Ficou parada do outro lado da cama.

— Por que você está mancando assim? — Sam perguntou.

— Mancando?

— Parece que está forçando mais um pé que o outro.

— Ah, isso aconteceu há uns dois meses, mas está quase bom.

— Sente aí um instante.

Delia sentou-se na beira da cama e ele ajoelhou-se e tirou-lhe o sapato, passando os dedos pelo seu pé com aquela precisão que denotava habilidade e conhecimento.

— Seus pacientes nunca reclamaram, ao que eu saiba. Sempre consideraram você um santo — ela disse, com voz muito suave.

— Creio que não consideram mais — Sam disse, olhando pela janela enquanto localizava um tendão, como se esperasse ouvir a lesão e não ver. — No outro dia a Sra. Maxwell me telefonou queixando-se dos seus problemas de estômago e eu disse, "Se eu pensasse assim, Sra. Maxwell, também teria uma lista de queixas. Meus olhos queimam, a cabeça dói e o joelho está ruim". É claro que ela se ofendeu. Ao que parece perdi minha tolerância. Ou talvez nunca tenha sido tolerante na vida. Eu não sou de natureza... muito aberta, tenho pouca alegria, como você diria.

Ao ouvir isso Delia sorriu, mas ele estava concentrado no seu ornozelo e não notou.

— Aqui dói? E aqui?

— Um pouco.

Lembrou que Joel tinha segurado no seu pé exatamente da mesma forma. Mas, pensando bem, o toque de Joel era estranho, distante, não muito real.

— Acho que foi por isso que me casei com você — Sam disse. Será que ela tinha perdido alguma coisa da conversa? — Você era extremamente alegre quando nos conhecemos. Ou melhor... despreocupada. Hoje vejo que escolhi você pelas razões erradas.

Ela encolheu-se ligeiramente.

— Lá estava você sentada naquele sofá, ao lado das suas duas irmãs assustadoras. Eliza falava sobre algas marinhas e doses tóxicas de vitamina, Linda usava palavras como *louche* e *distingué*. Você era muito tímida, bonitinha e desajeitada, e sorria com o copinho de xerez na mão. Achei que conseguiria te controlar e nunca parei para me perguntar por que precisava acreditar nisso.

Soltou o pé de Delia e sentou-se nos calcanhares.

— Levante-se, por favor. — Delia levantou-se e ele apertou os olhos. — Parece um pouco inchado. Eu diria que você teve ruptura de ligamento. Os ligamentos demoram a curar. O que aconteceu?

Ela tinha sido pouco cuidadosa, mas não quis dizer isso. E nem precisou, pois ele continuou com suas lembranças.

— Quando você foi embora, a polícia colaborou muito a princípio. Mas depois acharam que você tinha ido por vontade própria e começaram a fazer conjecturas. Eu também fiz. Perguntei a Eliza quando ela voltou da visita que fez a você, "Foi por minha causa? Eu tive alguma parte nisso?" Talvez eu não tenha me expressado bem sobre aquele seu amigo. Ou tenha implicado com seu filtro solar. Ou você não tenha gostado de ver os pêlos brancos do meu peito. Ou talvez essa questão da minha angina tenha se tornado cansativa.

— O quê? — ela disse. — Isso não é justo!

— Não, não, eu exagerei durante um tempo. Verificava meu pulso a cada 2 minutos. Pensava que ia morrer de repente, como meu pai! — Sam levantou-se, esfregando os joelhos apesar de não estarem empoeirados. — Mas Eliza disse que não era nada disso. Disse que você estava sofrendo de estresse. Até agora não sei bem o que ela quis dizer.

*Nem ficou muito claro para mim*, ele tinha escrito, *a que "estresse" você se referia*. Foi uma pena ela ter jogado aquela carta fora, talvez o tom da carta fosse menos frio do que ela imaginara. Lembrou das palavras apagadas, lembrou que eram muitas no final, quase sem vírgulas, como se ele quisesse chegar rápido à última frase — que tinha riscado com tanta perfeição que não deu para ler nada.

O telefone da mesa-de-cabeceira começou a tocar, mas nenhum dos dois atendeu.

— O problema é que a gente se faz perguntas demais, "meu erro foi esse, foi aquele?", e acaba acreditando que fez *tudo* errado a vida inteira. Mas agora que estou chegando ao fim, estou indo depressa demais para parar e mudar. Estou... *escorregando* para o fim da vida.

Susie gritou.

— Mãe?

— Como aquele programa antigo de Jackie Gleason na televisão, que abria com um zoom sobre uma baía. Era Miami? Manhattan? Aquela longa passagem pela água vitrificada, exatamente a minha imagem da morte. Sem freio! Sem tração! Sem tempo para fazer um retorno proibido.

— Mãe, telefone!

— É melhor você atender.

Mas Delia não tirou os olhos dele. Não se moveu.

— O telefone, Delia.

Depois de um instante ela pegou o fone.

— Alô?

— Delia?

— Oh, Noah.

Os ombros de Sam caíram e ele virou-se para a janela.

— Você não está vindo? — Noah falou num tom exigente.

— Não — disse, de olho em Sam, que olhava o jardim com a testa encostada na vidraça. — Só vou poder resolver alguma coisa na parte da tarde.

— Mas já é de tarde e eu estou me sentindo sozinho! — Ao que parecia, a doença fizera com que ele voltasse a ser a criança espontânea que ela tinha conhecido. — Não tenho ninguém para tomar conta de mim! Meu avô veio aqui mas não pôde ficar, e o remédio para tosse acabou.

— Mas há outra caixa no... seu avô foi a Bay Borough?

— Por uma fração de segundo.

— O que ele queria?

— Disse que estava dando uma volta, depois foi embora. Eu disse que estava doente mas *ele* nem se importou. O papai falou que não tenho febre, mas a mamãe só pode vir aqui depois do trabalho porque parece que houve algum problema no estúdio da televisão.

— Então leia um livro. Vou voltar para casa assim que puder. Esta noite ou talvez amanhã, diga ao seu pai, está bem?

Noah deu um suspiro teatral e ela se despediu.

— Desculpe — disse para Sam. — É que...

— É óbvio que você tem coisas para fazer — disse Sam, indo para a porta.

— Sam?

Ele parou e virou-se.

— Era o menino de quem eu tomo conta.

— Eu deduzi isso — ele disse, quase sem mover os lábios.

— Ele está gripado.

— E você tem de "voltar para casa" para ficar com ele.

Sua voz tinha aquele tom duro e frio que a fazia estremecer por dentro, mas ela forçou-se a dizer com calma:

— Bom, é lá que eu moro.

— Eu posso não ser perfeito, Delia, mas pelo menos não tento me iludir — disse Sam.

— O que quer dizer com isso?

— Não ando por aí tentando voltar o relógio para trás. Livrando-me dos meus filhos quando eles ficam difíceis e cuidando de um outro *menino* mais fácil.

Delia olhou fixo para ele.

— Que teoria mais absurda! O que você sabe sobre isso? Talvez ele não seja tão fácil assim! Talvez seja tão difícil quanto os outros!

— Se for assim, pode livrar-se dele também.

— Eu não me livrei dele! Vim para o casamento da Susie mas vou voltar assim que puder. Não tenho intenção de me livrar dele.

Sam estudou-a, impassível.

— E eu disse que você tinha essa intenção?

Enquanto ela procurava as palavras para responder, ele saiu do quarto.

Um dos problemas de Delia era ter vontade de chorar quando se zangava, o que a deixava ainda mais zangada. Ali estava ela na cozinha, lavando os pratos e lutando contra as lágrimas. Linda tentava consolá-la.

— Calma, calma. *Nós* te amamos, Dee. Seus filhos te amam. Cuidado, essa tigela foi da vovó. *Nós* estamos do seu lado.

— Eu estou bem — disse Delia, limpando os olhos impacientemente com uma das mãos e pondo água na esponja já meio apodrecida e malcheirosa.

— Você não tem de agüentar isso — disse Linda. — Mande o Sam às favas. Diga para ele fazer as malas. Esta casa é nossa, não dele. Você é que devia estar morando aqui.

Delia teve de rir.

— Verdade? Com que dinheiro? Se não fosse por Sam teríamos perdido esta casa há muito tempo. Quem você acha que paga os impostos prediais? E a manutenção da casa, e as contas e todos esses melhoramentos?

— Você chama de melhoramento tirar todas as plantas da casa? Eu chamo de autoritarismo! E sabe que ele pretende pintar as persianas de vermelho?

— De vermelho?

— Vermelho tipo corpo de bombeiros, foi o que disse para Eliza. Mas Eliza falou que ele já está meio cansado dos seus projetos. Pense só! As persianas vermelhas pareceriam um homem bem velho de cabelo pintado. Você deve ter notado que Sam só começou a agir assim depois do seu ataque cardíaco.

— Dor no peito — Delia corrigiu mecanicamente.

Susie entrou, de jeans e com um suéter azul-marinho de Carroll.

— A que horas vamos almoçar? — perguntou a Delia.

— Almoçar? Bem...

— Ele é um bom caça-dotes, isso sim. Ficou de olho em você assim que foi contratado pelo papai.

— Quem? — Susie perguntou.

— Sam Grinstead, quem poderia ser? Ele planejou casar-se com sua mãe antes de pôr os olhos nela.

— É mesmo?

— Oh, Linda, se formos ao fundo das coisas eu planejei me casar com ele também. Ficava sentada naquela mesa da recepção pedindo que alguém entrasse e me salvasse.

— Salvasse de quê? — Susie perguntou.

Delia ignorou-a.

— Veja nossa própria avó. Casou-se com Isaiah para fugir de T.B. Imagine o filho honesto do lenhador casando-se com a princesa do seu reino!

— Quem era T.B.? — Susie perguntou com insistência. — Que lenhador? De que vocês estão *falando?*

Linda passou o braço em volta dos ombros de Susie de uma forma íntima e confiante, excluindo Delia.

— Se sua mãe tivesse metade do seu juízo, daria um chute no seu pai, arranjaria um emprego e se mudaria para Baltimore.

— Eu já tenho um emprego. Tenho uma vida em outro lugar!

E Bay Borough pareceu flutuar como uma pequena bolha azul brilhante, naquele momento tão distante, velada e vaga que ela pensou que talvez não existisse.


— O que eu espero é o seguinte — disse Driscoll a Delia. — Quando dissermos a Courtney que alguém ligou para ela, Courtney vai saber logo que é o sujeito a quem ela deu seu número. Lembre que ele telefonou para a casa de vocês três vezes. Não pegou o número dela no catálogo, deve ter escrito o número errado, você não acha?

— Suponho que sim — disse Delia. De fato parecia muito provável, mas ela não teve energia para dizer isso. Estava esperando lá fora no frio há 45 minutos. De vez em quando olhava por cima do ombro para a casa de tábuas de madeira de Courtney, mas já tinham tocado a campainha e ninguém atendera.

— Driscoll, já passou pela sua cabeça que Courtney pode não vir para casa direto do colégio? Susie costumava chegar em casa de noite alguns dias.

— Então vamos ter de esperar no escuro — ele disse.

Outros alunos estavam passando — meninos do Gilman de camisa e gravata e meninas de azul, ou alunos da Roland Park Country School.

— Devíamos segurar um daqueles cartazes, como fazem nos aeroportos.

Driscoll amarrou a cara.

— Você não podia ter trazido Pearce em vez de mim? — Delia perguntou.

— Quem é Pearce?

— Sua irmã, pelo amor de Deus!

— Spence?

— Desculpe, confundi o nome — disse Delia rindo, e ele amarrou ainda mais a cara.

— Spence está trabalhando. Mas duvido que ela viesse, pois acha que eu não devia me casar.

— Acha mesmo?

— Por que ficou tão chocada? A senhora não é a única contra esse casamento.

— Eu disse que era contra?

— Se não disse, age como se fosse. Veio se arrastando até aqui, desejando que eu tivesse trazido outra pessoa.

— É que estou ficando com frio, só isso.

— Para sua informação, toda a minha família diz que eu deveria ficar solteiro.

Delia ficou magoada.

— Bom, muito obrigada!
— Eles gostam de Susie, mas a senhora sabe... Minha mãe está sempre dizendo "Por que nos misturar com esses Grinstead?"
— Não há nada de errado com os Grinstead!
— Não, mas... — Ele seguiu com os olhos um grupo de colegiais que passavam. — A senhora tem de admitir que vocês são muito... fazem as coisas de forma diferente. Não se misturam, não participam, vivem do jeito que querem, como a senhora, e fingem que é normal. Fingem que *tudo* é normal, são muito disfarçados e afáveis, mascaram as coisas, não explicam.

Delia respirou de novo. Ele podia ter mencionado defeitos muito piores, embora não soubesse exatamente quais.

— Bom, eu diria que são mais qualidades que defeitos.
— Está vendo? É exatamente isso que eu digo!
— Veja quem fala! Logo você, que apareceu mesmo com o casamento cancelado! Isso não é mascarar as coisas?
— Pelo menos não me fiz passar por um convidado como outro qualquer, chegando na última hora como se a noiva fosse uma mera conhecida.
— Eu teria vindo antes, mas ninguém me pediu! — disse Delia.
— Está vendo o que eu digo?

Um carro parou junto da calçada, uma caminhonete cheia de gente. Uma menina desceu, cheia de livros.

— Obrigada! — disse a menina. O carro buzinou e foi embora.

— Courtney? — Driscoll perguntou.

A menina parou na calçada. Era loura, como Delia imaginava, alta e esguia, de pele dourada, e vestia-se de forma despojada — o blazer era muito bem cortado mas as meias três quartos escorregavam dos joelhos.

— Sim?

— Meu nome é Driscoll Avery. Há duas noites atendi um telefonema que acho que devia ser para você.

Courtney inclinou a cabeça e o cabelo com corte pajem virou para o lado.

— Um sujeito ligou para o número errado e minha noiva ficou zangada porque eu fui meio grosseiro. Preciso saber se você tem idéia de quem pode ter te telefonado.

Courtney olhou para Delia.

— Eu sou a mãe da noiva dele — Delia explicou. A palavra "noiva" lhe fez lembrar alguém com um chapéu redondo sem aba, nada a ver com Susie. Sentiu-se uma verdadeira mentirosa. — Driscoll está dizendo a verdade, eu juro. Um garoto telefonou perguntando por Courtney, e Driscoll disse que Courtney não queria falar com ele.

— Você disse *isso?* — Courtney perguntou, com ar sério.
— E se fosse alguém com quem eu quisesse muito falar?

— Como quem, por exemplo? Quer dizer, havia esse alguém?
— Michael Garter.

— Você deu seu número para Michael Garter?
— Não, mas está no catálogo.

— Você acha que foi ele que te telefonou?
— Talvez. Podia ser ele. É claro que sim! — disse vagamente.
— Daqui a duas semanas vai haver uma festa... — disse para Delia.

— Mas você na verdade não deu seu número a ele — disse Delia.

— Não.

— Você se lembra de alguém a quem tivesse dado?

— Não. Bem, vamos ter essa grande festa. E Michael Garter é um cara que eu conheço. É o segundo cara mais popular do colégio.

— Mas... — Delia começou, mas foi interrompida por Driscoll.

— Que ótimo! Vamos indo! — ele disse.

— Você deu o número a alguém? — Delia insistiu.

— Bom, os caras estão sempre querendo meu número, sabia? E eu dou, mas só para ser gentil. Nunca sairia com eles.

— Você daria um número errado? — Delia insistiu.

— É claro, quando eles não me interessam.

— Digamos, você trocaria uns dois dígitos?

— Talvez.

— E fez isso recentemente?

— Talvez tenha feito com o cara do meu grupo de aula de religião.

— Qual é o nome dele?

— Mas acho mais provável ter sido Michael Garter — disse Courtney.

— O nome do garoto do seu grupo de religião...

— É Paul Cates. Mas ele é um bobão. Você também acharia isso se visse o cara.

— Aposto que foi Michael Garter — Driscoll disse calmamente.

Courtney lançou-lhe um olhar de gratidão.

— Então é só dizer a Driscoll todas as possibilidades para ele poder descobrir quem telefonou — disse Delia.

— Talvez eu possa ajudar. Posso mostrar exatamente onde Michael Garter joga futebol.

Mas qualquer pessoa com um mínimo de inteligência procuraria Paul Cates primeiro. Tentando transmitir isso, Delia virou os olhos para Driscoll.

— Hein? E esse Paul Cates também joga futebol?

Delia preparou-se para ir embora, pondo a alça da bolsa no ombro.

— Uma boa caçada para vocês — Courtney disse para Driscoll.

— Então você não vem com a gente?

— É melhor irem sozinhos.

Ele abriu a boca para argumentar, mas Courtney acrescentou:

— Prazer em conhecer vocês.

Delia despediu-se e foi saindo.

Estava contente de ficar sozinha por algum tempo. A vida em família era sempre assim tão sufocante? Como ela tinha conseguido manter sua sanidade mental? Mas então lembrou-se que, pelo menos na opinião de Sam, não tinha.

Na Roland Avenue passou por uma agência de turismo, pelo Banco Mercantil e pelo supermercado Eddie's. Teve o cuidado de não olhar para os outros pedestres, pois podiam ser conhecidos. Imagine se perguntassem por onde ela tinha andado todos aqueles meses e o que planejava fazer daí em diante! Ou se encontrasse Adrian Bly-Brice!

O engraçado é que não conseguia mais lembrar-se da cara dele, por mais que tentasse.


— Delia — disse Linda baixinho na porta da frente. — Tem alguém esperando por você.

— É mesmo?

Delia ficou corada, mas Linda falou:

— Um senhor *idoso*. Pode ser Nat o nome?

— Oh!

As duas atravessaram a sala de jantar e foram até a cozinha. Nat estava sentado à mesa com Susie e as gêmeas, mas levantou-se quando Delia entrou.

— Aí está ela! — falou.

Longe de Senior City ele parecia mais velho. O cabelo era tão branco que brilhava e ele apoiava-se totalmente na bengala. Devia estar tendo uma de suas crises.

— Nat? Está tudo bem? — Delia perguntou.

— Está, sim, muito bem. Oi, minha querida. — Deu-lhe um beijo no rosto, arranhando-a com a barba. — Eu estava dando uma volta de carro e pensei em oferecer uma carona de volta para você.

— Dando uma volta... em Baltimore?

— É, por essas redondezas.

Ficou intrigada, mas não insistiu.

— É muita gentileza sua, mas não sei exatamente quando vou embora. — Olhou para Susie, que tomava café e a observava. — Driscoll ainda está cuidando daquela questão do telefone — disse para ela.

As gêmeas se cutucaram. Nat disse:

— Eu soube disso tudo! Sua irmã me contou. Como vão indo as coisas? Vocês localizaram o pobre garoto?

— Bom, o cerco está se fechando um pouco. Nat, há alguma coisa errada lá em casa?

— Errada! Por que está perguntando isso? Não se pode mais dar uma volta sozinho por aí?

Linda colocou uma caneca de café na mesa e ele sentou-se de novo e pôs a bengala de lado.

— Obrigado, meu bem.

— Creme? Açúcar? — Linda perguntou.

— Café preto, obrigado. — Virou-se para Delia e disse: — Você nunca falou que tinha uma irmã. E uma filha tão encantadora! E duas sobrinhas lindas!

Havia algum exagero no seu entusiasmo, mas nenhuma delas percebeu.

— Ela não tem só uma filha, tem também dois filhos — Marie-Claire explicou.

— Dois filhos! — Nat ficou maravilhado. — Onde ela escondeu os garotos?

— Carroll está escondido lá em cima, porque teve uma briga com o pai. E Ramsay mora com uma namorada esquisita em um lugar que não sabemos onde fica.

Nat olhou para Delia com um ar interrogativo.

— É verdade — ela disse com uma risada. — Você vai ter de nos desculpar. Ninguém aqui anda se falando muito.

— Tive a impressão de que estão se falando.

— Falando sim, mas...

Desistiu de explicar e foi se servir de café. Nat continuou a conversar com as gêmeas.

— E vocês todos moram nessa casa grande? Todos menos Ramsay e a namorada esquisita?

— Não, ninguém mora aqui! Só o tio Sam.

— Tio Sam! Essa casa é propriedade do governo?

As gêmeas riram da piada e Thérèse falou:

— Que bobagem! Tio Sam é o marido de Delia.

Delia percebeu o olhar de Nat na sua direção mas não se virou, e as gêmeas passaram a falar de Eliza.

— Tia Eliza queima ervas nuns potinhos. Tem um vidro especial chamado Forbearance, e cheira essa erva quando está de mau humor — disse Marie-Claire.

— Onde é que se compra isso? — Nat perguntou pensativo.

Delia foi pegar uma colher na gaveta de talheres e Susie estava de pé ali. Sua expressão despreocupada não a enganou, nem por um segundo.

— Então, ao que parece, Driscoll encontrou Courtney — disse.

— Encontrou.

— E fechou um pouco o cerco, como você disse, já sabem quem era o garoto.

— Bom, Courtney apresentou duas possibilidades.

— Então imagino que Driscoll vá falar com eles.

— Está pensando nisso — disse Delia.

Chegou junto da gaveta mas Susie lhe deu um espaço mínimo para passar.

— Pensei que você fosse com ele — disse.

— Mas como vê, eu estou aqui — Delia respondeu de pronto.

Susie devia gostar mesmo de Driscoll e os dois acabariam se casando. Como ela tinha sido ingênua levando a sério a briga deles! E como Susie parecia prudente, madura e prática! Delia deu um sorriso radiante e Susie examinou-a com cautela.

Sempre se falou da capacidade da mãe de ler os pensamentos dos filhos, mas isso não era nada comparado à capacidade dos filhos de ler os pensamentos das mães.

As gêmeas descreviam agora seus vestidos de damas-de-honra.

— Uns laços grandes e fofos...

— Ombros estufados...

— Da cor exata da pasta de dente Crest.

— Devem ser maravilhosos — disse Nat. — E quando estão planejando usar esses vestidos?

— Talvez hoje à noite — disse Marie-Claire, mas Susie interrompeu e disse:

— Amanhã.

Todos olharam para ela, que lançou um olhar desafiador para Delia.

— Quer dizer, se Driscoll me trouxer aquele garoto.

— Talvez ele faça isso nos próximos 5 minutos! — Linda disse. — Você poderia se casar hoje à noite se ele se apressar.

— É, mas o Sr. Soames só tem hora amanhã às 10 da manhã.

— Ele disse isso? — Delia perguntou. — Você conversou com ele? Quando?

— Hummm, há pouco tempo.

— Mas se nosso vôo de volta for amanhã ao meio-dia e ainda tivermos de ir até o aeroporto, vejamos...

Nat disse a Delia:

— Ao que parece, você não vai voltar comigo hoje.

Seu tom era bem-humorado, mas Delia continuava suspeitando de algum problema. Olhou para os outros, que ainda discutiam horários, depois perguntou:

— Nat, o que o trouxe aqui realmente?

— Nada, já disse.

— Você não dirigiu 2 horas sem razão alguma.

— Na verdade, 2h30. Houve uma pequena retenção na ponte.

Ela examinou-o bem.

— Como vai o bebê?

— Está florescendo.

— E Binky?

— Saudável como sempre.

— Ela sabe que você está em Baltimore?

— Eu acabei de ligar para ela. Sua irmã me deixou usar o telefone.

— E a gripe de Noah? — insistiu.

— É um mero resfriado. Passei por lá hoje de manhã antes de vir e ele estava jogando Tetris. Não vai morrer disso.

— É verdade, Noah não parecia muito doente. Talvez quisesse só tirar um dia de férias.

— É. Todos nós precisamos de umas férias de vez em quando.

Ouviram um barulho na porta de trás. Sam entrou com duas sacolas de mercado, uma com metade de uma baguete de fora.

— Encontrei o gengibre mas não tinham mais a cebolete que você pediu, Linda.

— Não faz mal, podemos usar cebola verde comum — disse Linda, pegando as sacolas. — Tudo bem, não é, Delia?

— Tudo bem o quê?

— Dá para fazer seu prato chinês com cebola verde comum, não é?

— Eu sempre uso cebola verde mesmo. Mas...

— Ótimo. Porque vamos ser tantos que achei que você podia fazer seu... Oh, Sam, você não foi apresentado ao Nat. Nat Moffat, esse é Sam Grinstead. Espero que possa ficar para jantar conosco, Nat. O prato chinês de Delia dá para alimentar um batalhão.

— Eu adoraria ficar para jantar — disse Nat, para surpresa de Delia. Levantou-se para ser apresentado, apoiado nas costas da cadeira. Sam, que não tinha idéia de onde Nat tinha surgido, apertou-lhe a mão com ar indiferente.

— Muito prazer — falou.

— O prazer é meu — disse Nat. E acrescentou, olhando para Delia com um ar malicioso: — Ouvi falar muito no senhor.

Sam não se impressionou, é claro. Deu um sorriso gentil e perguntou a Linda:

— Dá tempo de eu fazer um atendimento domiciliar antes do jantar?

— Pergunte a Delia, a cozinheira é ela.

— Eu prometi ao Sr. Knowles que iria vê-lo hoje — disse para Delia.

— Você tem bastante tempo.

Os dois falavam sem se entreolhar como se estivessem no teatro, onde os atores falam olhando para a platéia.


Assim que Delia viu Paul Cates soube logo que era ele que tinha ligado para Courtney. Um menino de rosto doce e ingênuo e cabelo vermelho desgrenhado. Seu jeans era um pouco curto, o modelo do tênis de sola fina era infantil, e o casaco de lã de xadrez era do tipo usado no colégio primário. Driscoll o trouxe para falar com Susie, que estava trepada em um tamborete descascando castanhas para a comida chinesa de Delia. Atrás dos dois veio Courtney (quem diria!), com as mãos enfiadas nos bolsos do blazer, olhando para Susie com evidente curiosidade. Susie virou-se quando eles chegaram e olhou para Driscoll.

— Susie, este é Paul Cates. Paul, eu gostaria de me desculpar. Quando você telefonou para cá por engano na outra noite, eu disse que era da casa de Courtney, mas foi muito errado da minha parte, muito errado.

Paul estava radiante.

— Tudo bem — disse.

Formalmente, Driscoll olhou para Susie de novo.

— Agora você se casa comigo?

— Acho que sim — Susie disse.

— Maneiro! — disse uma das gêmeas. — Beije o Driscoll, Susie — disse a outra.

Susie deu um beijo na boca de Driscoll e disse para Paul:

— Gostei de ver como você foi compreensivo.

— Eu não me importei nada! — ele falou, olhando para Courtney com seus cílios longos. Courtney lançou-lhe um olhar frio e virou-se para Susie.

— E foi muito gentil da sua parte vir até aqui, Courtney — Susie disse.

— Tudo bem. Eu e seu irmão Carroll nos conhecemos na primavera passada em uma festa.

— Verdade?

— Minha amiga deu uma festa de aniversário e ele foi convidado, e eu juntei uma coisa com a outra quando seu noivo disse o seu nome.

Paul estava menos feliz agora, então Delia interrompeu e disse:

— Vocês dois podem ficar para jantar? Vamos ter comida chinesa, que dá para todos.

— *Talvez* eu possa — disse Courtney.

— Eu só preciso ligar para minha mãe — Paul falou.

— O telefone está ali — Delia mostrou, segurando-o pelo ombro carinhosamente quando ele passou. Como era cruel e desconcertante — quase tribal — a forma como os meninos viam as meninas! Ela não percebia isso quando era garota.

— Quero propor um brinde ao casal de noivos — disse Nat, levantando a caneca de café.

Driscoll agradeceu, sem ter a mais leve noção de quem era aquele senhor idoso, mas brindou de bom humor. No telefone, Paul disse: "Alô, mãe." Carroll apareceu na sala de jantar e Eliza na porta de trás, e os dois tiveram de ser informados dos novos acontecimentos. Eliza, que não tinha ouvido falar da incumbência mágica de Driscoll, disse, com as sobrancelhas erguidas e abraçada com sua bolsa: "Quem? Ele trouxe quem?" — Courtney aproximou-se de Carroll e perguntou: "Carroll Grinstead? Está se lembrando de mim?" E as gêmeas disseram que dessa vez usariam batom no casamento.

Delia levou a tábua de cortar para um canto menos movimentado e começou a picar o gengibre. Seu prato chinês constava de 11 tigelas de ingredientes diferentes, picados do tamanho de uma cabecinha de fósforo, todos enfileirados para serem fritos. Até agora tinha picado só quatro ingredientes, mas deu graças a Deus de estar ocupada. Picou tudo de forma ritmada, sem prestar atenção às conversas em volta, deixando seus pensamentos de lado enquanto passava o monte de gengibre para uma tigela.


A mesa ocupava a sala de jantar inteira. ("Essa toalha estava guardada na arca da sua avó", dizia Linda às gêmeas. "Essa mancha foi onde a tia Delia colocou um pote de curry. *Ela* não se importa com esses detalhes, era a favorita do seu avô, trata tudo isso como se fossem coisas sem valor.") Eram 12 lugares ao todo — cinco de cada lado e dois nas cabeceiras. Tinham pensado em convidar Eleanor, mas Susie não quis ter 13 à mesa. Ligaram para Ramsay mas ninguém atendeu o telefone.

— Courtney, vou pôr você aqui no meio — disse Delia. — E você, Paul, ao lado de Courtney...

Mas Courtney decidiu sentar-se com Carroll e Paul acabou entre as duas gêmeas, que ficaram encantadas. Os outros permaneceram de pé, continuando uma conversa que tinham iniciado na sala — alguma coisa a respeito do problema no braço do Sr. Knowles.

— O papai sempre dizia a mesma coisa! — Eliza exclamou. — Dizia que gostaria que existisse um dicionário de dores para definir os sintomas dos pacientes, tipo "estômago-bolha de Pepsi".

— Driscoll, você se senta ao lado de Linda — Delia disse, mas Driscoll, fingindo entrar na conversa, foi se esgueirando e conseguiu sentar-se ao lado de Susie. Delia desistiu. — Então, podem se sentar onde quiserem — disse para Nat, que ficou ao seu lado, na cadeira que Delia reservara para ele. — Sirva-se de arroz — disse, passando-lhe a travessa e falando para os outros. — Venham logo para a mesa, a comida vai esfriar!

Eliza ficou à esquerda de Sam, sacudindo a cabeça enquanto ele falava.

— Quem sabe? Talvez seja tudo igual: unha encravada para um, câncer para outro. Tudo mais ou menos no mesmo nível.

— Sam Grinstead, você não acredita no que está dizendo! — Linda protestou. — Que sugestão mais bizarra!

— Paul, depois que se servir de mais arroz passe a travessa para cá, por favor. Todos sentados agora! — disse Delia.

Então, os que ainda estavam de pé sentaram-se e fizeram uma pausa, e Paul deixou cair a colher de servir com grande estrépito. Muito envergonhado, cerrou os dentes e pegou a colher do chão.

— Algum de vocês conhece as fotografias de C.R. Savage? — Nat perguntou.

Os adultos viraram-se gentilmente, com ar receptivo.

— Um fotógrafo do século XIX que usava o método antigo de colódio úmido, creio eu. Tirou uma foto inesquecível no final da vida de uma sala de jantar decorada para o Natal. O próprio Savage está sentado entre as cadeiras vazias, esperando a família. Várias cadeiras, os talheres arrumados na mesa, até uma cadeirinha alta de bebê, tudo pronto. E toda vez que vejo aquela foto penso, *Aposto que aquele dia foi ótimo, mas dali em diante tudo foi ladeira abaixo.* Os filhos e filhas chegando e brigando para ver quem vai ganhar as coxinhas de galinha, as crianças sendo repreendidas por não terem boas maneiras na mesa, os adultos lembrando de incidentes ocorridos 15 anos antes e o bebê abrindo um berreiro infernal. Mas no momento em que a foto foi tirada — Nat disse, com a voz trêmula — nada disso tinha acontecido ainda, a mesa estava muito bonita, um sonho de mesa, e o velho Savage estava muito feliz e muito... não sei bem que palavra usar para isso.

De repente sua voz falhou, ele cobriu os olhos com as mãos trêmulas e dobrou a cabeça.

— Muito antecipatório! — sussurrou e Delia deu uma palmadinha no seu braço. Todos estavam pasmos.

Então ele ajeitou os ombros e disse, limpando os olhos com o guardanapo:

— Desculpem, desculpem. Acho que é a depressão pós-parto.

— Nat tem um bebê de três semanas — Delia explicou aos outros. — Nat, você gostaria...

— Bebê? — Linda perguntou incrédula.

— Pensei que Nat fosse *seu* amigo, Linda — Sam disse.

— Não, ele é meu amigo — disse Delia. — Mora em Eastern Shore e acabou de ter um filho, um menino, um menino lindo, vocês deviam ver...

— A maior irresponsabilidade da minha vida — disse Nat com voz rouca. — Onde eu estava com a cabeça? Não foi nada planejado, mas... por que aceitei ter esse filho? Achei que era minha chance de ser um bom pai, finalmente. Sei que era isso, senão por que pensei que teria mais uma menina? Eu só tive meninas. Devo ter achado que podia começar tudo de novo, só que dessa vez direito. Mas sou tão impaciente com James como fui com minhas filhas. Tão rígido quanto, tão detalhista quanto. Por que ele não pode entrar num horário, por que tem de chorar em horas tão imprevisíveis? Oh, a melhor coisa que posso fazer por esse bebê é me mudar para o quinto andar.

— Para o quinto andar? Oh, Nat! Nem pense nisso! — disse Delia, apertando mais o braço dele.

Disse a si mesma que devia ter percebido que toda aquela exultação do casamento acabaria em lágrimas, como uma criança superexcitada que tem permissão de ficar acordada até tarde.

— Bom — disse Sam, pigarreando. — Isso é realmente muito comum em pais mais velhos. Exatamente na semana passada eu estava lendo isso, onde foi mesmo?...

— O importante é lembrar que essa é a sua missão — disse Eliza. Estava perto de Sam, e para ver o rosto de Nat tinha de inclinar-se para a frente, passando por vários perfis inexpressivos. — Eu acredito que recebemos certos encargos. E no final da vida...

— No *Jornal de Medicina de New England!* — Sam anunciou triunfante.

— Você tem um lugar aqui onde eu possa me deitar um pouco? — Nat perguntou a Delia.

— É claro — ela respondeu, empurrando a cadeira para trás e passando-lhe a bengala. — Com licença — disse aos outros.

Todos menearam a cabeça, confusos. Enquanto atravessavam o corredor, ela podia sentir os olhares furtivos nas suas costas.

— Você vai ter de subir um lance de escada. Acha que consegue?

— Consigo, se você segurar no meu outro braço. Desculpe, Delia. Não sei o que deu em mim.

— Você está cansado. Espero que não esteja pensando em ir dirigindo à noite.

— Não, acho que não devo.

— Vou arrumar sua cama — disse Delia quando chegaram ao segundo andar. — Mas você precisa ligar para Binky e dizer que vai passar a noite aqui.

— Tudo bem — ele disse com resignação. Entrou no quarto que ela abriu e jogou-se numa cadeira coberta com uma capa.

— Aqui era o quarto do meu pai — Delia explicou, indo até o corredor e voltando com um jogo de lençóis. — Junto da mesa ainda há um telefone, está vendo? Da época em que ele clinicava. Mesmo depois que parou de ver seus pacientes falava ao telefone sempre que Sam tinha um chamado, para dar uma segunda opinião. Meu pai detestava ser deixado de fora das coisas.

Ficou tagarelando enquanto arrumava a cama, alisando os lençóis e colocando os cobertores. Nat observou-a sem comentários. Talvez nem estivesse ouvindo o que ela dizia, pois quando ela voltou do quarto de Sam com um pijama emprestado encontrou-o olhando pela vidraça da janela.

— Na verdade — disse, pondo o pijama em cima da cômoda — nem sei quantas vezes fiz essa cama como estou fazendo esta noite, enquanto meu pai ficava sentado aí onde você está agora. Ele gostava que seus lençóis fossem secados ao ar livre, mesmo depois que compramos uma secadora automática. Sentava-se nessa cadeira e...

— É uma viagem no tempo — disse Nat de repente.

— É, imagino que seja, em certo sentido.

Mas Nat estava falando consigo mesmo, evidentemente.

— Um esquema maluco de viajar para trás e viver tudo de novo — disse, como se ela não tivesse falado. — Infelizmente, Binky é quem vai sofrer as conseqüências. Pobre Binky!

— Binky vai ficar bem! — Delia falou com firmeza. — Aquela porta à direita é o banheiro. Na prateleira acima da banheira há escovas de dente novas. Vai precisar de mais alguma coisa?

— Não, obrigado.

— Uma bandeja com alguma coisa para comer? Você não tocou no seu jantar.

— Não.

— Bem, se precisar é só me chamar.

Inclinou-se para lhe dar um beijo na testa, como costumava fazer com seu pai todas as noites.

Às nove e meia foi para a cama, pois estava lutando para manter os olhos abertos desde a hora do jantar. "Estou *moída*", disse. Estavam todos ainda sentados em volta da mesa, até mesmo Courtney, só Paul é que tinha voltado para casa com a mãe. "Parece que essa manhã ocorreu na pré-história" falou, subindo as escadas para ir para o quarto de Eliza, tão exausta que arrastava os pés como se fossem sacos de cimento.

Mas quando se deitou não conseguiu conciliar o sono. Ficou olhando para o teto e acariciando o gato junto dela. Lá embaixo, Linda e Sam discutiam como sempre. No rádio tocavam um concerto de Mozart. Eliza dizia, "Por que ele *não faria?*, eu pergunto."

Quem não faria? Delia imaginou. Não faria o quê?

Finalmente dormiu, mas um sono tão intermitente e leve que ela pensou que tivesse permanecido consciente o tempo todo, e quando acordou de novo notou, sem surpresa, que a casa estava escura e silenciosa. Sentou-se e virou o relógio para ver melhor à luz da janela. Parecia ser 23 horas ou 23h55. Mais provavelmente 23h55, decidiu, considerando o silêncio na casa.

Ajeitou o travesseiro e recostou-se na cama, bocejando. Lágrimas de tédio já chegavam no canto dos seus olhos. Seria uma daquelas noites que duram semanas.

Se o casamento começasse às 10 da manhã do dia seguinte deveria terminar às 11. Ou melhor, meio-dia. Ela chegaria na rodoviária ao meio-dia e meia, se conseguisse pegar uma carona com Ramsay. Ou com Sam. Afinal, ele tinha se oferecido.

Viu-se no banco do carona e Sam no volante. Como se fossem duas peças num carro de brinquedo. Marido peça, esposa peça, lado a lado. Olhando para a estrada e não um para o outro, pois há muito tempo não tinham o que dizer. Nenhuma esperança de admiração entre os dois, nenhuma chance de adoração incessante. Nada para expor a não ser suas próprias personalidades, verdadeiras e simples, na realidade muito mais ricas agora.

Onde ela estava mesmo? Na rodoviária. Pegar um ônibus à uma hora, chegar em Salisbury às...

Mas suas lágrimas não pareciam bem lágrimas de tédio. Secou-as na manga da camisola, mas voltou a chorar.

Dobrou as cobertas, tomando cuidado com o gato, e saiu da cama de pés descalços. Encaminhou-se para a porta e viu que o corredor estava iluminado só por uma lâmpada redonda, bem no alto. Foi ao quarto de Sam às apalpadelas.

Felizmente a porta estava entreaberta. Não fez um ruído quando entrou mas sabia que ele estava acordado. Depois de todos aqueles anos é claro que sabia, só pela qualidade do ar. Foi pisando com cuidado nas tábuas corridas frias, no tapete áspero e de novo nas tábuas corridas — terreno que conheceu desde o primeiro dia em que aprendeu a andar. Sentou-se quase sem peso no lado da cama que tinha sido dela. Sam estava deitado de costas. Podia sentir seu rosto no escuro. Murmurou:

— Sam?
— Hein?
— Sabe a carta que você me escreveu em Bay Borough?
— Sei.
— Qual foi a linha que você riscou?

Ele mexeu-se por baixo das cobertas.

— Risquei muitas linhas. Aquela carta estava confusa.
— Estou falando da última linha. A que você riscou tanto que não dava para ler nada.

Ele não respondeu a princípio. Depois disse:

— Esqueça.

O impulso dela foi levantar-se e sair porta afora, mas forçou-se a ficar. Ficou sentada, imóvel, esperando e esperando.

— Acho — disse ele finalmente — que foi... alguma coisa como o que Driscoll disse. O que eu poderia fazer para te convencer a voltar.

— Oh, Sam, você só precisava pedir.

Então ele virou-se para ela, Delia foi para baixo dos cobertores e ele puxou-a para mais perto. Mas na verdade ainda não tinha pedido. Não em palavras.

Muito depois de eles caírem no sono o telefone tocou e Delia levantou as cobertas de mansinho. Àquela hora devia ser algum paciente. Mas como Sam não mudou o ritmo da respiração, ela esticou o braço com cuidado para atender o telefone.

— Alô?

— Sra. Grinstead?

— Sim.

— Aqui é Joe Bright.

Uma voz brilhante, bem acordada e jovial para aquela hora da noite. Olhou o relógio e viu que era 1h23.

— Hum... — disse.

— O corretor.

— Ah, sei.

— A senhora me telefonou? A senhora e sua filha deixaram várias mensagens?

— Ah, sim — Delia falou, ainda sonolenta.

— Desculpe ligar a essa hora mas a senhora disse que era um caso de vida ou morte, Sra. Grinstead, e só agora voltei para a cidade. A mãe da minha mulher morreu subitamente.

— Sinto muito saber disso — disse Delia, sentando-se melhor. — Sr. Bright, eu telefonei porque... — Passou o telefone para a outra orelha. — Minha filha queria saber se poderá pôr pregos nas paredes.

Fez-se silêncio.

— Caso eles queiram pendurar alguns quadros, ou um espelho... — disse Delia.

— Pregos? — ele perguntou.

— Certo.

— Ela queria saber se podia pôr pregos nas paredes?

— Certo.

— Bom, é claro que sim. Desde que encham os buracos quando devolverem o apartamento.

— Ah, isso eles farão. Eu prometo. Obrigada, Sr. Bright. Boa noite.

Fez-se outro silêncio até ele dizer:

— Boa noite.

Delia colocou o fone no gancho. Achou que Sam estava dormindo, mas então viu que ele se mexia na cama com um sorriso matreiro. Lá fora um trem apitou. Uma tábua rangeu e um instante depois veio uma tosse do quarto onde Nat dormia. "É uma viagem no tempo" — Nat tinha dito.

Delia lembrou que tinha tentado recriar a imagem de Adrian naquela tarde. Começou com a semelhança dele com um namorado seu de colégio, mas só agora percebia que a imagem que lhe viera à cabeça era de Sam, não do namorado. Um Sam mais moço, sério e esperançoso, como no dia em que entrou pela primeira vez naquela casa.

*Tudo* tinha sido uma viagem no tempo — todo aquele ano e meio. Ao contrário da viagem de Nat, a dela tinha funcionado, pois terminara onde tinha começado, em casa com Sam para sempre. As pessoas que deixara para trás tinham realmente viajado ainda mais, de certa forma.

Via agora aquela cena na praia de junho de forma diferente. Seus três filhos olhando para o horizonte, imóveis, alertas e tensos, como exploradores à beira do mar, prontos para iniciar suas jornadas. E ela cobrindo os olhos a distância, tentando compreender por que eles estavam partindo.

Aonde iriam sem ela?

Como dizer adeus?

Este livro foi composto na tipologia Electra, em
corpo 11/15, e impresso em papel off-white 80g/m²
no Sistema Cameron da Divisão Gráfica da
Distribuidora Record